COMPRENDE TU MUNDO:

SU HISTORIA, SUS CULTURAS

James Killoran
Social Studies Supervisor, New York City

Stuart Zimmer
Social Studies Teacher, New York City

Mark Jarrett
Former Social Studies Teacher, New York City

Translated by
Hanna Kisiel

JARRETT PUBLISHING COMPANY

West Coast Office: East Coast Office:
833 Riley Drive   19 Cross Street
Albany, CA 94706   Lake Ronkonkoma, NY 11779
(516) 981-4248

ISBN: 0-9624723-2-8

Printed in the United States of America
First Edition

ABOUT THE AUTHORS

James Killoran is an Assistant Principal at Jamaica High School. He has written *Government and You*, *Economics and You*, and *The Key To Understanding Global Studies*. Mr. Killoran has extensive experience in test writing for the New York State Board of Regents in Social Studies and has served on the Committee for Testing of the National Council of Social Studies. In addition, he has won a number of awards for outstanding teaching and curriculum development.

Stuart Zimmer is a Social Studies teacher at Jamaica High School. He has written *Government and You*, *Economics and You*, and *The Key to Understanding Global Studies*. Mr. Zimmer has served as a test writer for the New York State Board of Regents in Social Studies, and has written for the National Merit Scholarship Examination. In addition, he has been recognized by the New York State Legislature with a Special Resolution noting his achievements.

Mark Jarrett is a former Social Studies teacher and a doctoral candidate in history at Stanford University. He has written *The Key to Understanding Global Studies*. He is currently studying law at the University of California at Berkeley, where he is a member of the school's Law Review. He has served as a test writer for the New York State Board of Regents, and has taught at Hofstra University.

Acknowledgments

Illustrations by Ronald Scott Zimmer. Maps created by Morris Kantor. Layout and typesetting by Maple Hill Press, Huntington, New York.

Cover design by Peter R. Fleck.

We would also like to thank the following people for reading the manuscript, and for their comments and help: Samuel J. LaRocca, Assistant Principal, Supervision of Foreign Languages—Bilingual and English as a Second Language Departments, August Martin High School; and Vincent Ruggiero, Assistant Principal, Foreign Languages, Bilingual Education and English as a Second Language Departments, Jamaica High School.

Finally, we wish to thank our wives, Donna, Joan, and Goska, without whose help this work would not have been possible.

COMO USAR ESTE LIBRO

Todos saben que la comprensión de la historia universal exige esfuerzo. ¿Cómo se espera que aprendas y recuerdes tanto acerca de tantas partes del mundo? Con este libro como guía, deberás encontrar la historia mundial menos difícil y hasta entretenida. Este texto no sólo te enseñará algo sobre el mundo que te rodea, sino también te proporcionará puntos de referencia para contestar cualquier pregunta sobre la materia.

VISTA GENERAL

Las siguientes explicaciones de cada sección te darán una vista general del método usado en este libro.

ESTRATEGIAS PARA TOMAR EXAMENES

Esta sección realza las estrategias que te ayudarán a hacerte perito en responder a las preguntas.

■ **COMO CONTESTAR PREGUNTAS DE RESPUESTAS MULTIPLES**. Esta sección explora la variedad de clases de preguntas que aparecen en la parte de preguntas con respuestas breves en la mayoría de los exámenes uniformes. Aprenderás cómo diferenciar y manipular las preguntas basadas en suposiciones, conceptos, comparaciones, causas y efectos, y otros tipos de preguntas de respuestas múltiples.

■ **COMO CONTESTAR PREGUNTAS BASADAS EN DATOS.** En muchos exámenes te encontrarás con diferentes clases de material basado en datos. Esta unidad examina los diferentes tipos de datos que se encuentran en estos exámenes: mapas, tablas, caricaturas políticas, gráficas de listas, gráficas lineales, gráficas circulares, líneas cronológicas y comprensión de lectura.

■ **COMO ESCRIBIR ENSAYOS.** Esta sección trata de la redacción de ensayos que aparecen en muchos exámenes uniformes. Aprenderás cómo preparar un esquema, organizar el contenido y luego escribir el ensayo.

REPASO POR REGIONES

Esta sección contiene el repaso de los hechos más importantes que necesitas conocer acerca de cada una de las regiones generalmente encontradas en un plan de estudios de historia universal: Africa, la América Latina, el Oriente Medio, Asia del Sur y Sudeste, China, el Japón, la Unión Soviética y Europa Oriental, y Europa Occidental. Además, hay un importante capítulo final que examina las cuestiones de alcance mundial de hoy día. Cada parte de la materia está dividida en secciones idénticas:

■ **EL AMBIENTE FISICO**. En esta sección comprenderás cómo las características físicas principales como la geografía, el clima y los recursos de la región afectaron su historia y cultura.

■ **SUCESOS HISTORICOS PRINCIPALES**. Esta sección trata de los sucesos históricos principales que debes conocer y comprender. Se establecen los vínculos entre el desarrollo interno de la región y los sucesos en otras partes del mundo. Esta sección te ayudará a fijarte en los hechos de la historia universal para que puedas comprender y recordar mejor los sucesos principales de verdadera importancia.

■ **SISTEMAS FUNDAMENTALES**. Esta sección explica los principales sistemas políticos, económicos y religiosos de la región.

■ **PERSONAJES PRINCIPALES**. Hay un cierto número de individuos importantes que tuvieron un papel significativo en la historia y sistemas principales de cada región. En esta sección, se realzan los informes sobre su vida y contribuciones.

■ **CUESTIONES PRINCIPALES**. Al presente, cada región del mundo está afectada por diversos problemas. El conocimiento de estos asuntos es esencial para una comprensión más profunda de la región. En esta sección se te presenta la información más reciente (en el tiempo en que se imprime este texto) acerca de estas cuestiones. Esto te dará el máximo de la comprensión de los problemas mundiales y sucesos corrientes.

■ **RESUMEN DE TU COMPRENSION**. La mayoría de los estudiantes de escuelas secundarias cometen el error de prepararse para un examen sólo con la lectura. Para salir lo mejor posible, debes tener práctica en la aplicación de los conocimientos adquiridos. Esta sección te lleva a aplicar tu conocimiento. Se te pide que resumas tu comprensión de términos y conceptos fundamentales y otra información importante presentada en el capítulo que acabas de repasar.

■ **COMPRUEBA TU COMPRENSION**. Cada unidad termina con una prueba de tu comprensión de dicha unidad. La prueba consta de veinticinco preguntas de respuestas breves y concluye con ensayos.

UN EXAMEN FINAL

¿Cuánto aprendiste acerca del campo de la historia universal? En esta sección se hace un inventario de tu conocimiento de la historia del mundo al darte dos pruebas, una más difícil que la otra. Debes escoger la prueba más apropiada para ti. Si lees este libro con cuidado, y completas todos los ejercicios y pruebas de cada capítulo, debes salir bien en el examen.

INDICE GENERAL

PARTE I: COMO TOMAR UN EXAMEN

PARTE III: ¿CUANTO PROGRESASTE?

CAPITULO 1

COMO CONTESTAR PREGUNTAS DE RESPUESTAS MULTIPLES

Todo el mundo quiere sacar una buena nota cuando toma un examen. Pero no basta con quererlo; hay que prepararse. Aunque el conocimiento de la materia es lo más importante para obtener una nota alta, el conocimiento de ciertas estrategias te puede ayudar a mejorar los resultados. En este capítulo vamos a prestar atención a esas estrategias.

SUGERENCIAS GENERALES

AL PRINCIPIO DEL EXAMEN

Lee con cuidado todas las direcciones para saber qué se espera de tí. Asegúrate de que entiendes completamente las direcciones.

TEN CONCIENCIA DEL TIEMPO

Lleva un reloj cuando vas a tomar un examen de tiempo limitado. Debes tener una idea general de cuánto tiempo va a tomar cada parte o sección del examen. Si estás confundido por una pregunta específica, sigue con otras preguntas, pero *señala* cualquier pregunta omitida. Si el tiempo te lo permite, vuelve a las preguntas omitidas.

EN QUE TE DEBES FIJAR AL CONTESTAR UNA PREGUNTA

Lee la pregunta con cuidado. Al leer, subraya la palabra o expresión clave que crees es esencial a esa pregunta. Si en la pregunta hay una palabra desconocida, trata de separarla en palabras más conocidas. Trata de ver si el prefijo (el principio de la palabra), la raíz o el sufijo (el final) te ayudan a saber el significado de esa palabra.

LA SELECCION DE LA RESPUESTA

Considera todas las posibilidades *antes* de hacer la selección. No escojas una respuesta que generalmente puede ser correcta, pero que será incorrecta para esa pregunta específica. Siempre elige la respuesta que constituye la mejor contestación a la pregunta dada. No te alborotes si no sabes la respuesta. Si la pregunta te confunde, trata de ponerla en palabras que la harán más fácil de comprender.

ADIVINACION

Ya que no se te castiga por adivinar, **nunca** debes omitir una pregunta de respuestas breves. Las respuestas en blanco contarán como incorrectas. Adivina con premeditación, ya que es posible que escojas una respuesta correcta.

COMO CONTESTAR PREGUNTAS DE RESPUESTAS MULTIPLES

Aunque en esta materia hay gran variedad de preguntas de respuestas múltiples, estas se pueden agrupar en diferentes tipos de acuerdo a sus características comunes. El propósito de esta sección es de familiarizarte con estos tipos fundamentales de preguntas; así podrás comprender rápidamente qué se pide en la pregunta.

TERMINOS, CONCEPTOS Y SUCESOS IMPORTANTES

La historia universal contiene un vasto caudal de informes - términos, conceptos y sucesos - que los estudiantes deben conocer y comprender. Los siguientes ejemplos dejan ver las diferentes formas en que se pueden presentar las preguntas. Ten presente de que aunque las expresiones en corchetes pueden variar según el contenido de la prueba, la forma de la pregunta quedará igual. Las preguntas que comprueban tu conocimiento de términos, conceptos y sucesos pueden ser formuladas así:

■ ¿Cuál es una característica esencial de [*la democracia*]?

■ ¿Cuál es la frase correctamente pareada con su autor?

■ ¿Cuál era un argumento importante a favor/en contra del [*imperialismo*]?

■ ¿Cuál titular de periódico ejemplifica mejor el término [*apartheid*]?

■ ¿Cuál declaración sobre [*el imperialismo*] es la más acertada?

Nota que es poco importante la forma de la pregunta. El factor crítico es que en cada una se te pide que reconozcas un término, concepto o suceso importante. Por lo tanto es de gran importancia conocer los **términos**, **conceptos** y **sucesos** de cada unidad. Para ayudarte a poner atención en estos, en cada sección de repaso se presentará una lista de términos, conceptos y sucesos. Además, a través del texto, los términos y conceptos aparecerán en letra **gruesa**.

COMPARACION Y CONTRASTE

A menudo comparamos y contrastamos dos cosas para comprender mejor cada una de ellas. Este acto de comparar y contrastar realza y separa cada suceso, idea o concepto de otros datos, poniéndolo en relieve más fuerte. Las preguntas de comparación y de contraste podrían tener las siguientes formas:

■ Una similitud importante entre los sistemas políticos de [*los Estados Unidos*] y de [la India] es que ambos ....

■ [*El islam, el judaísmo y el cristianismo*] se parecen en que todos ....

■ Una diferencia importante entre la sociedad [*norteamericana y la japonesa*] es que en la sociedad [*japonesa*] hay un grado más alto de ....

■ ¿Cuál es la creencia común a los grupos religiosos [*africanos y latinoamericanos*]?

■ Las acciones de [*Lenin y Castro*] eran influidas por ....

> Nota que es poco importante la forma de la pregunta. El factor crítico es que se te pide que **compares** o **contrastes** a personas importantes, lugares o sucesos. Cuando leas las secciones de repaso, comprueba tus alcances al comparar y contrastar nuevos nombres y términos con los que ya conoces. Debes comprender qué tienen en común estas cosas y cómo difieren.

GENERALIZACIONES

Las generalizaciones son un instrumento fundamental en los estudios sociales. Para formar una generalización, examinamos un grupo de hechos, estadísticas o tendencias. Basándonos en estos informes específicos, llegamos a un principio, regla, opinión o conclusión general. Por ejemplo, podemos tener varios amigos que estudian mucho para sacar buenas notas. Podemos llegar a la generalización de que el estudio diligente ayuda a obtener buenas notas. Los ejemplos de este tipo de pregunta generalizadora podrían tomar la siguiente forma:

■ ¿Cuál es una aseveración válida sobre las costumbres, la religión y la estructura de la familia en [*la India*]?

■ La idea de que los sucesos pueden tener un efecto positivo tanto como negativo en la sociedad queda mejor ejemplificada con .....

■ En un esquema, uno de los siguientes es el tema principal, y los otros tres son secundarios. ¿Cuál es el tema principal?

■ ¿Cuál es la generalización más válida que se puede hacer al examinar [*la guerra de Viet Nam*]?

> Nota que es poco importante la forma de la pregunta. El factor crítico es que la pregunta te exige que asocies sucesos o hechos específicos con con una idea general. Para ayudarte a enfocar en este tipo de pregunta, las generalizaciones importantes quedan realzadas en cada unidad temática a través del libro.

CAUSA Y EFECTO

La historia es una serie de sucesos que llevan a otros sucesos. Las explicaciones de causa y efecto dan a la historia mucho significado. Las preguntas de causa y efecto comprueban tu comprensión de las relaciones entre una acción o suceso y su efecto correspondiente. Al contestar estas preguntas ten presente cuál es el efecto. También, asegúrate que entiendes qué se pide - causa o efecto. Las preguntas de este tipo podrán tener la siguiente forma:

■ ¿Qué dificultaba generalmente [*el nacionalismo*] en el Oriente Medio? (se exige una causa)

■ ¿Cuál era el resultado de [*la Primera Guerra Mundial*]? (se exige un efecto)

■ ¿Cuál era una causa significante del [*colonialismo*]? (se pide una causa)

■ ¿Cuál era un resultado directo de [*la revolución industrial*]? (se pide un efecto)

■ ¿Cuál suceso llevó a los otros tres? (se exige una causa)

> Nota que la forma de la pregunta tiene poca importancia. El factor crítico es que en la pregunta se te pide que reconozcas la **relación de causa y efecto**. Para ayudarte a enfocar en este tipo de pregunta, en cada unidad temática del libro se identifican las relaciones de causa y efecto. Además, en la prueba final de cada unidad se incluye una pregunta de causa y efecto.

CRONOLOGIA

Cronología se refiere a la medición del tiempo de los sucesos, o sea el orden en el que ocurrieron estos sucesos. Una lista de sucesos en orden cronológico comienza con el suceso más remoto y progresa al suceso más reciente. Este arreglo de períodos de tiempo nos permite ver moldes, orden o enlaces de los sucesos que tienen lugar. Las preguntas de cronología podrán tener la siguiente forma:

■ ¿A qué época de [*la historia de Africa*] probablemente se refiere el autor de esta aseveración?

■ ¿Cuál suceso histórico era el último en ocurrir?

■ ¿Cuál serie describe mejor el desarrollo histórico que tuvo lugar en [*China*]?

> Nota que importa poco la forma de la pregunta. El factor crítico es que se te pide que reconozcas la naturaleza continua de sucesos importantes en la historia. Para ayudarte a recordar el **orden cronológico** de sucesos importantes, las secciones sobre estos están presentadas en orden cronológico. Además, para ayudarte a enfocar en este tipo de pregunta, se incluye una pregunta de tipo cronológico en la prueba del final de cada unidad.

HECHO, OPINION Y TEORIA

A veces en una pregunta se te puede pedir que hagas la distinción entre un hecho y una opinión o teoría.

✦ Un **hecho** es algo que se puede comprobar como verdadero. Por ejemplo, una declaración de hecho sería: "La caída del Imperio Romano tuvo lugar en 476 d. de C."

✦ Una **opinión** es la convicción de alguien y no puede ser verificada. Un ejemplo de opinión sería "Napoleón era el jefe más grande que jamás haya vivido".

✦ Una **teoría** es una explicación plausible y cuidadosa de algo, basada en un conjunto de hechos. Es un tipo de opinión que se presenta como verdadera, pero está abierta a debate. Un ejemplo de teoría sería "El esparcimiento de enfermedad causó la caída del Imperio Romano".

Las preguntas que exigen la distinción entre hecho y opinión podrían presentarse de la forma siguiente:

■ ¿Cuál aseveración acerca de [*la Roma antigua*] sería la más difícil de comprobar?

■ ¿Cuál declaración presenta una opinión más bien que un hecho?

■ ¿Cuál aseveración sobre [*Africa*] expresa una opinión más bien que un hecho?

Nota que importa poco la forma de la pregunta. El punto crítico es que se te pide que reconozcas la diferencia entre una declaración relativa al **hecho** y una expresión de **opinión**. Para ayudarte en el enfoque de este tipo de pregunta, al final de cada unidad encontrarás preguntas referentes a hechos, opiniones y teorías.

USO DE FUENTES

Los historiadores y sociólogos a menudo tienen que consultar una variedad de fuentes para descubrir lo que ocurrió en el pasado y lo que ocurre en las diferentes partes del mundo.

✦ Una **fuente primaria** es donde un participante u observador anota el suceso tal como ocurre. Los ejemplos de fuentes primarias podrían ser el diario de una persona, una fotografía o un artefacto.

✦ Una **fuente secundaria** es cualquier relación o descripción de un suceso que no es fuente primaria. Los ejemplos de fuentes secundarias son los textos, enciclopedias, libros de historia, biografías o publicaciones eruditas.

Las preguntas que exigen la diferenciación entre fuentes primarias y secundarias podrían presentarse de la siguiente forma:

■ ¿Cuál sería un ejemplo de fuente de informes primaria sobre [*la Edad Media*]?

■ ¿Cuál es una fuente de informes secundaria sobre [*el Oriente Medio antiguo*]?

Nota que es poco importante la forma de la pregunta. El factor crítico es que se te pide que hagas la distinción entre fuentes de informes **primarias** y **secundarias**. Para ayudarte a enfocar en este tipo de pregunta, encontrarás preguntas parecidas en las pruebas al fin de cada unidad de la materia.

USO DE LIBROS DE CONSULTA

A veces en una pregunta se te puede pedir que nombres un tipo especial de libro de consulta en el cual se pueden encontrar los informes específicos. Por lo tanto, te conviene familiarizarte con algunas clases comunes de libros de consulta:

✦ Un **atlas** es un libro que contiene una colección de diferentes mapas sobre un tema dado. También puede contener informes sobre la topografía, recursos, población, ciudades, etc.

✦ Una **enciclopedia** es un libro o serie de libros que se componen de artículos sobre una gran variedad de conocimientos.

✦ Un **almanaque** es una publicación anual que contiene datos interesantes relacionados a los países del mundo, acontecimientos en los deportes, etc.

✦ Un **diccionario** es un libro que contiene palabras en orden alfabético con sus definiciones.

Las preguntas que comprueban tu conocimiento de libros de consulta podrían tener la siguiente forma:

■¿Cuál es la fuente de informe que consultarías para obtener informes sobre la topografía de una región?

■ Si quisieras saber el significado de [*imperialismo*] usarías .....

> Nota que poco importa la forma de la pregunta. El factor crítico es que se te pide que nombres una clase específica de **fuente de consult**a. Para ayudarte a enfocar en este tipo de pregunta, en las pruebas al fin de cada unidad encontrarás preguntas referentes a libros de consulta.

PUNTOS DE REFERENCIA

A veces en una pregunta se te puede pedir que nombres un investigador social específico. Estos examinan la sociedad desde diferentes puntos de vista o referencia. Las diferentes clases de investigadores incluyen a los siguientes:

✦ Los **antropólogos** que examinan el origen, las costumbres, las creencias y las culturas de la humanidad.

✦ Los **arqueólogo**s investigan las civilizaciones del pasado al examinar sus artefactos. Los arqueólogos a menudo se especializan en la investigación de las civilizaciones prehistóricas y antiguas.

✦ Los **sociólogos** examinan las relaciones y estructuras sociales, tales como las clases sociales y la movilidad social (movimiento entre las clases).

✦ Los **economistas** investigan la forma en la que la gente produce bienes, lleva a cabo servicios, y cómo se distribuyen y consumen estos productos y servicios. Un economista podría examinar los niveles de desempleo, el desarrollo de la productividad nacional, la inflación y métodos de producción.

✦ Los **especialistas en la política** investigan las relaciones y estructuras políticas. Se interesan en cómo se gobiernan los pueblos: cómo escogen a sus jefes, qué tipo de gobierno tienen y las relaciones que hay entre los gobiernos.

✦ Los **historiadores** estudian el pasado. Se interesan en las relaciones entre los sucesos del pasado, y también en todos los aspectos de las sociedades anteriores. Un historiador puede investigar las causas de la Primera Guerra Mundial, mientras que otro puede estudiar la estructura social del Japón feudal.

Las preguntas que ponen a prueba tu conocimiento de los diferentes tipos de profesiones en las ciencias sociales podrían tener la siguiente forma:

■ ¿Cuál profesional en el campo de las ciencias sociales estaría más interesado en examinar [*el sistema de gobierno de una nación*]?

■ ¿Qué especialista usa [*artefactos, fósiles y ruinas*] para examinar las culturas prehistóricas?

■ ¿Con cuál aseveración estaría más de acuerdo [*un historiador*]?

Nota que es poco importante la forma de la pregunta. El factor crítico es que se te pide la distinción entre las diferentes clases de investigadores sociales. Para ayudarte a enfocar en este tipo de pregunta, en la prueba final de cada unidad habrá una pregunta de esa clase.

CAPITULO 2

COMO RESPONDER A LAS PREGUNTAS BASADAS EN DATOS

En los exámenes, con bastante frecuencia te encontrarás con preguntas basadas en datos. En general, este tipo de pregunta se basa en datos o informes presentados como parte de la pregunta. Puede haber una variedad de informes: mapas, tablas de datos, caricaturas políticas, gráficas lineales, gráficas circulares, gráficas de listas y líneas cronológicas.

Aunque los informes pueden ser bastante diferentes, casi todas las preguntas hechas sobre ellos se pueden agrupar en cuatro clases generales. Te conviene reconocer cuál clase de pregunta se hace.

CLASES GENERALES DE PREGUNTAS

PREGUNTAS DE COMPRENSION

Estas preguntas te piden que localices un artículo, figura o número presentado en los informes. Una pregunta de comprensión podrá tener una de las formas siguientes:

■ El "oso" de la caricatura es un símbolo que representa ....

■ De acuerdo a la gráfica, ¿en qué año fue más alta la producción?

■ ¿En qué país hubo un aumento de población más grande entre 1830 y 1870?

PREGUNTAS DE CONCLUSION O GENERALIZACION

En estas preguntas se te pide que hagas una generalización al unir varios elementos que se encuentran en los informes dados. Este tipo de pregunta puede tener cualquiera de las formas que siguen:

- ¿Cuál es una generalización válida basada en los datos?

- ¿Cuál es una válida aseveración acerca de los informes?

- ¿Cuál declaración es mejor apoyada por los datos del cuadro?

PREGUNTAS DE EXPLICACION

En estas preguntas se te pide que des una explicación de la situación ilustrada por los datos. Para contestar este tipo de preguntas primero debes analizar los datos para comprender su significado total. Luego debes dar un paso más y usar tu conocimiento de estudios sociales para encontrar la explicación de lo indicado por los datos. Las preguntas de este tipo pueden tener una de las siguientes formas:

- El problema ilustrado en la caricatura política fue causado por ...

- ¿Cuál factor contribuyó más a la situación presentada en los datos?

- Los datos en la gráfica reflejan el reciente cambio en ....

PREGUNTAS DE PRONOSTICO

En estas preguntas se te pide que hagas una conjetura basada en la situación ilustrada en los datos. Para contestar este tipo de pregunta, otra vez primero debes analizar los datos para comprender su significado total. Luego tienes que dar un paso más y usar tu conocimiento de estudios sociales para hacer un pronóstico calculado en cuanto a lo que probablemente sucederá en un momento futuro. Estas preguntas pueden tener una de las formas siguientes:

- ¿Cuál podría ser un efecto de la situación presentada en los datos?

- ¿Cuál sería el medio más efectivo en ayudar a cambiar la situación mostrada en los datos?

- De acuerdo a los informes presentados por los datos, ¿qué ocurrirá con más probabilidad?

TIPOS FUNDAMENTALES DE DATOS

En los exámenes estatales, te vas a encontrar con diferentes tipos de preguntas basadas en datos. El conocimiento de las diferentes clases de datos y cómo interpretarlos será el tema principal de esta sección.

—CARICATURAS POLITICAS—

¿Qué es una caricatura política?

Una caricatura política es un dibujo o grabado que expresa una opinión sobre un tema o asunto. Aunque la mayoría de estas caricaturas son humorosas, la observación que hacen es seria.

Claves a la comprensión de una caricatura política

Para comprender una caricatura política debes fijarte en sus componentes principales:

El medio. Las caricaturas son representaciones visuales. Los caricaturistas usan la dimensión y tipo de objetos, expresiones fisionómicas, exageración, detalles de interés o palabras pronunciadas por uno o más personajes para persuadirte a aceptar su punto de vista.

Los símbolos. Los caricaturistas a menudo usan símbolos (cualquier objeto que reemplaza o representa otra cosa) para presentar su punto de vista. A menudo se usan animales para representar países. Por ejemplo, un oso se puede usar como el símbolo de la Unión Soviética, mientras que el águila a menudo representa los Estados Unidos.

¿Puedes nombrar otros símbolos usados por los caricaturistas?

1. _____ 2. _____

Interpretación de una caricatura

Empieza por responder a las siguientes preguntas acerca de la caricatura:

■ ¿Qué objetos, personas o símbolos se usan por el artista?

■ ¿Cuáles son los elementos exagerados o realzados?

■ ¿Cuál es la situación presentada en la caricatura?

■ En tu opinión, ¿cuál es la idea principal de la caricatura?

Una nota final

No hay mensajes escondidos en las caricaturas. En sus dibujos, los caricaturistas toman una posición — visualmente presentan una opinión — sobre un asunto o situación corriente.

¿Puedes nombrar dos cuestiones o situaciones corrientes que podrían servir de base a una caricatura política?

1. _____ 2. _____

Ahora que sabes en qué fijarte en las caricaturas políticas, comprueba tu comprensión de dichas al contestar las siguientes preguntas:

1 El martillo y la hoz en la gorra y en el pecho del oso nos indican que el oso representa
    1 las naciones de la Europa Occidental
    2 los Estados Unidos
    3 la Unión Soviética
    4 las naciones del Tercer Mundo

2 La idea principal de la caricatura es que
    1 la cortina de hierro mantuvo a la Unión Soviética fuera de la Europa del Este
    2 había espacio en la Europa Oriental para que todos viviesen juntos en paz
    3 la Unión Soviética, aunque parece amistosa, no era verdadera amiga de los E.E.U.U.
    4 algunos pueblos de la Europa Oriental querían escapar el control soviético

3 ¿Con qué aseveración habría estado más de acuerdo el caricaturista?
    1 Todas las naciones en la Europa Occidental eran comunistas.
    2 La Unión Soviética era buena amiga de los pueblos de la Europa Oriental.
    3 Algunos pueblos en la Europa Oriental estaban disatisfechos con el trato recibido de la Unión Soviética.
    4 Los intereses soviéticos en la Europa Occidental no eran muy importantes.

4 ¿Cuál era un resultado probable de la situación presentada en la caricatura?
    1 Los países de la Europa Oriental se volvieron más leales a la Unión Soviética.
    2 Las naciones comunistas prohibían inversiones extranjeras en Asia.
    3 Muchos países de la Europa Oriental se apartaren del control soviético.
    4 La Europa unificada surgió bajo la jefatura francesa.

—MAPAS—

¿Qué es un mapa?

Un mapa es un diagrama o representación pequeña de algo que es mucho más grande. Aunque la mayoría de los mapas muestra las fronteras políticas entre países, casi no hay límite a los diferentes tipos de informes que se pueden presentar en un mapa.

Claves a la comprensión de un mapa

La comprensión de casi cualquier mapa se puede obtener al examinar sus componentes principales:

El título. Los más mapas representan fronteras políticas o características de una región. El título del mapa dirá cuál es la región presentada. Sin embargo, otros tipos de mapas pueden mostrar una situación. Por ejemplo, en el mapa que sigue el título es: "ALEMANIA, SUS ALIADOS Y SUS CONQUISTAS: 1942". El mapa muestra la situación política de Alemania en 1942.

La dirección. Para encontrar las direcciones en un mapa debes fijarte en el indicador de direcciones, a menudo mostrado en forma de un pequeño compás. El indicador muestra las cuatro direcciones principales: norte, sur, este y oeste. A menos que se indique lo contrario, la mayoría de los mapas muestra el norte en la parte de arriba del mapa y el sur en la parte baja.

La escala. La escala se usa para mostrar distancias y generalmente se presenta como una línea graduada. Por ejemplo, cerca del margen inferior del mapa verás una escala marcada: 0 a 800 km. La línea mide una pulgada de largo. Podemos usar este informe para calcular la distancia entre dos puntos. Así, la distancia entre dos puntos una pulgada aparte indicaría la distancia de 800 kilómetros.

La leyenda o clave. La leyenda abre el acceso a los informes que se encuentran en un mapa. Es una forma abreviada de enumerar los símbolos usados y lo que representa cada símbolo. Por ejemplo, en nuestro mapa, el espacio negro representa a Alemania y a sus aliados. Los espacios de líneas diagonales apretadas representa los terrenos capturados por Alemania y sus aliados.

Interpretación de un mapa

Empieza al fijarte en el título. Esto te dará una indicación del tipo de mapa presentado.

■ Si es un mapa político, nota que las líneas determinan las fronteras políticas entre países, mientras que los puntos o círculos se usan para indicar las ciudades principales.

■ Si se trata de otro tipo de mapa, la leyenda te proporcionará la clave para comprender el significado del mapa.

ALEMANIA, SUS ALIADOS Y SUS CONQUISTAS: 1942

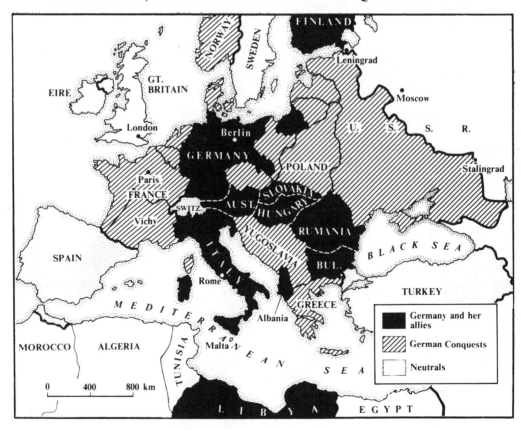

Ahora que estudiaste las diferentes partes de un mapa, comprueba tu comprensión de mapas al contestar las siguientes preguntas:

1 ¿En qué dirección general viajarías si fueras en avión de Noruega a Italia?
    1 norte   3 este
    2 sur   4 oeste

2 ¿A qué distancia se encuentra París (Francia) de Berlín (Alemania)?
    1 menos de 400 km   3 cerca de 800 km
    2 cerca de 400 km   4 cerca de 1.600 km

3 ¿Cuál es la aseveración mejor apoyada por los informes dados en el mapa?
    1 Alemania y España estaban aliadas.
    2 Alemania, Rumania e Italia estaban aliadas.
    3 Finlandia era una nación neutral.
    4 Alemania conquistó a Turquía.

4 ¿Cuál factor contribuyó más a la situación presentada en el mapa?
    1 el militarismo y expansionismo alemán en Europa
    2 la agresión de las Potencias Aliadas
    3 la amenaza del comunismo en España
    4 la invasión de Hungría por la Unión Soviética

—TABLAS—

¿Qué es una tabla?
Una tabla es la ordenación de palabras o números en columnas paralelas. Su propósito principal es de organizar grandes cantidades de informes de tal modo que puedan localizarse y compararse fácilmente.

Claves a la comprensión de una tabla
Para comprender una tabla de informes debes fijarse en sus componentes principales:

El título. El título dará el tema total de la tabla. Po ejemplo, en la tabla siguiente el título es: "ESTADISTICAS ESCOGIDAS DE NACIONES EN EL SUR DE ASIA". La tabla enumera la mortalidad, la expectativa de vida y los ingresos por cabeza en cuatro naciones en el sur de Asia.

Las categorías. Cada tabla se compondrá de varias categorías de informes. Estas categorías quedan denominadas en los encabezamientos que se encuentran horizontalmente en la parte de arriba de la tabla y verticalmente en el margen izquierdo. En nuestro ejemplo, las categorías enumeradas en la línea de arriba son: Nación, Mortalidad, Expectativa de vida e Ingresos anuales por cabeza. Las categorías enumeradas en la columna de la izquierda indican los nombres de los países: Bangladesh, la India, Nepal y Pakistán.

Interpretación de una tabla
Empieza al fijarte en el título; este proporcionará el sentido general de los informes presentados. Para encontrar informes específicos, tienes que encontrar la intersección de las columnas y de las líneas. Por ejemplo, si quieres encontrar la expectativa de vida en Pakistán, empiezas desde el principio de la columna de "Expectativa de vida" y vas hacia abajo, a lo largo de la columna, hasta que encuentres la línea de

"Pakistán". El punto en el cual se cruzan te dirá la expectativa de vida en Pakistán, de 57 años.

ESTADISTICAS ESCOGIDAS DE NACIONES EN EL SUR DE ASIA: 1985

NACION	MORTALIDAD (por 1000)	EXPECTATIVA DE VIDA (en años)	INGRESO ANUAL POR CABEZA (en $ E.E.U.U.)
Bangladesh	15.6	47	$124
India	10.9	53	$248
Nepal	16.7	44	$153
Pakistán	13.8	57	$373

"Abstracto Estadístico de los E.E.U.U." : 107a edición

Ahora que sabes cómo interpretar tablas, comprueba tu comprensión de dichas al contestar las siguientes preguntas:

1 ¿Cuál nación tuvo la mortalidad más alta en 1985?
      1 India   3 Bangladesh
      2 Pakistán   4 Nepal

2 ¿Cuál es la aseveración mejor apoyada por los datos de la tabla?
      1 Bangladesh tiene las facilidades médicas más corrientes en el sur de Asia.
      2 El sistema económico más logrado en el sur de Asia se encuentra en Nepal.
      3 La población de Pakistán tiene un nivel de vida superior al de la población del Japón.
      4 Uno puede encontrar pobreza en muchas partes del sur de Asia.

3 ¿Cómo se explica el hecho de que las proporciones de la expectativa de vida encontradas en la tabla son más bajas que las correspondientes a los Estados Unidos en el mismo año?
      1 La gente muere más joven en los climas más fríos.
      2 La gente debe comenzar a trabajar a una edad avanzada.
      3 Estas naciones carecen de servicio médico adecuado.
      4 Estos países tienen ingresos por cabeza más altos que los E.E.U.U.

4 ¿Cuál de los países tendrá que hacer más para mejorar la calidad de cuidado de salud para su pueblo?
      1 India   3 Bangladesh
      2 Pakistán   4 Nepal

— GRAFICAS DE LISTAS —

¿Qué es una gráfica de listas?

Una gráfica de listas es un cuadro compuesto de listas o barras paralelas de diferentes tamaños. Su propósito principal es de mostrar la comparación de dos o más cosas.

Claves a la comprensión de una gráfica de listas

Para comprender mejor una gráfica de listas debes fijarte en sus componentes principales:

El título. El título dará el tema general de la gráfica. Por ejemplo, en la gráfica que sigue, el título es "POBLACION POR REGIONES". Esto indica que se va comparando la población de diferentes regiones.

La leyenda. La leyenda enumera las listas que se usan y lo que representa cada una. Por ejemplo, en la gráfica que sigue, la lista negra representa el año 1985, mientras que la lista blanca representa el año 2000.

El eje vertical y horizontal. Las gráficas de lista se componen de un eje vertical y un eje horizontal que indican lo que se compara. En la gráfica que sigue, el eje vertical que va desde arriba hacia abajo, enumera la cantidad de personas (en millones). El eje horizontal, que va desde la izquierda hacia la derecha, muestra las regiones que se comparan.

Interpretación de una gráfica de listas

Empieza al fijarte en el título, "POBLACION POR REGIONES". Esto te dará el sentido general de los informes presentados. Para encontrar informes específicos, tienes que examinar varias cosas en la gráfica. Por ejemplo, para saber cuál será la población de Asia Oriental en el año 2000 tienes que dirigirte al eje horizontal y encontrar la región Asia Oriental. Busca la lista para el año 2000 y mueve el dedo a lo largo de la lista "2000" hasta llegar a su fin. Ahora, al moverte hacia la izquierda, vas a encontrar el número que se encuentra justamente bajo la línea que representa 1500 millones de personas. Así, la respuesta a la pregunta — ¿cuál será la población de Asia Oriental en el año 2000? — es aproximadamente 1490 millones.

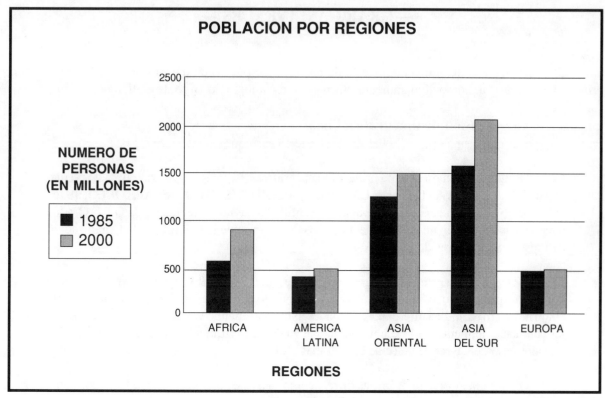

"Abstracto Estadístico de los E.E.U.U." : 107a edición

Ahora que sabes en qué fijarte en las gráficas de listas, comprueba tu comprensión de estas al contestar las siguientes preguntas:

1 ¿Cuá será la población de Africa en el año 2000?

    1 cerca de 550 millones   3 cerca de 400 millones

    2 cerca de 870 millones   4 no se muestra

2 Según los informes de la gráfica, la conclusión más acertada es que

    1 Europa tiene un gran exceso de población.

    2 La población del mundo va a triplicarse desde 1985 a 2000.

    3 La América Latina tendrá el mayor aumento de población.

    4 Se espera que la población de cada región aumentará después de 1985.

3 ¿Cuál es la mejor explicación para el reducido aumento de población en Europa?

    1 En un país la natalidad se eleva según se eleva el ingreso medio por cabeza.

    2 El nivel de sanidad en los países en desarrollo cambió muy poco a través del tiempo.

    3 El conocimiento de leer y escribir en los países en desarrollo es más alto que en los países industrializados.

    4 La natalidad en los países industrializados es más baja que en los países en desarrollo.

4 ¿Cuál sería el medio más eficaz de cambiar la situación mostrada en la gráfica?

    1 Proporcionar más programas de limitación de natalidad en los países en desarrollo

    2 Un programa de inmunización de los niños contra enfermedades en las naciones industriales

    3 Elevar la edad legal a la cual la gente puede casarse en las naciones desarrolladas

    4 Extender las horas de clase para los niños en los países en desarrollo

—GRAFICAS LINEALES—

¿Qué es una gráfica lineal?

Una gráfica lineal es un diagrama compuesto de una serie de puntos unidos por una línea. Su propósito principal es de mostrar cómo algo aumentó, disminuyó o cambió a lo largo de un tiempo.

Claves a la comprensión de una gráfica lineal

Para comprender mejor una gráfica lineal debes fijarte en sus componentes principales:

El título. El título declara el tema principal de la gráfica. Por ejemplo, en la gráfica lineal que sigue el título es "LA AYUDA DE LA O.P.E.C. A LOS PAISES EN DESARROLLO: 1975-1985". Esto indica que la gráfica compara la cantidad de ayuda ofrecida por la O.P.E.C. a los países en desarrollo en un período de diez años. Ya sabrás que la O.P.E.C. es la Organización de Países Exportadores de Petróleo.

El eje horizontal y vertical. Las gráficas lineales siempre incluyen un eje vertical y uno horizontal que indican lo que se compara. En el ejemplo que sigue, el eje vertical que va desde abajo hacia arriba, indica diferentes cantidades. Nota que cuando vas desde abajo hacia arriba, las cantidades aumentan. El eje horizontal, que va desde la izquierda hacia la derecha, indica los años en orden ascendente (más bajo al más alto).

La leyenda. Si la gráfica tiene varias líneas, como una línea de puntos y una línea continua, la leyenda indica lo que representa cada línea. Ya que la gráfica que sigue tiene sólo una línea, no hay leyenda.

Interpretación de una gráfica lineal

Empieza al fijarte en el título. Este ofrecerá el significado general de los informes presentados. Para encontrar un informe específico tienes que examinar varias cosas en la gráfica. Por ejemplo, ¿Cuál era la cantidad de ayuda ofrecida por la OPEC en 1983? Para saber la respuesta, mueve el dedo a lo largo de "años" hasta que llegues a 1983. Ahora, mueve el dedo hacia arriba hasta que llegues a la línea apropiada. Para saber el número, mueve el dedo hacia la izquierda a los números en el eje vertical. Este punto de intersección indica 5 billones. Por lo tanto, la respuesta a la pregunta —¿Cuál era la cantidad de ayuda ofrecida por la OPEC en 1983? — es 5 billones de dólares.

Advertencia final

Algunas preguntas te pueden pedir que nombres la tendencia o dirección mostrada en una gráfica lineal. La tendencia se puede inferir de los puntos específicos en la línea. Por ejemplo, en la gráfica que sigue la tendencia era de aumento de la ayuda hasta 1980. Desde entonces la ayuda fue disminuyendo.

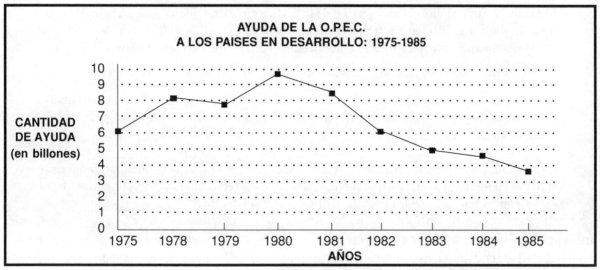

"Abstracto Estadístico de los E.E.U.U." : 107a edición.

Ahora que sabes en qué fijarte en una gráfica lineal, comprueba tu conocimiento de estas gráficas al contestar las preguntas que siguen:

1 ¿Cuánta ayuda dio O.P.E.C. a los países en desarrollo en 1978?

     1 cerca de 80 billones   3 cerca de 9 billones
     2 cerca de 8 billones   4 cerca de 59 billones

2 ¿Cuál es una aseveración válida acerca de los datos presentados en la gráfica?

     1 Las contribuciones de la OPEC aumentaron cada año.
     2 La OPEC es la mayor contribuidora de ayuda a los países en desarrollo.
     3 Desde 1980 hubo una tendencia descendente en las contribuciones de la OPEC.
     4 La mayor parte de la ayuda de OPEC se dio a países europeos.

3 Las tendencias mostradas en la gráfica están más directamente relacionadas

     1 a los cambios en el precio del petróleo
     2 a los problemas de población en la India
     3 al desarrollo de fuentes alternas de energía
     4 al cambio en las condiciones políticas en la Unión Soviética

4 Si baja el precio del petróleo, las contribuciones de la OPEC a las naciones en desarrollo probablemente
  1 disminuirán hasta por un 50% 3 permanecerán iguales
  2 aumentarán hasta por un 50% 4 aumentarán por más de 50%

—GRAFICAS CIRCULARES—

¿Qué es una gráfica circular?

Una gráfica circular es un diagrama de un círculo dividido en sectores de diferentes tamaños. Su propósito principal es de mostrar la relación entre un entero y sus partes.

Claves a la comprensión de una gráfica circular

Para comprender una gráfica circular debes fijarte en sus componentes principales:

El título. El título te dirá el tema general de la gráfica circular. Por ejemplo, en la gráfica que sigue el título es "PRODUCCION DE ELECTRICIDAD HIDRAULICA Y NUCLEAR: 1984". Esto indica que se compara la producción de la electricidad por medios hidráulicos y nucleares.

Los sectores. Cada sector del círculo nos dice cuáles son los informes examinados y su tamaño en relación al círculo entero. En nuestro ejemplo, Asia produce un 17% del total de la energía hidráulica y nuclear.

La leyenda. La leyenda muestra los diferentes sectores que se usan y lo que representa cada uno. Por ejemplo, en la gráfica que sigue, el sector negro representa a Africa, mientras que el sector blanco representa a los Estados Unidos y el Canadá.

Interpretación de una gráfica circular

Empieza al fijarte en el título. Este te dará el significado general de los informes presentados. Para encontrar informes específicos debes examinar la dimensión de cada sector del círculo y su relación a los otros sectores o al círculo entero. Digamos que queremos saber cuál es la región que produce la menor cantidad de electricidad hidráulica y nuclear. Al mirar la gráfica, vemos que el sector que representa a Africa (cerca de 2%) es el más pequeño dentro del círculo. Así, la respuesta a la pregunta — ¿Cuál región produce la cantidad más reducida de electricidad hidráulica y nuclear? — es Africa.

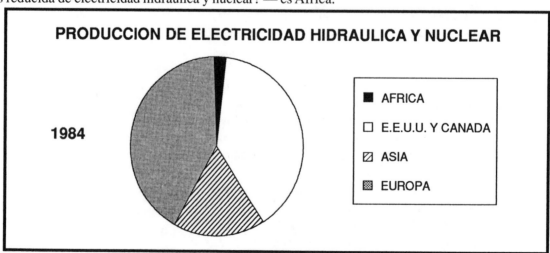

PRODUCCION DE ELECTRICIDAD HIDRAULICA Y NUCLEAR

1984

- ■ AFRICA
- □ E.E.U.U. Y CANADA
- ▨ ASIA
- ▦ EUROPA

"Abstracto Estadístico de los E.E.U.U." : 107a Edición

Ahora que sabes en qué fijarte en las gráficas circulares, comprueba tu comprensión de estas al contestar las preguntas siguientes:

1 ¿Cuál región produce cerca de un 20% de la electricidad hidráulica y nuclear del mundo?
    1 Africa   3 Asia
    2 los Estados Unidos y el Canadá   4 Europa

2 ¿Cuál es la conclusión más acertada?
    1 Las naciones industrializadas producen más electricidad hidráulica y nuclear que los países en desarrollo.
    2 Los Estados Unidos producen más electricidad hidráulica y nuclear que Europa y Asia juntas.
    3 Los Estados Unidos producen más de un 50% de la electricidad hidráulica y nuclear del mundo.
    4 La electricidad hidráulica y nuclear proporciona una fuente más grande de energía en el mundo que el petróleo.

3 Las recientes decisiones en los Estados Unidos que requieren reglamentación más estricta de las plantas de energía nuclear probablemente resultarán en
    1 un aumento de energía nuclear en Africa
    2 una disminución en la razón del desarrollo de energía nuclear en los Estados Unidos
    3 una reducción en el precio del petróleo
    4 el desarrollo de un motor de automóvil adelantado

—LINEAS CRONOLOGICAS—

¿Qué es una línea cronológica?
Una línea cronológica es un tipo de gráfica que representa un grupo de sucesos colocados en orden cronológico a lo largo de una línea. Orden cronológico se refiere al orden en el que ocurrieron estos suceso, así que el suceso que ocurrió primero es el primero en la línea. La extensión de la línea cronológica puede ser cualquiera — desde un tiempo corto hasta miles de años y su objetivo principal es de mostrar las relaciones entre los sucesos importantes en un tiempo dado.

Claves a la comprensión de una línea cronológica
Para comprender una línea cronológica debes fijarte en sus componentes principales;

El título. El título presentará el tema general de la línea. Por ejemplo, en la línea cronológica que sigue, el título es "SUCESOS EN LA HISTORIA DEL ORIENTE MEDIO". La línea contiene sucesos importantes en el Oriente Medio.

Los sucesos. Cada suceso de la lista está relacionado de algún modo al tema de la línea cronológica. Por ejemplo, si el tema fuese "Guerras en el siglo XX", los sucesos serían las diferentes guerras del siglo XX.

La comprensión de fechas antiguas: a. de C. y d. de C. El calendario que se usa en los Estados Unidos y la mayor parte del resto del mundo divide las fechas en dos grupos principales: a. de C. y d. de C. El punto divisorio es el nacimiento de Jesucristo. Ya que a. de C. se refiere sólo a los tiempos antiguos, con la mayoría de las fechas no nos molestamos a escribir d. de C. Por ejemplo, el año de la publicación de este texto es 1990 d. de C. En la línea cronológica que sigue, nota que según pasa el tiempo los años a. de C. van de los números más altos a los más bajos, mientras que los años d. de C. van de los números más bajos a los más altos.

Orden de fechas

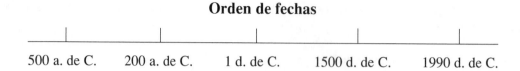

500 a. de C.   200 a. de C.   1 d. de C.   1500 d. de C.   1990 d. de C.

Términos especiales. Para comprender algunas preguntas que tratan de la cronología tienes que familiarizarte con algunos términos especiales:

■ La **década** se refiere a un período de diez años.

■ El **siglo** se refiere a un período de cien años.

■ El **siglo XX** se refiere a los 100 años desde 1900 a 1999. Nota que las fechas de los años son más bajas que el número del siglo. Por ejemplo, el siglo XIX se refiere a los años desde 1800 a 1899.

Cómo medir el transcurso del tiempo. Para medir el transcurso del tiempo de a. de C. a d. de C., simplemente tienes que sumar las fechas. Por ejemplo, para contar el número de años transcurridos desde 500 a. de C. hasta 1990, suma 500 y 1990. Ahora sabes que en 1990, transcurrieron 2490 años desde 500 a. de C. Para contar el número de años de una fecha a otra dentro de la era a. de C. o d. de C., simplemente resta el número más pequeño del más grande. ¿Cuántos años pasaron desde 1500 hasta 1990? Resta 1500 de 1990. La respuesta es 490 años.

Interpretación de una línea cronológica.

Empieza por fijarte en el título. Este te dará el sentido general de los informes presentados. En cuanto a las preguntas que piden una extensión del tiempo, recuerda que los sucesos están ordenados desde los más antiguos hasta los más recientes. ¿Qué sucedió primero: la emergencia del Imperio Bizantino o el fin de las Cruzadas? La línea gráfica muestra que la emergencia del Imperio Bizantino ocurrió primero. Para contar el número de años desde el fin del dominio persa hasta la primera Cruzada, suma 300 a. de C. a 1096 d. de C. La respuesta es 1396 años. Para contar el número de años desde la independencia de Egipto a la independencia de Argelia, resta 1923 de 1962. La respuesta es 39 años.

SUCESOS EN LA HISTORIA DEL ORIENTE MEDIO

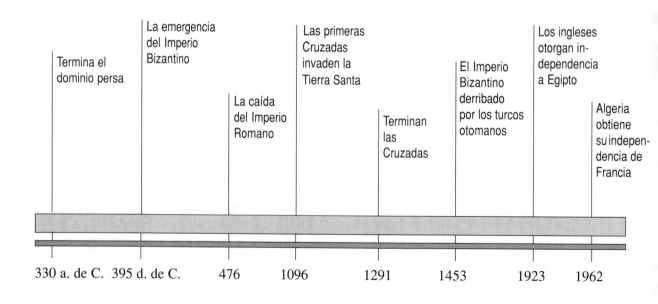

Ahora que sabes en qué fijarte en una línea cronológica, comprueba tu comprensión al responder las preguntas siguientes:

1 ¿En qué período entraron primero las Cruzadas europeas en la Tierra Santa?
      1 el siglo III a. de C.   3 el siglo X d. de C.
      2 el siglo IV d. de C.   4 el siglo XI d. de C.

2 ¿Cuál era la extensión de tiempo entre el fin del dominio persa y la caída del Imperio Romano?
      1 330 años   3 806 años
      2 476 años   4 1201 años

3 ¿Cuál es la aseveración mejor apoyada por los informes de la línea cronológica?
      1 Egipto es la civilización más antigua del Oriente Medio.
      2 La historia del Oriente Medio comenzó en 500 a. de C.
      3 El Imperio Romano duró más de 1700 años.
      4 El Oriente Medio ha tenido diferentes gobernantes a través de su historia.

4 ¿Cuál declaración explica mejor los sucesos del siglo XX mostrados en la línea cronológica?
      1 El principio de la revolución industrial en el norte de Africa
      2 El decaímiento del Imperio Romano en Europa
      3 La emergencia del nacionalismo en los estados árabes
      4 La deposición del Sha en Irán

—ESQUEMAS—

¿Qué es un esquema?

Un esquema, o cuadro sinóptico, es un breve plan en el cual el tema o la idea principal queda dividida en unidades más pequeñas. El propósito principal de un esquema es de mostrar las relaciones lógicas entre un tema o idea principal y sus partes. El esquema sirve para guiar el pensamiento del escritor.

Claves a la comprensión de un esquema

Para comprender un esquema debes fijarte en sus componentes principales:

El título. El título puede ser interpretado como un paraguas o vista general que abarca el tema entero.

La forma. Los esquemas siguen una forma específica que te permite comprender rápidamente cómo queda dividido el tema. Las primeras divisiones principales se denominan con número romanos (I,II,III, etc.). Si estas divisiones se llegan a subdividir, las subdivisiones se denominan con letras mayúsculas (A, B, C, etc.). Si estas subdivisiones se dividen aún más, se les da números árabes (1, 2, 3, etc.). Para ver este proceso, asume que quieres escribir sobre tu propia vida. Esta se podría delinear de la siguiente forma:

Título: Mi autobiografía

I. Primera etapa de niñez
    A. Padres
    B. Familia
    C. Compañeros de juegos

II. Segunda etapa de niñez
    A. Escuela elemental
        1. Maestros
        2. Amigos
    B. Vecindario

III. Edad entre 13 y 19 años
    A. Escuela intermedia
    B. Escuela secundaria

Interpretación de un esquema

Los esquemas van de lo general a lo específico. Se divide un concepto grande en unidades cada vez más pequeñas. En nuestro ejemplo, cada unidad menor nos ayuda a desarrollar el concepto más amplio. Los "maestros" y "amigos" te ayudan a desarrollar el concepto más grande de "Escuela elemental"; la "Escuela elemental" y "Vecindario" ayudan a desarrollar el concepto de "Segunda etapa de niñez". Esta unidad más grande es una de las tres unidades principales que componen el tema: "Mi autobiografía". La preparación de un esquema no sólo te puede ayudar a contestar las preguntas basadas en datos, sino también te proporciona un instrumento útil en la organización de ideas cuando escribes un ensayo.

Ahora que sabes en qué fijarte en los esquemas, comprueba tu comprensión de estos al contestar las siguientes preguntas:

Direcciones: se omitieron tres posiciones del esquema que sigue. Para cada espacio en blanco en el esquema, escoge el número del elemento de la lista dada que mejor complete el espacio en blanco.

Elementos

1 Historia
2 Glasnost
3 Ríos
4 Apartheid

AFRICA AL SUR DEL SAHARA

1   I Ambiente físico
           A Sabanas
           B _____
           C Montañas

2   II _____
           A Epoca precolonial
           B Epoca postcolonial

3   III Asuntos corrientes
          A _____
          B El hambre y la carestía

Nota: las preguntas basadas en esquemas también pueden tener otra forma. Por ejemplo, "En un esquema, uno de estos es el tema principal, y los otros son temas secundarios. ¿Cuál es el tema principal?" Recuerda que el tema principal es el más amplio, que abarca todas las unidades más pequeñas. En el caso del esquema dado, el tema principal es Africa al sur del Sahara.

— PREGUNTAS A BASE DE UN DEBATE —

¿Qué es una pregunta basada en un debate?

Una pregunta de este tipo presenta una serie de aseveraciones hechas por diferentes interlocutores. Generalmente habrá cuatro de estos, cada uno denominado por una letra: A, B, C y D. El objetivo principal de este tipo de pregunta es de presentar una discusión en la cual se expresan diferentes puntos de vista.

Clave a la comprensión de una pregunta basada en un debate

Para entender mejor este tipo de pregunta, debes reconocer el hecho de que la aseveración de cada interlocutor es generalmente una opinión sobre un término, concepto o situación presentada en los estudios sociales.

Interpretación de una pregunta basada en un debate

Empieza con hacerte las siguientes preguntas acerca de cada interlocutor:

- ¿Cuál es el término, concepto o situación que se describe o debate por el interlocutor?

- ¿Qué dice el interlocutor acerca del término, concepto o situación?

Nota que generalmente los interlocutores están en desacuerdo.

- ¿Por qué están en desacuerdo?

- Las opiniones de los interlocutores, ¿te recuerdan los puntos de vista de algunos grupos o individuos que ya conoces?

Ahora que sabes en qué fijarte en las preguntas basadas en debates, comprueba tu comprensión de dichas al leer el pasaje siguiente y contestar las preguntas que lo siguen:

Interlocutor A: Esta tierra estaba lista para tomarla. Su pueblo se benefició tremendamente con la introducción de nuestro gobierno, leyes e instituciones. Todo lo que pedíamos a cambio era poder hacer trato y vender allí nuestros productos manufacturados. Nosotros transformamos este país atrasado que ahora tiene un futuro mejor.

Interlocutor B: Los problemas que encontramos hoy día en nuestra patria no los creamos nosotros. Vivimos en paz en esta tierra por siglos enteros. Los extranjeros esclavizaron a nuestro pueblo, nos quitaron nuestros minerales y nuestra tierra, y destruyeron nuestra herencia.

Interlocutor C: Nuestro pueblo debe unirse para cambiar la situación corriente. Se quebrantaron nuestros derechos humanos. No se nos permite votar ni expresarnos libremente, y a la mayoría de nuestro pueblo se lo trata como ciudadanos de segunda clase. El gobierno promulga leyes que nos tratan mal aislándonos en nuestra propia tierra.

Interlocutor D: Nuestra nación finalmente logró su independencia. Debemos mantener relaciones amistosas con todas las naciones y cuidarnos de tomar el partido de una superpotencia. Lo mejor es que nos mantengamos neutrales ya que desesperadamente necesitamos tecnología e inversiones extranjeras.

1 El interlocutor A podría mejor describirse como:
    1 imperialista   3 comunista
    2 ambientalista   4 terrorista

2 ¿Cuál interlocutor tiene un punto de vista más en acuerdo con la política de neutralismo?
    1 interlocutor A   3 interlocutor C
    2 interlocutor B   4 interlocutor D

3 ¿A qué política probablemente se opondría el interlocutor C?
    1 nacionalismo   3 apartheid
    2 aislacionismo   4 neutralismo

4 ¿Cuáles de los interlocutores están menos en acuerdo?
    1 interlocutores A y B 3 interlocutores B y C
    2 interlocutores A y D 4 interlocutores C y D

—LECTURA ESCOGIDA—

¿Qué es un trozo escogido de lectura?
Un trozo de lectura consiste de una declaración o un grupo de aseveraciones acerca de un tema o asunto específico. Puede ser una cita breve o un párrafo corto. El propósito principal de la lectura es de presentar las ideas de una persona sobre un tema.

Claves a la comprensión de lectura escogida
Para comprender mejor un trozo escogido de lectura debes notar que el escritor presenta una serie de hechos para evidenciar o justificar su punto de vista.

Interpretación de lectura escogida
Empieza al hacerte las siguientes preguntas sobre cada trozo:

    1. ¿Qué sabes del escritor?
    2. ¿Qué término, concepto o situación se debate por el escritor?
    3. ¿Qué dice el escritor acerca del término, concepto o situación?
    4. ¿Qué hechos presenta el escritor para apoyar su punto de vista?
    5. ¿Cuál es la idea principal del trozo?
    6. ¿Cuál es el tono del trozo? ¿Está el autor enojado, triste, humoroso, etc.?
    7. ¿Por qué habrá escrito el autor este trozo?

Lectura escogida

En cada gobierno hay tres clases de poder: el legislativo (para hacer las leyes), el ejecutivo (para hacer cumplir las leyes), y el judicial (para interpretar las leyes)....No hay libertad si el poder judicial no está separado del legislativo y del ejecutivo...Habría un fin de todo, si la misma persona o el mismo cuerpo...fuera a ejercer estos tres poderes: el de promulgar leyes, el de ejecutar resoluciones públicas, y de juzgar los casos individuales...

—Montesquieu

Adaptado de *Montesquieu, "El Espíritu de las Leyes"*. Traducido por Thomas Nugent (New York: 1900), pp. 182-183.

1 El poder ejecutivo se refiere al poder de
      1 hacer las leyes   3 interpretar las leyes
      2 promulgar las leyes   4 hacer cumplir las leyes

2 La idea principal del trozo escogido es que
      1 hay tres poderes en el gobierno
      2 el poder legislativo permite que uno haga leyes
      3 los poderes del gobierno deben estar separados
      4 los gobiernos deben ser democráticos

3 El escritor dice que los gobiernos funcionan mejor si siguen la idea
      1 del mercantilismo   3 del apartheid
      2 de separación de poderes   4 del equilibrio de poderes

4 El escritor probablemente desaprobaría la estructura del gobierno
      1 de la China comunista   3 de los Estados Unidos del presente
      2 de la ciudad-estado de Atenas   4 de Gran Bretaña en el siglo XIX

CAPITULO 3

COMO ESCRIBIR ENSAYOS DE ESTUDIOS SOCIALES

Aparte de contestar preguntas de respuestas múltiples, los exámenes de estudios sociales a menudo requieren que escribas varios ensayos. Estos ensayos son composiciones cortas, de unos cuantos párrafos, en las cuales tienes que hacer comparaciones, describir situaciones, discutir sucesos, llegar a conclusiones y recomendar cursos de acción. A diferencia de las preguntas de respuests múltiples, los ensayos miden tu abilidad de resolver los problemas dados. Se te pide que escojas informes de tu reserva general de conocimientos, y que los presentes en forma escrita. Los más de los estudiantes saben más de lo que creen, pero no saben cómo pueden usar estos informes para resolver problemas. Lo fundamental es comprender bien el planteo del problema.

CLAVES A LA COMPRENSION DEL PLANTEO DEL PROBLEMA

DIRECCIONES GENERALES

Al escribir el ensayo, debes aprender a prestar atención especial a las direcciones. Con bastante frecuencia en las direcciones se te pedirá que:

(1) incluyas informes específicos de hecho y evidencia cuandoquiera sea posible.
(2) te atengas a las preguntas; no te vayas por las tangentes.
(3) evites generalizaciones vagas o declaraciones amplias sin la prueba suficiente; no exageres el caso.

Las direcciones simplemente quieren decir que debes dirigirte sólo al problema presentado, ir al grano, y no escribir todo lo que sabes sobre el tema. Esto tambén quiere decir que, cuando respondas al problema, debes incluir *ejemplos* y *hechos* específicos para apoyar tus aseveraciones y conclusiones generales.

VOCABULARIO CLAVE EN EL PLANTEO DEL ENSAYO

El planteo del ensayo a menudo contiene palabras-clave tales como **describe**, **discute**, **explica** y **muestra**. Veamos un ejemplo de planteo de ensayo en el cual se usan estas cuatro palabras-clave.

UN EJEMPLO DE PLANTEO DE UN ENSAYO

La política externa de una nación se forma para proteger sus intereses vitales. A seguir hay una lista de políticas externas que diferentes naciones siguieron en varias épocas.

Políticas externas

Imperialismo
Neutralidad
Militarismo
Formación de alianzas
Cooperación internacional

De las políticas externas dadas, escoge *una* política externa y:

A. *describe* cómo un país específico aplicó esa política externa

B. *discute* los efectos de esa política externa en la región en la que se aplicó

C. *explica* porqué una nación pudiera usar esa política externa

D. *muestra* cómo la política externa de una nación afectó a otras naciones del mundo

---

La comprensión completa de estos términos clave te ayudará a obtener el máximo de puntos.

DESCRIBIR

Describir significa "ilustrar algo en palabras o hablar de ello". *Describir* a un amigo es hablar de sus características - su apariencia, personalidad y actitudes. En los estudios sociales, *describir* es generalmente hablar del "quién," "qué," "cuándo" y "dónde" del asunto. Por supuesto, no todos los temas requieren las cuatro de estas descripciones. Por ejemplo, si quisieras dirigirte a la parte "describe" del planteo - *describe* cómo un país específico aplicó la política exterior del imperialismo - podrías escribir lo siguiente:

Respuesta: Gran Bretaña era un país que siguió la política del imperialismo. El imperialismo británico del siglo XIX era una práctica por medio de la cual Gran Bretaña dominaba a pueblos y vastas extensiones de tierra en Africa y en Asia. Por medio del imperialismo, Gran Bretaña ejercía control tanto político como económico. Las colonias producían las materias primas necesarias, como azúcar, té, algodón y minerales. Gran Bretaña producía artículos manufacturados que se vendían en los mercados coloniales. Se enviaban administradores británicos a gobernar estas regiones. A menudo, se usaba la fuerza bruta para suprimir la resistencia indígena, y los pueblos y las culturas indígenas se trataban como inferiores.

Nota cómo la respuesta describe un ejemplo particular de cómo un país específico (Gran Bretaña) siguió la política externa del imperialismo. La descripción presenta un cuadro verbal de **quién** (los ingleses); **qué** (seguían la política del imperialismo para ejercer control político y económico de sus territorios coloniales); **cuándo** (durante el siglo XIX); y **dónde** (en Asia y Africa). (*Una sugestión práctica es de hacer un repaso mental de la lista de comprobación - quién, qué, dónde, cuándo - si se te pide que "describas" algo.*)

DISCUTIR

Discutir o debatir significa "hacer observaciones sobre algo, usando hechos, razonamiento y argumentos; presentar con cierto detalle." Para *discutir* algo tienes que ir más allá de la etapa de "describir" o referir hechos; generalmente vas a incluir:

> las razones (causas) de algo, o
> un examen de los posibles resultados (efectos) de algo

Por ejemplo, si quisieras dirigirte al problema ejemplar de "discute"—*discute* los efectos de esa política exterior en la región en que se aplicó - podrías escribir lo siguiente:

> **Respuesta**: El imperialismo británico tenía efectos tanto positivos como negativos. En sus colonias en Africa, los ingleses introdujeron la tecnología europea como ferrocarriles, fábricas y hospitales. Se mejoró en alto grado el cuidado de salud y de educación para una pequeña minoría de los habitantes locales. Gran Bretaña se benefició porque recibía productos coloniales - principalmente comestibles y materias primas. Sin embargo, también había efectos negativos. La cultura indígena se trataba como inferior a la europea. La economía colonial se transformó para producir exportación de materias primas a Gran Bretaña. No se fomentaba la industria del lugar. Los mejores empleos estaban reservados para los ingleses.

Nota cómo la respuesta discute los **efectos** positivos y negativos del imperialismo: la introducción de la tecnología europea, el adelanto en la sanidad y mejor educación, mientras se trataba la cultura indígena como inferior y se impedía el desarrollo de la industria local. Todo fue **causado** por el imperialismo británico. (*Una sugestión práctica: cuando se te pide que "discutas" algo - repasa la lista mental de comprobación - primero describe la situación, luego presenta sus causas y/o efectos.*)

EXPLICAR

Explicar significa "hacer claro o comprensible; dar razones o causas; mostrar el lógico desarrollo de una relación." *Explicar* es presentar puntos de vista que justifican una posición. En la mayoría de los casos, los que componen exámenes usan la palabra—*explica*—cuando quieren que te dirijas al "porqué" de algo. Por ejemplo, si se te pidiera que *expliques* por qué debieras aprobar un curso, podrías *explicar* que asististe a clase, hiciste los deberes y aprobaste todas las pruebas. Nota cómo tus razones se suman en tu **conclusión**.

> + asististe a clases (razón)
> + hiciste los deberes (razón)
> + aprobaste todas las pruebas (razón)
> _____
> = por qué mereces aprobar el curso (conclusión)

Así, *explicaste* porqué mereces aprobar el curso. Si quisieras contestar la parte de "explica" de la pregunta —*explica* por qué una nación pudiera haber seguido esa política externa—podrías escribir lo siguiente:

Respuesta: El imperialismo era una política externa seguida por los ingleses por una variedad de razones diferentes. Una nación imperialista adquiría vastas extensiones de territorios adicionales. El imperialismo aumentó la riqueza de Gran Bretaña al proporcionar materias primas para las fábricas. Las naciones imperialistas como Gran Bretaña argumentaban que esparcían una civilización más avanzada a las regiones del mundo, que decían ser "atrasadas" y "bárbaras". Finalmente, el imperialismo trajo consigo mucha gloria y prestigio al Imperio Británico.

Nota cómo la respuesta **explica** las varias razones que apoyan la aseveración "porqué una nación quisiera seguir la política externa del imperialismo". La respuesta enumera las razones para su uso.

+ adquirir territorios adicionales (razón)
+ agregar a la riqueza de Gran Bretaña (razón)
+ esparcir una civilización más avanzada (razón)
+ acarrear gloria y prestigio (razón)

= Porqué los ingleses aplicaron la política del imperialismo (conclusión)

De este modo, la respuesta se suma a una explicación de porqué Gran Bretaña usó la política externa del imperialismo. (*Una sugestión: cuando se te pide que expliques algo—te convendría revisar mentalmente una lista de comprobación—enumerando las varias razones o causas para asegurarte que llegan a sumarse en una explicación de una política o práctica.*)

MOSTRAR

Mostrar significa "señalar; presentar claramente una posición o idea al declararla y presentar informes para apoyarla". Los que preparan exámenes generalmente usan la palabra *mostrar* cuando quieren que presentes *cómo* funciona algo o *cómo* algo llegó a ser. "Cómo" es la palabra clave que generalmente sigue a *muestra*. Difiere de "explica" en que no se te pide que presentes un argumento - una serie de razones para probar algo - sino que se te pide que presentes las partes que componen el total. Por ejemplo, si quisieras dirigirte a la sección "muestra" del problema—*muestra* cómo la política externa de una nación afectó a otras naciones del mundo—podrías escribir lo siguiente:

Respuesta: Gran Bretaña llegó a ser una potencia imperialista principal en Africa. Los ingleses se apoderaron de partes de Africa, como Egipto, Sudáfrica y Nigeria. Esto tuvo efectos de gran alcance en Africa. El imperialismo británico alentó un deseo de libertad en muchas naciones africanas. Esto llevó al desarrollo del espíritu nacionalista en Africa, con muchas naciones aspirando a su propio gobierno, libre del control británico. Algunas naciones en Africa, como Nigeria, trataron de echar a los ingleses por medios pacíficos; otras, como Kenia, recurrieron a la fuerza.

Nota que la respuesta **muestra** cómo la política externa de una nación afectó a otras naciones en el mundo. La respuesta introduce los hechos que muestran cómo los ingleses tenían un efecto en las naciones de Africa. Los hechos usados en la respuesta incluyen: el alentar el deseo de libertad, el aumento del sentimiento del nacionalismo y los atentados de liberarse del control británico. (*Una sugestión práctica: piensa de la parte de la respuesta "muestra cómo" como de un cuadro. Debes asegurarte de que todas las partes de tu respuesta - los hechos y los ejemplos - completan este cuadro.*)

ELEMENTOS COMUNES EN EL PLANTEO DE LOS ENSAYOS

Una gran mayoría de los ensayos que se encuentran en los exámenes de historia mundial generalmente siguen un modelo semejante. Primero, viene una forma de declaración general, y luego le sigue una serie de elementos asociados con la aseveración. Tienes que escoger un cierto número de elementos de la lista.

Después de hacer tu selección, se te pide que uses informes específicos de tu conocimiento de estudios sociales para mostrar cómo los elementos que escogiste demuestran o apoyan la declaración general. La declaración general está expresada de muchas formas. Con más frecuencia tendrá una de las formas siguientes:

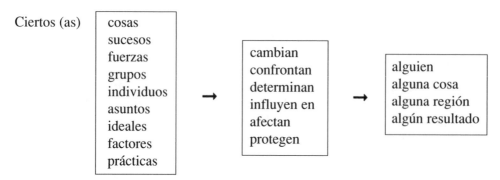

En cada caso, esencialmente se te pide que compruebes tu comprensión de una generalización al dar ejemplos específicos que la apoyen. Muchos estudiantes que tienen los informes necesarios para apoyar la declaración general, a menudo no salen bien en estos tipos de problemas. Se pierden porque se encuentran desorientados por la manera en que está planteado el problema, y encuentran confusas las direcciones.

COMO RESPONDER A UN TIPO DE PROBLEMA

La guía que sigue te ayudará a organizar tu respuesta cuando te encuentres con este planteo de ensayo. Empecemos por fijarnos en un ejemplo de este tipo de problema:

MODELO DE PLANTEO DE UN ENSAYO

El nacionalismo es un factor principal que contribuye a la formación de la política externa de un país.

Países

Los Estados Unidos en el siglo XIX
El Japón el el siglo XX
Prusia en el siglo XIX
Viet Nam en el siglo XX
Israel en el siglo XX
Nigeria en el siglo XX

Escoge *tres* de los países dados. En el caso de *cada uno* escogido:

- describe un objetivo nacionalista de ese país en la época indicada

- muestra cómo ese objetivo contribuyó a la formación de la política de esa nación hacia una o más naciones diferentes

ESQUEMA DEL ENSAYO

Antes de comenzar con tu respuesta, debes organizar un **bosquejo** del ensayo. Esto se puede hacer al:

ESTABLECER UN CUADRO DE RESPUESTAS

Un cuadro de respuestas puede servirte de guía. Te ayudará al delinear el problema y enfocar tu respuesta. Esto puede lograrse al:

(A) Enumerar las cuestiones, sucesos, o en el caso de nuesto ejemplo, las regiones en cuestión en la primera columna.

(B) Examinar qué se te pide. Esto se ve en las palabras: *"discute," "explica," "describe"* o *"muestra."*

(C) Hacer un círculo alrededor del vocabulario clave en el planteo del problema. Enumerar estas palabras con las instrucciones correspondientes al principio de cada columna en el cuadro de respuestas.

De este modo, tu cuadro de respuestas puede parecerse a este:

PAISES	[ ] **Describe** un propósito nacionalista	[ ] **Muestra** cómo este contribuyó a amoldar a otra nación
E.E.U.U./s. XIX		
Viet Nam/s. XX		
Israel/s. XX		
Prusia/s. XIX		
Nigeria/s. XX		
Japón/s. XX		

COMPLETAR EL CUADRO DE RESPUESTAS

Apunta con brevedad una o dos palabras para cada espacio que puedes llenar en la reja.

(A) Recuerda de *no* escribir oraciones completas ni detalladas. Esto es sólo un esquema. Una o dos palabras te ayudarán a recordar otros detalles cuando escribas tu ensayo.

(B) Al dirigirte a la primera parte del planteo, ves que las direcciones piden que escojas tres de los países de la lista. Por encima de la columna encabezada "**Describe**" hay un par de paréntesis o de corchetes. Escribe un "3" entre estos paréntesis para recordarte que tienes que describir *tres* de los países. Igualmente, debes apuntar un "3" entre los paréntesis por encima de la columna "**Muestra**" para recordarte a discutir *tres* efectos.

(C) Es bastante probable que no puedas llenar cada espacio de la reja. Esto te guiará en la selección de las partes del problema que vas a contestar. Haz esta señal (✓) o un asterisco (*) al lado de los dos temas que crees conocer mejor.

REDACTAR EL ENSAYO

Después de que hayas llenado la reja con los informes que crees saber, tu cuadro de respuestas puede tener esta apariencia:

[3]   [3]

PAISES	**Describe** un propósito nacionalista	**Muestra** cómo este contribuyó a amoldar a otra nación
E.E.U.U./s. XIX	*Destino Manifiesto*	*Guerra con México*
Viet Nam/s. XX	*Echar a los franceses*	No estoy seguro (a) de la respuesta
Israel/s. XX	*Sionismo*	*Guerra con los países árabes*
Prusia/s. XIX	*Unificar los estados alemanes*	*Guerra con Francia*
Nigeria/s. XX	No estoy seguro (a) de la respuesta	No estoy seguro (a) de la respeusta
Japón/s. XX	*Control de Asia Oriental*	*Guerra con los E.E.U.U.*

(A) Basándote en tus apuntes del cuadro de respuestas, crees que tienes bastante informes para escribir sobre tres de los seis temas. Debes escoger los *tres* de los cuales sabes más.

(B) Después de hacer tu selección, estás ahora listo para escribir el ensayo detallado. Convierte tus recordativos breves en un ensayo usando todos los informes que puedes recordar. Coloca cada ejemplo en un párrafo aparte con una oración declarativa del tema. Usa todos los hechos, fechas, nombres y definiciones que vengan al caso en tu ejemplo.

A seguir hay una forma en que se puede dirigir a una parte del tema. (*Nota*: quedó subrayada la oración que expresa el tema.)

El sionismo es un propósito nacionalista de Israel que lo llevó a relaciones hostiles con sus vecinos árabes. El sionismo es la convicción que los judíos a través del mundo deben tener su propio país en Israel. El sionismo creó el problema con respecto a lo que debe hacerse con los árabes palestinos, muchos de los cuales se oponían a la formación de un estado judío. Aun antes de que Israel haya declarado su independencia como nación en 1948, los árabes del Oriente Medio se oponían al sionismo. Como resultado, los israelís se encontraron en una serie de guerras con sus vecinos árabes— Egipto, Siria, Jordania y Líbano. El sionismo resultó así en relaciones hostiles entre Israel y los países árabes del Oriente Medio. Desde los años 1970, las relaciones entre Israel y Egipto son más amistosas, pero otras naciones árabes todavía sienten amargura hacia Israel.

COMO ESCRIBIR OTRO TIPO DE ENSAYO

Vamos a examinar otro tipo de ensayo que se puede encontrar en un examen de historia universal:

Los sucesos en un país a menudo tienen un efecto en otras partes del mundo.

Naciones

Japón
China
Unión Soviética
Alemania
Inglaterra
India

Parte A

Escoge *una* de las naciones de la lista: _____

Nombra un suceso en la historia de ese país que tuvo un efecto en una parte diferente del mundo:

_____

Enumera dos efectos de ese suceso en otra parte del mundo:

1. _____   2. _____

Parte B

Basa tu respuesta a la parte B en la respuesta a la Parte A.

Escribe un ensayo discutiendo cómo los sucesos en una parte del mundo pueden tener un efecto en otras partes del mundo.

LA ORGANIZACION DE ESTE TIPO DE ENSAYO

En contraste al primer tipo de problema, esta forma del ensayo *ya* está en parte organizada. El ensayo consiste de dos partes: la *Parte A* y la *Parte B*. Vamos a examinar cada parte por separado.

RESPUESTA A LA PARTE A

En la Parte A, generalmente se te pedirá que ***definas***, ***declares***, ***nombres*** o ***enumeres*** ciertos informes fundamentales de hecho. A pesar de que estos términos son parecidos—se piden hechos, sucesos, factores o medios específicos—tienen un sentido algo diferente.

■ **definir** quiere decir presentar o explicar el significado de un término o concepto

■ **declarar** o **nombrar** generalmente se usa cuando se requiere un solo elemento en la respuesta

■ **enumerar** se usa generalmente cuando se pide *más que un solo* elemento en la respuesta

Nota cómo en la Parte A del problema modelo, se te pide que delinees las partes importantes de informes relativos al hecho, requeridos en el ensayo. Por ejemplo, primero tienes que nombrar el suceso que tuvo un efecto en otra parte del mundo. Luego, tienes que enumerar dos efectos de ese suceso en otra parte del mundo. Tus respuestas a esta parte del problema podrían ser así:

Parte A

Escoge *una* de las naciones de la lista: ***Alemania***

Nombra un suceso de la historia de esa nación que tuvo un efecto en otra parte del mundo: ***la invasión de Polonia por Alemania en 1939.***

Enumera dos efectos de ese suceso en otra parte del mundo.

1. ***La agresión nazi llevó a la Segunda Guerra Mundial.***

2. ***Los nazis perseguían a los judíos y a otras minorías en otras partes de Europa.***

RESPUESTA A LA PARTE B

Al haber respondido a la Parte A, estás ahora listo a escribir el ensayo detallado de la Parte B, basado en los informes provistos en la Parte A. La Parte B requiere que escribas un ensayo discutiendo cómo los sucesos de una parte del mundo a menudo tienen un efecto en otras partes. Para organizar la respuesta a la Parte B, trata de imaginar tu respuesta como un emparedado (sándwich) que consiste de tres partes: la rebanada de pan de arriba, las tajadas de carne y la rebanada de pan de abajo:

La "rebanada" de arriba es la oración temática. Es meramente una reiteración de la generalización que introdujo el problema. En este problema, la oración temática sería: **Los sucesos en una parte del mundo a menudo pueden tener un efecto en otras partes del mundo.**

Luego vienen las "tajadas de carne"que son los informes de la Parte A. La "carne" se introduce con una oración conectiva que vincula la oración temática a la parte principal del ensayo. Es en esta sección que elaboras—**"describes," "explicas," "discutes"** o **"muestras"**—los informes que diste en la Parte A.

La "rebanada" de abajo viene al final. Es la reiteración final de la generalización. La única diferencia es que queda introducida con expresiones como "por lo tanto" o "en conclusión se puede ver que". En el problema ejemplar, la **oración conclusiva** podría ser: **En conclusión se puede ver que los sucesos en una parte del mundo a menudo tienen un efecto en otras partes del mundo.**

Aquí tienes una de las formas posibles en las que podría presentarse tu respuesta a la Parte B.

Oración temática
Los sucesos en una parte del mundo a menudo tienen un efecto en otras partes del mundo.

Oración conectiva
Un tal suceso era cuando los nazis, encabezados por Adolfo Hitler, tomaron el poder en Alemania.

Tajadas de carne
1. Un efecto de esto era que la agresión nazi llevó a la Segunda Guerra Mundial. El ataque alemán contra Polonia en 1939 fue el principio de la guerra más grande de la historia.

2. Otro efecto era que los nazis perseguían a la población de las tierras que conquistaron. Por ejemplo, ponían a los judíos y otras minorías en campos de concentración, donde eran maltratados o exterminados.

Oración conclusiva

En conclusión se puede ver que los sucesos de una parte del mundo a menudo tienen efectos en otras partes del mundo.

Observa que en tu respuesta a la Parte B se usaron los informes pedidos en la Parte A. Como verificación final de tu ensayo, podrías preguntarte si escribiste un ensayo que se dirige a la oración temática:

Los sucesos en una parte del mundo a menudo tienen un efecto en otras partes del mundo

si la oración temática se presentara en forma de una pregunta:

¿Cómo los sucesos en una parte del mundo tenían un efecto en otras partes del mundo?

CAPITULO 4

AFRICA AL SUR DEL SAHARA

EL AMBIENTE FISICO

DIMENSIONES Y SITUACION

Africa es el segundo continente en cuanto a su dimensión y comprende más de 50 naciones diferentes. Es casi tres veces más grande que el territorio de los Estados Unidos. El continente africano está rodeado por cuatro importantes extensiones de agua. En el norte, separando a Africa de Europa, está el mar Mediterráneo. En la costa del este están el mar Rojo y el océano Indico, y en el oeste se encuentra el océano Atlántico.

El **desierto de Sahara,** que ocupa la mayor parte del norte de Africa, es el desierto más grande del mundo. A través de los siglos ha sido una barrera que separaba a los pueblos a su norte de los pueblos del sur. Los pueblos al sur del Sahara quedaron relativamente aislados de Europa y de Asia, mientras que los pueblos al norte eran históricamente parte del mundo Mediterráneo.

CARACTERISTICAS FISICAS

LA COSTA AFRICANA

A pesar de que la costa de Africa se extiende por miles de millas, el contienente sufre de la falta de puertos naturales. Ya que estos ofrecen lugares seguros donde los barcos pueden entrar y salir, esta falta hizo difícil que otras naciones tuviesen comercio con Africa.

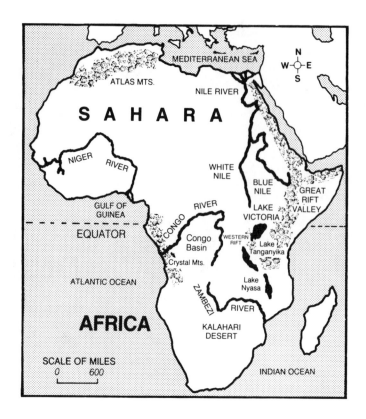

LOS VALLES Y LAS MONTAÑAS

Las montañas y las tierras altas se encuentran a lo largo del este de Africa. Atravesando las montañas, se encuentran vastas fosas tectónicas o cañones, de miles de millas de largo; se los conoce por los nombres de "Great Rift" y valles del "rift" occidental. Las temperaturas más bajas, a causa de la elevación, atrajeron a los pobladores europeos al este de Africa.

LA SABANA

Cerca de un 40% de Africa se compone de la sabana, o praderas silvestres. Es en estas regiones que la mayoría de los africanos estableció sus comunidades y donde se encuentra la mayoría de la fauna silvestre.

LA SELVA TROPICAL HUMEDA

Las selvas tropicales húmedas, con sus altas temperaturas y abundante lluvia, se encuentran generalmente a lo largo de la costa occidental y en la cuenca del río Congo. Estas selvas han sido un obstáculo a las comunicaciones fáciles entre los pueblos africanos.

LOS SISTEMAS FLUVIALES PRINCIPALES

Los rápidos y las cataratas hacen difícil el viaje en la mayoría de los ríos africanos. Por ejemplo, las cataratas Victoria, en el Zambeze, son más anchas y dos veces más altas que las cataratas del Niágara. Los ríos principales de Africa son el Nilo (el río más largo del mundo), el Congo (también llamado Zaire), el Níger y el Zambeze.

EL CLIMA

A través de Africa, las temperaturas son generalmente elevadas, de veranos calurosos e inviernos apacibles. La precipitación de lluvia varía drásticamente; los desiertos reciben lluvia demasiado escasa para la agricultura, y las selvas demasiada.

RECURSOS NATURALES

MINERALES
Los recursos minerales son abundantes en Africa. Zaire y Sudáfrica producen la mitad de los diamantes y del oro del mundo. Zaire y Zambia tienen las reservas más grandes del mundo de cobalto y abundancia de cobre.

ENERGIA
Con la excepción de Nigeria, la mayor parte de Africa al sur del Sahara carece de las fuentes principales de energía - hulla, petróleo y gas natural. Sin embargo, los ríos de corriente rápida representan una fuente potencial de energía hidroeléctrica.

AGRICULTURA
Con su clima cálido, Africa produce productos tropicales de exportación: cacao, caucho, bananas, café, maníes y aceite de palma.

¿COMO LA GEOGRAFIA DE AFRICA AFECTO SU HISTORIA Y SU CULTURA?

✓ Los desiertos, las selvas tropicales y la falta de puertos naturales separaron a Africa de una gran parte del resto del mundo, y redujeron los contactos entre los pueblos africanos.

✓ Ya que los contactos entre los diferentes pueblos africanos eran limitados por barreras naturales, cada pueblo o tribu desarrolló su propia cultura, lengua y tradiciones.

✓ A causa de sus desiertos y selvas húmedas, Africa es un continente de menor densidad de población que la mayoría de otros continentes. Sus principales centros de población se encuentran a lo largo de la costa de Nigeria y en el resto de la costa occidental, en las tierras altas de Kenia y Tanzania y en la punta sur de Sudáfrica.

✓ Los ricos recursos minerales de Africa atrajeron a las potencias europeas hacia el fin del siglo XIX y en el XX.

PRINCIPIOS FUNDAMENTALES PARA RECORDAR

GENERALIZACIONES FUNDAMENTALES

* La diversidad geográfica de una región puede tener gran influencia en el desarrollo de sus pueblos.
* Las barreras geográficas pueden aislar a los pueblos de las influencias exteriores.

TERMINOS Y CONCEPTOS FUNDAMENTALES

Africa al sur del Sahara, sabana, selva tropical húmeda, el desierto de Sahara, el río Nilo.

SUCESOS HISTORICOS PRINCIPALES

LAS ANTIGUAS CIVILIZACIONES

AFRICA ANTIGUA

Algunos **antropólogos** creen que Africa era la cuna del género humano. Se descubrieron allí esqueletos que datan hace más de 5 millones de años. No hay documentos escritos, y los informes se pasaban oralmente a cada generación en forma de mitos, leyendas y narraciones. Es por esto que se sabe poco de la antigua cultura y civilización africana. Ya que estas expresiones o términos se usarán a través de este libro, vamos a definirlos aquí:

■ **LA CULTURA** se refiere al idioma, las actitudes, las costumbres y las creencias. Cada grupo tiene su propia cultura, lo que explica porqué los individuos de un grupo viven de un modo particular.

■ **LA CIVILIZACION** es una forma avanzada de cultura, en la cual un grupo de personas construye ciudades, usa la escritura y otras destrezas técnicas, y es capaz de producir bastante comida como para alimentar a los que no están directamente activos en la agricultura.

LOS ANTIGUOS REINOS AFRICANOS

Entre los siglos VIII y XVI, antes del contacto con Europa, existieron varios grandes imperios africanos. Tres de los más importantes que se desarrollaron en el Africa occidental eran:

EL IMPERIO DE GHANA (500-1200)

Este imperio prosperó con los inmensos ingresos de la venta de oro y sal a los comerciantes árabes del norte de Africa.

EL IMPERIO DE MALI (1200-1400)

El Imperio de Malí en su tiempo floreció con la venta de oro, hierro y cobre de sus minas.

EL IMPERIO SONGHAI (700-1600)

Sujetos de Malí en el principio, los songhai se sublevaron y derribaron a sus soberanos, creando su propio imperio que prosperó a base del comercio y de la agricultura.

LA ESCLAVITUD Y LA TRATA DE ESCLAVOS (1400-1800)

La trata de esclavos incluyó a comerciantes negros, árabes y europeos. Aunque la esclavitud existía en Africa antes de la intervención europea, el comercio de esclavos en el Atlántico era el que desarrolló la trata en gran escala.

LA TRATA DE ESCLAVOS DEL ATLANTICO

Los europeos querían mano de obra barata para las Américas. Los esclavos eran generalmente capturados por tribus africanas poderosas en las invasiones de otras aldeas, menos fuertes. A los esclavos se los traía a la costa, donde eran entregados a los comerciantes europeos y americanos a cambio de armas de fuego y municiones. Se calcula que la trata del Atlántico sacó más de 15 millones de africanos de ambos sexos. Muchos murieron en el viaje al Nuevo Mundo. Los que llegaban vivos eran vendidos y comprados como animales, más bien que seres humanos. Trabajaban largas horas en los campos de las Antillas y de la América del Sur, o cultivando tabaco y algodón en la América del Norte.

EL LEGADO DE LA TRATA DE ESCLAVOS

La trata del Atlántico tenía una influencia duradera en el Africa al sur del Sahara.

Anuncio de una subasta de esclavos

■ Alentó que unas tribus hicieran guerra contra otras para obtener esclavos para cambiarlos por armas de fuego. Esto destruyó la confianza y la armonía que existía entre muchas tribus, mientras fomentó el sentido de superioridad racial entre los europeos.

■ Destruyó mucho de la rica herencia y cultura africana. En su lugar, creó un legado de violencia, amargura y trastorno social, dejando en pos problemas no resueltos hasta hoy.

■ Aumentó la **difusión cultural** (el acto de intercambio de ideas y/o productos entre diferentes culturas). Por ejemplo, los comerciantes cambiaban armas por esclavos, mientras que los esclavos trajeron su música y su orgullosa herencia al Nuevo Mundo.

TERMINA LA TRATA DE ESCLAVOS

Un creciente movimiento humanitario contra la esclavitud, tanto en Europa como en América, con el tiempo puso fin a la esclavitud y a la trata a mitad de los años 1800.

EL IMPERIALISMO EUROPEO EN AFRICA (1870-1945)

El **imperialismo** es el dominio de un país por otro. En 1870, los europeos dominaban muy pocas tierras africanas. Con la excepción de Sudáfrica, la mayor parte del contacto europeo se reducía a los puertos comerciales de las costas. En los veinte años subsiguientes, esto cambió dramáticamente. Hacia el final de la "competición por Africa" (1870-1890) de parte de los europeos, sólo Etiopía y Liberia se mantuvieron independientes.

LOS INTERESES EUROPEOS EN AFRICA

Las naciones europeas estaban interesadas en Africa por muchas razones:

1. La revolución industrial aumentó la demanda europea de materias primas y de mercados donde vender sus productos manufacturados.

2. Para los europeos las colonias representaban poder y prestigio. Cuántas más tenían bajo su dominio, tanto más poder creían tener. Los europeos eran nacionalistas, y cada país europeo trataba de mostrar que era el mejor al adquirir y dominar colonias de ultramar (**colonización**).

3. El barco a vapor, el ferrocarril, el rifle y las medicinas adelantadas, por primera vez hicieron posible el dominio europeo del interior de Africa.

4. Los europeos creían que era su deber y su obligación elevar a los africanos y a exponerlos a los "beneficios" alcanzados por la civilización europea y la cristiandad. Esta convicción se conocía como la "**responsabilidad del blanco**".

LA INFLUENCIA DEL IMPERIALISMO EUROPEO

La colonización europea tuvo efectos buenos y malos en Africa:

VENTAJAS

■ Los europeos trajeron la medicina moderna y mejoras en nutrición a Africa. Esto en gran medida aumentó la longevidad de los africanos y llevó al crecimiento de la población.

■ Se hicieron adelantos en el transporte (vapores, ferrocarriles, carreteras, automóviles) y en las comunicaciones.

■ Había oportunidades de una mejor educación, expansión en la selección de carreras y más oportunidades económicas.

DESVENTAJAS

■ Los europeos se apoderaron de la mayoría de las tierras y de los recursos de Africa.

■ Los africanos indígenas eran tratados como inferiores a los europeos. Los obreros autóctonos estaban obligados a trabajar largas horas a sueldos bajos.

■ La dominación europea llevó a la corrosión de las tradiciones y la aceptación de muchas ideas y tradiciones europeas. Esto debilitó la unidad tradicional de la familia y de la tribu.

■ Los europeos dividieron el continente en colonias sin fijarse en las fronteras tradicionales étnicas, tribales ni culturales. Estas nuevas unidades políticas se convirtieron luego en la base de las naciones africanas independientes. Esta división artificial del territorio constituye la causa de las rivalidades tribales en muchos países.

LA EMERGENCIA DEL NACIONALISMO AFRICANO

La Segunda Guerra Mundial señaló el comienzo de la descolonización en Africa. El espíritu del **nacionalismo** alentó el deseo de la autonomía y de la independencia. El objeto común de los movimientos nacionalistas africanos del siglo XX era el de terminar con el dominio europeo.

EL NACIONALISMO AFRICANO
Muchos africanos participaron en la derrota de los nazis y de los fascistas en la Segunda Guerra Mundial, y no estaban inclinados a aceptar la vuelta a la dominación extranjera. Además, las Naciones Unidas declararon el derecho a la autonomía de todas las nacionalidades sujetas al dominio extranjero.

EL PANAFRICANISMO
Este movimiento data hasta 1900. Trató de terminar con el dominio colonial en Africa, de mejorar el bienestar de los habitantes, de aumentar la autonomía africana y de fomentar la cooperación entre los pueblos africanos. La **Organización de la Unidad Africana** (O.U.A.) se fundó en 1963 para promover los propósitos de la unidad panafricana. Excepto Sudáfrica, todos los países africanos están representados en esta organización. La O.U.A. provee el foro de debate de problemas comunes para las naciones africanas.

AFRICA EN LA COMUNIDAD MUNDIAL

Las naciones africanas tratan de seguir una política que a mantiene alejadas de las luchas entre las potencias grandes. La mayoría de los gobiernos sigue esta política de **neutralismo**. Tal práctica les permite desarrollarse independientemente, libres de dominio desde el exterior, y al mismo tiempo recibir la ayuda de las naciones económicamente desarrolladas tanto del este como del oeste.

AFRICA Y LAS NACIONES UNIDAS
Las naciones africanas componen el bloque más grande de votos en las Naciones Unidas. Sin embargo, raras veces votan como bloque unido excepto en casos de oposición al dominio de Sudáfrica por la minoría blanca.

AFRICA Y LOS ESTADOS UNIDOS
A los africanos les gustaría ver un aumento de ayuda norteamericana, el rechazamiento de todos vínculos con Sudáfrica y más conciencia de los problemas africanos.

AFRICA Y EL MUNDO COMUNISTA

Los gobiernos comunistas a menudo trataron de traer a las naciones africanas a su punto de vista al proporcionarles asistencia militar y económica. Las naciones africanas con frecuencia se aprovechan de la competencia de intereses de la China comunista y de la Unión Soviética.

PRINCIPIOS FUNDAMENTALES PARA RECORDAR

GENERALIZACIONES FUNDAMENTALES

* Los cambios en una parte del mundo a menudo influyen en la vida de los habitantes de otras regiones.
* La superioridad tecnológica puede hacer que una sociedad injustamente domine a otra.

TERMINOS Y CONCEPTOS FUNDAMENTALES

Cultura, civilización, reinos africanos, la trata de esclavos, imperialismo, difusión cultural, la responsabilidad del blanco, nacionalismo, panafricanismo, O.U.A., neutralismo.

SISTEMAS PRINCIPALES

EL SISTEMA POLITICO

EL ESTADO MONOPARTIDARIO

Con la independencia, muchos países africanos se convirtieron en estados monopartidarios, en los cuales se permitía sólo un partido político. Los líderes africanos argumentaban que el sistema monopartidario servía de instrumento en la formación del estado, para formular el consenso sobre las necesidades nacionales y para evitar la anarquía y la división tribal.

EL GOBIERNO MILITAR

A causa de las divisiones tribales y problemas económicos, muchos de los recién independientes gobiernos civiles no eran capaces de gobernar su país de manera eficaz. Como resultado, en algunos países el héroe nacional o un jefe militar tuvo éxito en establecer una dictadura personal. A menudo el jefe depende del apoyo de una tribu específica. Se encarcela o se ejecuta a los adversarios políticos. El dictador hace todas las decisiones políticas y económicas.

UN CASO EJEMPLAR: UGANDA

En Uganda, el general Idi Amin tomó el poder con un golpe militar en 1971. Amin nacionalizó los bancos y las industrias de propiedad extranjera. Un atentado sin éxito de derribarlo en 1971 llevó a un "reino de terror" durante el cual, los soldados de Amin cometieron matanzas y otras atrocidades. Miles de personas se escaparon del país. Finalmente, en 1979, Amin quedó derribado por un ejército de Tanzania y de los exilados de Uganda.

EL SISTEMA ECONOMICO

El nivel de vida y los ingresos en Africa se encuentran entre los más bajos del mundo. La necesidad de un rápido desarrollo económico es el problema más urgente para la mayoría de los estados africanos.

LA AGRICULTURA

La mayoría de los africanos son **agricultores de subsistencia.** Con este tipo de agricultura, los campesinos producen lo bastante para satisfacer las necesidades de su familia. A menudo, estos métodos tradicionales llevan a la erosión del suelo. Otro factor que lleva a la erosión es que muchos africanos son ganaderos. El reunir del ganado en manadas lleva al exceso del apacentamiento y a la subsiguiente erosión del suelo. Finalmente, hasta tiempos recientes, los jefes africanos favorecían el desarrollo de las nuevas industrias sobre las inversiones en la agricultura.

El premier de Nigeria examinando tractores

LA INDUSTRIA

Durante la época colonial, se descubrieron valiosos recursos minerales en Africa. Los europeos explotaban la mano de obra africana para los cultivos que rendían ingresos y para extraer los minerales, pero hicieron poco para desarrollar extensas industrias locales en Africa. De hecho, hasta en el presente la mayoría de la exportación africana consiste en las materias primas más bien que productos manufacturados. Después de obtener la independencia, los líderes africanos tomaron dos pasos:

1. Esperaban fomentar el desarrollo económico al alentar el desarrollo de las industrias africanas. Trataban de exportar más productos agrícolas que rendían ingresos, minerales y productos manufacturados para obtener más fondos que invertir en la industria. También obtuvieron préstamos de los prestamistas internacionales tales como el Banco Mundial.

2. A menudo **nacionalizaban** las industrias y las empresas en el país. Muchos jefes fueron influidos por el ejemplo del socialismo que existía en los países comunistas como China y la Unión Soviética.

LOS OBSTACULOS AL DESARROLLO INDUSTRIAL

El atentado por los líderes africanos de fomentar el desarrollo industrial fue logrado sólo en parte. Algunas razones del fracaso parcial eran las siguientes:

■ La falta de capital de inversión (dinero).

■ La falta de trabajadores adiestrados y tecnología avanzada. La falta de la pericia tecnológica hizo difícil la competición de los africanos con los productores extranjeros más avanzados.

■ Un sistema de transporte inadecuado.

■ La falta de combustibles minerales. A pesar de sus riquezas minerales, la mayoría de los países africanos carecen de petróleo, gas y hulla.

■ La inestabilidad política. El gobierno inestable y las frecuentes guerras civiles en algunos países demoraron el desarrollo económico.

LA URBANIZACION

Los imperialistas europeos construyeron ciudades como centros administrativos y comerciales. Después de la independencia, la población rural empezó a migrar a las ciudades en busca de oportunidades educacionales y de empleo. La mayoría de la población africana sigue viviendo en el campo, pero en unas pocas décadas la mayoría de los africanos vivirá en las ciudades. Esta rápida urbanización ha tenido efectos importantes:

■ El desarrollo de las ciudades excedió las perspectivas de empleo y los existentes servicios públicos tales como escuelas, transporte y sanidad. Esto llevó a la aparición de los barrios bajos en las afueras de muchas ciudades africanas, donde la gente vive atestada en condiciones de mala sanidad.

■ La migración a la ciudad ha tenido profundas consecuencias sicológicas. El individuo pierde contacto con su pasado, su tribu, su aldea y su familia. En la ciudad, las personas sufren de crisis de identidad, según entran en la contienda entre las tradiciones antiguas y las nuevas prácticas, y sufren a causa de su aislamiento. Las dificultades económicas y la distancia entre los pobres y los ricos hace este aislamiento más severo.

EL SISTEMA SOCIAL

LOS PUEBLOS DE AFRICA

Los africanos son una mezcla de razas. La vasta mayoría son negros, con grandes diferencias físicas y culturales entre ellos. Además, los pueblos árabes ocupan una gran parte del norte de Africa. Hay también cerca de 5 millones de personas de origen europeo y 1 millón de origen asiático. Todos estos individuos se consideran africanos.

LA ESTRUCTURA DE LA SOCIEDAD AFRICANA

La unidad fundamental de la sociedad africana tradicional se concentraba alrededor de la **familia extensa**, que consiste de varias generaciones y grados de parentesco, que viven juntas. Los grupos de familias que vivían en la misma aldea generalmente pertenecían al mismo **clan** (grupos de familias emparentadas que tienen la misma ascendencia).

Los grupos de aldeas, donde se hablaba el mismo idioma y se compartían las costumbres, formaban una **tribu**. Los ejemplos de tribus son los buganda, ashanti, hausa, ibo, yoruba, masai y zulúes. Había tremendas diferencias entre las distintas tribus. Algunas tribus eran nómadas, mientras otras desarrollaron reinos avanzados de considerable extensión y riqueza.

EL TRIBALISMO

En el presente, muchos africanos aún sienten más lealtad a su tribu que a su país. Esta fidelidad, conocida como tribalismo, resultó en desunión política, ya que las fronteras de los más países africanos siguen las líneas establecidas durante el dominio colonial europeo más bien que fronteras tribales.

LAS LENGUAS AFRICANAS

Ya que cada tribu tiene su propio idioma, había y aún hay centenares de lenguas en Africa. Sólo Nigeria contiene 250 idiomas diferentes. En el pasado, el gran número de lenguas hizo difícil la comunicación y la cooperación entre los africanos. Esto sigue siendo un obstáculo en el presente.

EL MATRIMONIO EN LA SOCIEDAD TRADICIONAL

El matrimonio en la sociedad africana era tradicionalmente convenido por la familia. Los hombres con frecuencia practicaban la **poligamia** (más de una esposa). Se esperaba que el hombre tuviera dominio sobre su familia; cuantas más esposas tenía, tanto más rico e importante se lo consideraba. Las mujeres compartían las obligaciones de los quehaceres domésticos y de criar a los niños. Se esperaba que tuvieran un papel subordinado, y estuviesen recluídas al hogar y a la aldea.

LA VIDA AFRICANA EN PERIODO DE TRANSICION

La introducción de nuevas ideas a través de la época colonial y los tiempos subsiguientes resultó en cambios significantes en el modo de vivir, especialmente en las ciudades y en los pueblos:

■ El aumento del conocimiento de leer y escribir, la expansión de la educación y los adelantos en las comunicaciones llevaron a la introducción y la diseminación de nuevas ideas tales como la democracia, el nacionalismo y el socialismo. Esta difusión de ideas hizo que los africanos estuviesen más conscientes de su identidad africana.

■ El crecimiento de los grandes centros urbanos acarreó la migración del campo, lo que resultó en la debilitación de los vínculos con los parientes y con la aldea.

■ En los nuevos centros urbanos, había una transición de la poligamia a la monogamia (una esposa) y de la familia extensa a la **familia inmediata**, más pequeña, que consiste sólo en los padres e hijos.

Estos nuevos sucesos y la aceptación de muchas prácticas occidentales crearon confusión y conflicto social a través de Africa. Los africanos siguen en busca de la mezcla correcta de la cultura tradicional y de las ideas occidentales importadas.

EL SISTEMA RELIGIOSO

LAS RELIGIONES TRADICIONALES

Las religiones tradicionales eran practicadas por los africanos desde la antigüedad, y aún hoy día son muy difundidas. La creencia en el **animismo** es común entre estas religiones. El animismo es la convicción de que cada objeto en la naturaleza tiene su propio espíritu y de que los antepasados de uno lo vigilan en esta vida desde el mundo de los espíritus. Los ritos y las ceremonias religiosas saturan cada aspecto de la vida tradicional.

EL ARTE, LA MUSICA Y LA DANZA TRADICIONAL

El arte tradicional africano era la expresión de creencias religiosas. El arte se veía como una forma de comunicación con el mundo de los espíritus ya que podía proteger a los individuos y grupos contra las "fuerzas maléficas". También daba a cada clan o tribu su propia identidad especial. Las formas africanas de arte influyeron en los artistas modernos. El arte africano está representado en la escultura, los tejidos, las máscaras, las decoraciones del cuerpo y la arquitectura. La música africana, con sus ritmos fuertemente pronunciados, influyó profundamente en los estilos musicales modernos.

LA INFLUENCIA DEL ISLAM

Desde el norte de Africa, los comerciantes árabes introdujeron las ideas islámicas a las regiones al sur del Sahara:

■ La diversidad del islamismo y su capacidad de adaptación a otras culturas, hizo posible que los africanos fundiesen libremente las ideas y prácticas islámicas con las suyas. Por ejemplo, el swahili es una lengua formada del bantu y del árabe. Lo que tiene más importancia, es que el islam permitía los matrimonios mixtos entre los musulmanes y la población local.

■ El islam es un sistema social tanto como religioso. Introdujo la ley codificada y la escritura en muchas partes de Africa. El islam aumentó el comercio con el Oriente Medio y con el norte de Africa, cambiando la economía de Africa al sur del Sahara.

En el presente, la población árabe del norte de Africa es predominantemente musulmana. Hay grandes números de musulmanes en el Africa al sur del Sahara también. Probablemente hasta uno de cuatro africanos es musulmán.

LA INFLUENCIA DEL CRISTIANISMO

El cristianismo, que existió en Etiopía desde la antigüedad, fue traído al resto de Africa durante la época colonial hacia los fines del siglo XIX. Los misioneros trataron de convertir a los africanos a la fe cristiana. Más tarde, los africanos desarrollaron sus propias formas del cristianismo al separarse de las iglesias europeas y formar sus propias organizaciones. En el presente se calcula que uno de cuatro africanos probablemente es cristiano.

PRINCIPIOS FUNDAMENTALES PARA RECORDAR

GENERALIZACIONES FUNDAMENTALES

* La cultura de un pueblo - las costumbres, tradiciones, creencias y principios - pasa de una generación a otra.
* La cultura de una sociedad a menudo cambia cuando viene en contacto con la cultura de otras sociedades.

TERMINOS Y CONCEPTOS FUNDAMENTALES

Agricultura de subsistencia, urbanización, clan, tribalismo, familia extensa, poligamia, animismo, estado monopartidario.

PERSONAJES PRINCIPALES

CECIL RHODES (1853-1902)

Rhodes era un industrialista inglés que formó un imperio en el sur de Africa al apoderarse de de los amplios depósitos de diamantes y de oro en Sudáfrica. Tenía la visión de los **afrikaners** (agricultores holandeses, también conocidos como bóers) y de los pobladores británicos juntos ejerciendo el dominio en armonía. Rhodes ayudó a establecer un corredor de dominio británico a través de toda Africa, desde Egipto hasta Sudáfrica. Sus esfuerzos de enexar dos repúblicas de los afrikaners llevaron al **conflicto con los bóers**.

KWAME NKRUMAH, JULIUS NYERERE Y YOMO KENYATTA

Estos tres eran jefes del movimiento por la independencia del dominio británico en sus respectivos países. Cada uno llegó a ser la cabeza de estado monopartidario después de la independencia. Nkrumah, después de hacerse el primer presidente de Ghana, fue derrocado en 1966. Kenyatta permaneció en poder en Kenia hasta su muerte. Nyerere está aún en poder en Tanzania.

NELSON Y WINNIE MANDELA

En 1964, Nelson Mandela fue condenado a prisión perpetua por sus actividades políticas en Sudáfrica. Mandela surgió como héroe del pueblo y se convirtió en el centro de la oposición de los negros al apartheid (separación de las razas) en Sudáfrica. Su desafío y la tranquila confianza en sí mismo simbolizaba la resistencia de los sudafricanos negros. En 1990, el presidente deKlerk finalmente liberó a Mandela de la cárcel. Mandela, como jefe del Congreso Nacional Africano, viajó extensamente a través del mundo para ganarse el apoyo internacional. Entró en negociaciones con deKlerk para lograr reformas sociales y políticas y terminar con el apartheid. Su esposa, Winnie, también es una voz clamorosa contra el apartheid.

ROBERT MUGABE (1924-Presente)

Los gobernantes blancos de Rhodesia, temiendo el gobierno de la mayoría africana, se separaron de Gran Bretaña y declararon la independencia. Mugabe se hizo jefe de los guerrilleros opuestos al gobierno de la minoría blanca. En 1979, se llegó a un acuerdo bajo el cual el país, ahora llamado Zimbabwe, iba a ser gobernado por la mayoría. En 1980, Mugabe fue elegido como el primer premier negro.

DESMOND TUTU (1931-Presente)

Tutu es un arzobispo anglicano negro, que ganó el premio Nóbel de Paz en 1985 por sus esfuerzos pacíficos de poner fin al apartheid en Sudáfrica. Repetidas veces, pidió al mundo occidental a urgir al gobierno sudafricano que terminara con su práctica del apartheid. Tutu espera alcanzar el cambio social en Sudáfrica sin una guerra civil.

PRINCIPIOS FUNDAMENTALES PARA RECORDAR

GENERALIZACIONES FUNDAMENTALES

✳ La historia y la cultura de una región ayudan a su líder a formar y a guiar la política interior y exterior.

TERMINOS Y CONCEPTOS FUNDAMENTALES

Afrikaners, la guerra de los Bóers, apartheid.

❖❖ UN CASO EJEMPLAR: GHANA ❖❖

EL AMBIENTE FISICO

Ghana está sitada en la costa occidental de Africa. Consta de tres regiones tropicales: una franja costera en el sur, la selva tropical húmeda en el medio y una sabana arbolada en el norte. El río Volta recorre el centro de Ghana, formando el lago Volta y proporcionando una fuente de energía hidroeléctrica. La región de las selvas contiene maderas valiosas, minerales y suelo fértil que se presta al cultivo del cacao. El cacao, usado en la fabricación de chocolate, es el producto principal de exportación de Ghana.

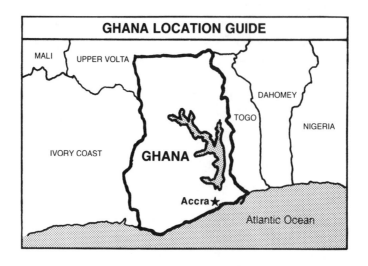

LOS SUCESOS HISTORICOS PRINCIPALES

La historia antigua

Los europeos establecieron rutas marítimas al occidente de Africa ya en el siglo XV. Africa occidental está al otro lado del océano Atlántico de las Américas y este hecho pronto llegó a ser crítico en su historia. La falta de mano de obra en las colonias americanas creó una demanda de esclavos. Los marineros europeos cambiaron mercancías por esclavos capturados por las tribus costaneras. Estos esclavos se transportaban al otro lado del Atlántico y proporcionaban gran lucro. Ghana se volvió en uno de los centros principales de la trata de esclavos. En el siglo XVIII, la mayor parte de la Ghana de hoy vino bajo el dominio de la tribu ashanti, que vendía esclavos a los europeos.

El dominio británico

Gran Bretaña se enredó en Ghana cuando trató de abolir la trata de esclavos, esparcir el cristianismo y proteger los intereses de los mercaderes británicos en esta región. En 1874, una fuerza británica invadió el interior, destruyó la capital ashanti e hizo de Ghana una colonia. Los ingleses construyeron ferrocarriles y caminos, mejoraron la enseñanza y la sanidad local, establecieron minas de oro y desarrollaron la producción local del cacao. Sin embargo, Ghana se volvió bastante dependiente de Gran Bretaña para los productos manufacturados.

La emergencia del nacionalismo

En los tiempos de la Segunda Guerra Mundial, emergió un partido nacionalista bajo la jefatura de **Kwame Nkrumah**. Después de la guerra, Nkrumah encabezó manifestaciones y estableció el boicoteo de los productos británicos. Como Gandhi y otros jefes nacionalistas, Nkrumah fue encarcelado por las autoridades. Después de su liberación en 1951, emergió como el jefe del movimiento contra los ingleses. En 1957, Ghana llegó a ser el primer país africano, al sur del Sahara, que logró su independencia de la dominación colonial. Como colonia de Gran Bretaña, Ghana era conocida como la "Costa de Oro". Con la independencia, adoptó el nombre de "Ghana" en imitación del gran imperio de Africa occidental de los tiempos anteriores a la colonia. En los 17 años subsiguientes, todas las naciones al sur del Sahara siguieron el ejemplo de la independencia de Ghana.

SISTEMAS PRINCIPALES

El sistema político

Nkrumah gozó de tremendo prestigio a través de Africa en 1957. Apoyó el movimiento nacionalista de otros países africanos en su lucha por la independencia del dominio colonial y también firmemente apoyaba la unidad panafricana. Nkrumah denunció el imperialismo occidental y puso a Ghana en alianza con la Unión Soviética y la China comunista. Sin embargo, Nkrumah mostró ser menos capaz como jefe nacional que lo era como luchador por la independencia. Desde el principio había señas de división y descontento entre las tribus. En reacción a esto, Nkrumah promulgó una ley que le permitía encarcelar a sus adversarios. Entonces, usó su popularidad para establecer un gobierno monopartidario en Ghana, para restringir la independencia de las cortes y para obtener poderes de dictador. En 1981, **Jerry Rawlings**, un teniente de las fuerzas aéreas, tomó el poder. Aunque parece ser un jefe popular, todavía no había elecciones. Al asumir el poder, abolió los partidos políticos rivales.

El sistema económico

A pesar de sus abundantes recursos naturales y su posición como el principal productor de cacao, la economía de Ghana tiene muchos problemas. Sufre de haber sido una colonia británica por largo tiempo, y de la mala administración desde la independencia. Ghana proporciona un excelente ejemplo de los problemas económicos ante los cuales se encuentran muchos países africanos después de haber logrado su independencia. En los años 1950 y 1960, Nkrumah trató de establecer industrias y fincas de propiedad estatal según el modelo socialista. Fomentó la enseñanza moderna y sanidad y construyó un vasto complejo hidroeléctrico en el río Volta. Tomó grandes préstamos de los países de ultramar para realizar estos programas económicos. Ghana estaba seriamente adeudada y se encontraba frente a grandes dificultades bajo la jefatura de Nkrumah. Aunque este trató de elevar el nivel de vida en Ghana, fue derribado por las fuerzas militares en 1966, cuando fracasaron sus prácticas económicas.

Al principio de su jefatura, Rawlings también prometía un programa **socialista**. Sin embargo, las dificultades económicas de Ghana empeoraron como resultado de una severa sequía en los años 1982-83. En 1983, Rawlings decidió cambiar el curso. Terminó con sus vínculos con sus partidarios más radicales y empezó a fomentar los intereses de la clase media. Redujo los gastos del gobierno y eliminó el control gubernamental de precios a favor de más libre empresa. Como resultado, Ghana pudo obtener asistencia del Fondo Monetario Internacional (F.M.I.) y se volvió en un país más atractivo para los inversionistas extranjeros. Sin embargo, la economía del país todavía se encuentra ante problemas económicos importantes, tales como la baja en los precios del cacao, el aumento de la competición internacional, el transporte local inadecuado y el envejecimiento de los árboles de cacao.

En el presente, la mayor parte de los habitantes de Ghana trabaja en la agricultura, pesca o silvicultura. Ghana importa la mayoría de sus productos manufacturados. A pesar de sus severos problemas económicos, el país tiene uno de los más altos ingresos por cabeza en Africa al sur del Sahara y uno de los mejores sistemas de enseñanza.

El sistema social
Ghana tiene más de 11 millones de habitantes. Su población se divide entre más de 75 tribus. La mayoría del pueblo vive en aldeas y los jefes tribales aún tienen influencia en la vida local. La tierra es propiedad de toda la familia más bien que de individuos. El inglés es la lengua común nacional, y se usa en las transacciones oficiales. Es posible subir la escala social por medio de la educación, una empresa de éxito o la carrera militar.

La religión
La mayoría de los habitantes de Ghana son cristianos, pero tanto en el norte del país como en las ciudades principales hay musulmanes. También hay varias religiones locales, que reflejan la diversidad de la herencia nacional.

CUESTIONES PRINCIPALES

SUDAFRICA Y EL APARTHEID

EL PROBLEMA
La población de Sudáfrica consiste de cerca de 23 millones de negros, 5 millones de blancos y 3 millones de personas de color (de raza mixta) y de 1 millón de asiáticos. La minoría blanca controla el gobierno y los recursos de la nación. Los asiáticos y los de color tienen derechos limitados, mientras que la mayoría

negra tiene pocos derechos civiles y virtualmente no tiene representación en el gobierno sudafricano. Hasta tiempos recientes, Sudáfrica estaba en rumbo a la guerra civil y aislamiento internacional. El nuevo gobierno del presidente deKlerk está tomando pasos hacia un compromiso, pero muchos blancos se oponen a eso y algunos negros dicen que estos cambios no son suficientes.

LAS RAICES DEL PROBLEMA

Aunque los pobladores holandeses se establecieron en la región en el siglo XVII, Gran Bretaña ganó el dominio allí. En 1833 los ingleses abolieron la esclavitud. En oposición a esta política, los pobladores holandeses, conocidos como **bóers**, se mudaron al norte. Hacia el fin del siglo XIX, se descubrieron oro y diamantes donde se radicaron los bóers. Los ingleses reclamaron este territorio, y el conflicto llevó a la Guerra de los Bóers (1899-1902). Gran Bretaña ganó la guerra y unificó todos los estados sudafricanos en 1910. En 1934, los blancos de Sudáfrica fueron otorgados su independencia de Gran Bretaña. Los negros, los de color y los asiáticos quedaron excluídos de los derechos políticos de la nueva república.

Los negros sudafricanos trabajando en una mina de diamantes

LA POLITICA DE APARTHEID

En 1948, los afrikaners de lengua holandesa ganaron las elecciones nacionales e instituyeron la política de apartheid, que significa "separación". Es una práctica oficial de discriminación racial, respaldada por la ley. La legislación proclamada bajo esta política incluía:

LAS LEYES DE PASES

Fuera de su propia localidad a los no blancos se requería que llevaran papeles de identificación. Esta ley fue recientemente anulada. En cambio, todos los sudafricanos van a tener "tarjetas de identidad".

LA LEY DE VECINDARIOS

Esto establecía áreas distintas donde vivería cada grupo racial. Al gobierno se le permitía remover a la gente por la fuerza y de radicara en otras partes.

LA LEY DE MATRIMONIOS MIXTOS

Los matrimonios entre razas diferentes eran ilegales. Esta ley quedó anulada en 1985.

LA LEY SOBRE LA EDUCACION

Los diferentes grupos raciales reciben enseñanza separada, proporcionando mejor educación a los blancos pero inferior a los negros. Esta segregación se aplicaba a los institutos públicos y privados.

LA POLITICA DE TIERRAS NATALES

Hasta tiempos recientes, el gobierno quería radicar a los negros sudafricanos en estados autónomos basados en su identidad tribal. A los negros se les otorgarían derechos civiles completos dentro de su estado tribal, pero se les negaba la ciudadanía sudafricana. Estas reservas a menudo son terrenos sin valor. Para encontrar empleo, los hombres están obligados a volver a las minas y a las ciudades de la Sudáfrica blanca. No está clara aún la actitud del nuevo gobierno sudafricano con respecto a la política de tierras natales.

OTRAS LEYES

Además, se promulgaron leyes que permitían que el gobierno encarcelara, sin juicio, a sus adversarios. También se prohibían las reuniones y periódicos de la oposición.

LA RESISTENCIA AL APARTHEID

Muchos en Sudáfrica trataban de resistir el apartheid por medios violentos. Dos de las sublevaciones más notables eran:

LA MATANZA DE SHARPEVILLE

En 1960, hubo una gran manifestación en Sharpeville contra las leyes de pases. La policía mató a 69 manifestantes. La Matanza de Sharpeville llevó a una huelga general. El gobierno respondió declarando un estado de emergencia y proscribiendo grupos nacionalistas negros tales como el **Congreso Nacional Africano**. La opinión del mundo condenó el apartheid, llevando a que Sudáfrica se retirase de la Comunidad Británica de Naciones. Los jefes del proscrito Congreso Nacional Africano adoptaron una política de resistencia violenta al gobierno de Sudáfrica.

EL ALZAMIENTO DE SOWETO

Los estudiantes en Soweto, un municipio negro, comenzaron una sublevación contra la introducción del afrikaans (la lengua de los afrikaners, parecida al holandés) en algunas asignaturas escolares. Los motines se esparcieron a otros municipios, obligando al gobierno a mitigar su política y acabar con la segregación en muchos sitios públicos.

LA CONSTITUCION DE BOTHA

En 1983, el primer ministro Botha introdujo una nueva constitución. El nuevo **parlamento** (cuerpo legislativo) consistía en tres cámaras, basadas en la raza: blancos, de color y asiáticos. Cada cámara trataría con sus "propios" asuntos. Los negros aún seguían sin representación. La disatisfacción con la nueva constitución llevó a nuevos motines. En 1985, el gobierno declaró un estado de emergencia que permitía medidas brutales contra sus adversarios. Frente a la inquietud interna y la presión internacional, el gobierno sudafricano tomó algunos pasos hacia la reforma.

LAS SANCIONES DE LOS ESTADOS UNIDOS

En 1986 el congreso aprobó sanciones contra Sudáfrica, que prohiben nuevos préstamos o inversiones en Sudáfrica, viaje aéreo directo entre los Estados Unidos y Sudáfrica, y la importación de productos sudafricanos al país.

EL GOBIERNO DE deKLERK TRAE ESPERANZA

En 1989, los sudafricanos eligieron a un nuevo presidente, **F.W. deKlerk**. Este prometió "verdadero" progreso en el compartimiento del poder con los sudafricanos negros. DeKlerk:

■ relevó de la prisión a Nelson Mandela y a otros líderes nacionalistas negros.

■ legalizó el Congreso Nacional Africano y otros grupos de oposición.

■ redujo las fuerzas militares y la policía secreta.

■ permitió más libertad de prensa.

Mientras deKlerk se encontró con la resistencia de algunos grupos de blancos, la mayoría de estos apoya su programa. El Congreso Nacional Africano puso aparte el uso de la fuerza en Sudáfrica. En el presente hay cierta esperanza de transición a un estado democrático multiracial en Sudáfrica.

LAS DIVISIONES ENTRE LOS SUDAFRICANOS NEGROS

Un problema nuevo es la violencia entre los partidarios del jefe zulu Buthelezi y el Congreso Nacional Africano. Los choques entre estos dos grupos llevaron a motines y muertes en 1989-1990.

EL TRIBALISMO CONTRA EL NACIONALISMO

El tribalismo se refiere a la lealtad de muchos africanos hacia su tribu. Las lealtades tribales crearon nuevos problemas para los nacionalistas africanos que quieren que sus ciudadanos estén dedicados a la nación. Las potencias europeas crearon colonias sin fijarse en las antiguas fronteras tribales. Cuando estas colonias obtuvieron su independencia, a menudo había tribus rivales dentro de la misma nación. En algunos casos, esto llevó a conflictos o atentados de algunas tribus de retirarse de la nueva nación-estado.

NIGERIA: UN CASO EJEMPLAR DE RIVALIDADES TRIBALES

Las tribus principales de Nigeria son los yoruba, hausa, fulani e ibo. En 1967, la tribu de los ibo de la región oriental de Nigeria se separó, estableciendo el estado independiente de Biafra. Había una guerra civil hasta 1970. Finalmente, Biafra fue bloqueada por Nigeria. Frente a la muerte de hambre de grandes números de personas, los ibo se rindieron y Nigeria quedó reunificada. Afortunadamente, el gobierno en control de Nigeria restauró todos los derechos a los miembros de la tribu ibo.

EL HAMBRE Y LA CARESTIA

En el presente, Africa es un continente en gran riesgo. Una de las cuestiones más importantes frente a Africa es la **carestía**, o la falta extensa de comestibles. La producción de comestibles disminuyó en los últimos 20 años, mientras que la población aumenta constantemente. Los países africanos tienen una natalidad de las más altas del mundo. Además, los adelantos en la sanidad salud aumentaron la longevidad y redujeron la mortalidad infantil. Como resultado, muchos más niños africanos llegan a la edad adulta. Al mismo tiempo, los adelantos en las industrias y en la agricultura no alcanzan el paso del aumento de la población. Con más gente y menos comida, las naciones africanas se encuentran frente a una crisis severa.

LAS RAZONES PARA LA CARESTIA DE COMESTIBLES EN AFRICA

Hay muchos factores que contribuyen a la carestía en Africa:

■ Los suelos de Africa son pobres. Los cambios en la precipitación de lluvia llevan a sequías severas. Las sequías a su vez resultan en cosechas fracasadas, la muerte del ganado y la erosión del suelo. Los métodos tradicionales de cultivo y el apacentamiento excesivo llevan al aumento de la ersosión.

■ La región desértica del Sahara parece estar extendiéndose hacia el sur. La falta de lluvia llevó a la erosión del suelo y a la muerte de grandes cantidades de ganado en la región inmediata al sur del Sahara.

■ Las guerras civiles en varios países africanos hacen la situación peor aún. En Etiopía hay un conflicto entre el gobierno comunista y los rebeldes que se le oponen. La guerra, combinada con la sequía, amenaza con matar de hambre a millones de etíopes.

■ A menudo fue imposible llevar ayuda donde era más necesaria a causa del inadecuado sistema de transporte.

PRINCIPIOS FUNDAMENTALES PARA RECORDAR

GENERALIZACIONES FUNDAMENTALES
✻ La política interna de un país puede influir en la política de otras naciones hacia él.
✻ El aumento de población debe ser sustentado por el progreso en la agricultura y en la industria para mantener el nivel de vida.

TERMINOS Y CONCEPTOS FUNDAMENTALES
Bóers, segregación, política de tierras natales, Matanza de Sharpeville, Sublevación de Soweto, Congreso Nacional Africano, carestía.

RESUMEN DE TU COMPRENSION

Direcciones: ¿Entendiste bien lo leído acerca de Africa al sur del Sahara? Comprueba tus conocimientos al responder a las preguntas siguientes.

TERMINOS Y CONCEPTOS FUNDAMENTALES

Completa las palabras y expresiones según las definiciones dadas.

R _ _ _ _ _ a _ _ _ _ _ _ _ _ a _ _ _ _ _ _ _ Las primeras manifestaciones de las civilizaciones del continente.

E _ _ _ _ _ _ Lo es una familia tradicional.

P _ _ _ _ _ _ _ _ _ _ _ _ _ Movimiento de cooperación entre los países del continente.

A _ _ _ _ _ _ _ _ Política de separación de razas en Sudáfrica.

T _ _ _ _ _ _ N _ _ _ _ _ _ Unidades autónomas en Sudáfrica, basadas en la identidad tribal.

C _ _ _ _ _ _ _ _ _ _ _ Dominación política y económica de un país sobre otra región.

A _ _ _ _ _ _ _ Tipo de religiones africanas, anteriores al islam y al cristianismo.

T _ _ _ _ _ _ _ _ _ Lealtad al grupo étnico, linguístico y social. A menudo está en conflicto con la lealtad al estado.

B _ _ _ _ Tenían una guerra contra los ingleses en Sudáfrica.

E _ _ _ _ _ _ _ Su trata se concentró en la costa occidental de Africa.

FACTORES GEOGRAFICOS

Los factores geográficos y climáticos a menudo tienen gran influencia en el desarrollo de una región. Resume tu comprensión de esta idea al completar el cuadro siguiente.

FACTORES GEOGRAFICO-CLIMATICOS	EFECTOS EN LA VIDA AFRICANA
LOS DESIERTOS	
LOS RIOS	
LAS SABANAS	
LAS SELVAS HUMEDAS	
LA COSTA MARITIMA	
RECURSOS NATURALES	

INDIVIDUOS IMPORTANTES

Un individuo a menudo tiene influencia en la vida política, social y/o económica de su país. Imagínate que estás a cargo de preparar un certificado de mérito para los individuos de la lista dada. Indica el nombre de cada uno y los alcances por los cuales va a ser reconocido.

Individuos

Cecil Rhodes
Kwame Nkrumah
Desmond Tutu
Nelson Mandela
Robert Mugabe

Se Otorga Este Certificado

a _____

por haber _____

_____

PROBLEMAS Y CUESTIONES

Africa se encuentra frente a muchos problemas. Estos problemas tienen efectos de alcance mundial. Imagínate que vives en uno de los países de la región y un estudiante norteamericano con quien tienes correspondencia te hace preguntas detalladas sobre estos problemas. Escríbele una carta describiendo los problemas y presentando tus ideas sobre cómo se podrían solucionar.

Problemas

El hambre y la carestía
La necesidad de desarrollo económico
El apartheid en Sudáfrica
Tribalismo contra nacionalismo

COMPRUEBA TU COMPRENSION

Direcciones: comprueba tu comprensión de esta unidad contestando a las siguientes preguntas. Haz un círculo alrededor del número que precede la palabra o expresión que representa la respuesta correcta a la pregunta o declaración. Luego, dirígete a los ensayos.

DESARROLLO DE DESTREZAS:
INTERPRETACION DE UN MAPA

Basa tus respuestas a las preguntas 1 a 3 en el mapa dado y en tu conocimiento de los estudios sociales.

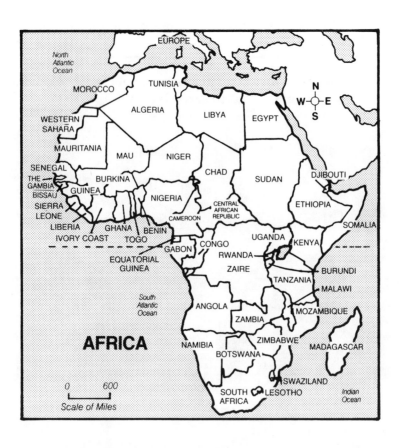

1 Zambia está directamente al sur de

    1 Zaire   3 Botswana

    2 Namibia   4 Mozambique

2 Al tomar un avión de Nigeria a Etiopía uno iría en la dirección general hacia el

    1 norte   3 sur

    2 este   4 oeste

3 ¿Cuál de los siguientes países está situado en Africa al sur del Sahara?

    1 Egipto   3 Argelia

    2 Libia   4 Botswana

DESARROLLO DE DESTREZAS: INTERPRETACION DE UNA TABLA

Basa tus respuestas a las preguntas 4 a 6 en la tabla dada y en tu conocimiento de los estudios sociales.

Estadísticas Escogidas de Algunas Naciones Africanas

País	Conocimiento de lectura y escritura (porcentaje)	Ingresos por cabeza (dólares de los E.E.U.U.)	Indice de longevidad (años)
Etiopía	48	$147	45
Zaire	39	$168	38
Kenia	41	$510	54
Nigeria	58	$782	39

4 ¿En qué país puede esperarse la proporción más baja de lectores de periódicos?
    1 Etiopía   3 Kenia
    2 Zaire   4 Nigeria

5 ¿Cuál de los países necesita hacer más para elevar el nivel de vida de sus ciudadanos?
    1 Etiopía   3 Kenia
    2 Zaire   4 Nigeria

6 ¿Cuál declaración es la mejor apoyada por los datos de la tabla?
    1 La mayoría de las naciones africanas tienen serios problemas económicos.
    2 Las naciones con altos ingresos por cabeza tienen altos índices de longevidad.
    3 La mayoría de las naciones en Africa son económicamente autosuficientes.
    4 Las naciones donde hay más personas que saben leer y escribir tienden a tener bajos ingresos por cabeza.

7 Una característica fundamental del imperialismo es la de
    1 fomentar la democracia en los países extranjeros
    2 usar métodos económicos o políticos de dominar a otros países
    3 desarrollar nuevas formas de expresión artística
    4 llevar a la creencia en el monoteísmo

8 La introducción del uso de armas de fuego europeas en Africa es un ejemplo de
    1 apartheid   3 difusión cultural
    2 panafricanismo   4 animismo

9 En Sudáfrica, el término "apartheid" se refiere a
　　　1 la economía del mercado libre　　　3 la segregación de las razas
　　　2 los ataques terroristas　　　　　　　4 el método tradicional de cultivo

10 El hecho de que los africanos tienen profunda lealtad hacia su familia, su clan o su grupo hace evidente
　　la existencia del
　　　1 tribalismo　　　　　　　　　　　　　3 apartheid
　　　2 imperialismo　　　　　　　　　　　　4 nacionalismo

11 En el presente, una familia extensa en Africa probablemente incluye
　　　1 a dos abuelos, a los padres y a sus hijos
　　　2 al esposo, a su mujer y a sus hijos
　　　3 a unas cuantas mujeres y a su esposo
　　　4 a los padres, a sus hijos y a sus mejores amigos

12 ¿Cuál libro hubiera sido más provechoso a los capitanes marines durante el siglo XIX que navegaban
　　a lo largo de la costa occidental de Africa?
　　　1 una enciclopedia　　　　　　　　　3 un atlas
　　　2 un diccionario　　　　　　　　　　4 un almanaque

13 Desmond Tutu y Nelson Mandela son los nombres de dos sudafricanos que se asocian con
　　　1 la reducción de la participación de los Estados Unidos en la política de Sudáfrica
　　　2 el atentado de obtener justicia racial e igualdad para los negros de Sudáfrica
　　　3 la eliminación de la corrupción en el gobierno de Sudáfrica
　　　4 la presentación de las diferentes formas de la literatura sudafricana a los europeos

14 ¿Cuál de las aseveraciones siguientes mejor explica porqué los europeos estaban interesados en Africa
　　en los siglos XVI y XVII?
　　　1 Los gobernantes europeos anexaron grandes extensiones de tierras africanas.
　　　2 Se buscaban esclavos para trabajar en el Nuevo Mundo.
　　　3 Se descubrió el petróleo en Sudáfrica.
　　　4 Los europeos estaban interesados en investigar las culturas y las creencias africanas.

15 ¿Cuál es una característica de la sabana en Africa?
　　　1 Se compone de praderas silvestres.
　　　2 Se compone en más parte de grandes cadenas montañosas.
　　　3 Está marcada por selvas espesas.
　　　4 Es el sistema fluvial más grande.

16 ¿Cuál es la declaración más exacta acerca de la geografía de Africa?
　　　1 Africa es una tierra rodeada de grandes cadenas montañosas.
　　　2 Africa tiene el beneficio de grandes yacimientos de hulla.
　　　3 La larga costa de Africa tiene muy pocos puertos naturales.
　　　4 Africa tiene pocos desiertos y no posee selvas húmedas.

17 En pos de la Segunda Guerra Mundial, las naciones africanas hicieron más progreso importante en
　　　1 obtener la independencia y la autonomía
　　　2 lograr la armonía entre todas las razas
　　　3 desarrollar sus propios imperios de ultramar
　　　4 eliminar la pobreza dentro de sus fronteras

18 ¿Cuál declaración describiría mejor una nación africana con una economía tradicional?
    1 Un agricultor que usa maquinaria moderna para cultivar cosechas de exportación
    2 El cultivo de la tierra con los mismos métodos que usaban los antepasados
    3 Una fábrica en Zaire que produce fichas de silicio
    4 Un empresario que construye un centro comercial en Chad

19 ¿Qué cambio significante trajo la industrialización en muchas naciones africanas?
    1 fortaleció la unidad de la familia
    2 la migración de la población del campo a la ciudad
    3 la eliminación del hambre y de la pobreza
    4 la disminución de la mobilidad social

20 Una de las barreras más importantes al progreso económico en los países en desarrollo en Africa era la falta de
    1 materias primas   3 tierras de cultivo
    2 obreros no adiestrados   4 capital de inversión

21 ¿Cuál es la aseveración con la que estaría más de acuerdo un miembro del grupo panafricano?
    1 Los recursos de Africa deben ser desarrollados por los africanos.
    2 Los fondos norteamericanos deben usarse para desarrollar las industrias de Africa.
    3 El tribalismo contribuyó al desarrollo de Africa.
    4 Los oficiales africanos deben entrenarse en las escuelas estadounidenses.

22 Un resultado importante de la política gubernamental de apartheid en Sudáfrica
    1 es el serio conflicto social dentro de Sudáfrica
    2 son las mejores condiciones de vida para todos los sudafricanos
    3 es el aumento de la movilidad social para los sudafricanos negros
    4 son las mejores relaciones entre Sudáfrica y otras naciones africanas

23 En un esquema, uno de los siguientes es el tema principal y los otros son secundarios. ¿Cuál es el tema principal?
    1 Convertir a la gente al cristianismo
    2 La competición por nuevos territorios
    3 La busca de materias primas
    4 Las razones para el imperialismo en Africa

24 ¿Cuál factor puede considerarse tanto como la causa del imperialismo europeo en Africa como la razón de su subsiguiente decaímiento?
    1 el nacionalismo   3 el aislacionismo
    2 el militarismo   4 el colonialismo

25 "Todos los hombres fueron creados iguales." Un partidario de la idea expresada en esta cita probablemente está en oposición
    1 a la difusión cultural
    2 al nacionalismo
    3 al apartheid
    4 al voto universal

ENSAYOS

1 La política sudafricana del apartheid influye en las actitudes y en la política de los Estados Unidos hacia Sudáfrica.

Parte A

1 *Define* la política de apartheid. _____

2 Enumera *dos* características del apartheid tal como se practica en Sudáfrica.

a. _____ b. _____

Parte B

Basa tu respuesta a la Parte B en la resupuesta a la Parte A.

En una hoja aparte, escribe un ensayo explicando cómo la política de apartheid influye en las actitudes y en la política de los Estados Unidos hacia Sudáfrica.

> **NOTA**: Recuerda, al escribir los ensayos, que hay ciertas expresiones que debes tener presentes. Estos términos y expresiones se explicaron en el Capítulo 3 sobre la redacción de un ensayo. Probablemente te será provechoso repasar esas páginas.

2 Las actitudes y la política de los Estados Unidos hacia otro país a menudo están bajo la influencia de los sucesos que tienen lugar en dicho país.

SUCESOS
La carestía en Africa en los años 1980
La inquietud en Sudáfrica en los años 1980

Para *cada* suceso:

Describe las circunstancias en las que tuvo lugar dicho suceso.

Discute cómo el suceso afectó las actitudes y la política de los Estados Unidos hacia esa región o país.

El **cuadro de respuestas** que sigue te ayudará a organizar tu ensayo. Una explicación completa de cómo un sinóptico de respuestas te puede ayudar a escribir un ensayo se encuentra en el Capítulo 3.

> **NOTA:** Fíjate en la columna de SUCESOS; ya está completa. Escoge el primer suceso, "La carestía en Africa". El planteo del ensayo requiere que d**escribas** y **discutas** los aspectos de la carestía en Africa. Estos conceptos tienen significados específicos que se explican en el Capítulo 3 sobre la redacción de un ensayo. Quizás te aproveche repasar esas páginas **ante**s de escribir el ensayo. Empieza al escribir una palabra o una frase corta bajo cada encabezamiento. Haz lo mismo en el caso de "La inquietud en Sudáfrica". Este cuadro sinóptico puede ahora usarse como base de tu ensayo.

SINOPTICO DE RESPUESTAS

LOS SUCESOS	DESCRIBE LAS CIRCUNSTANCIAS	DISCUTE COMO EL SUCESO AFECTO LAS ACTITUDES DE LOS ESTADOS UNIDOS
La carestía en Africa	_____	_____
	_____	_____
La inquietud en Sudáfrica	_____	_____
	_____	_____

3 Muchas naciones en desarrollo tienen problemas parecidos que dificultan su progreso y desarrollo económico.

LOS PROBLEMAS

La alta natalidad
La falta de capital de inversión
El alto grado de analfabetismo
La mayoría de la mano de obra está en la agricultura
Los gobiernos inestables

a Escoge *tres* problemas de las naciones en desarrollo. En el caso de *cada uno*, muestra cómo ese problema estorba en el crecimiento y desarrollo económico.

b Para *uno* de los problemas nombrados en la parte a, describe un plan de acción que pudiera usarse para resolver dicho problema.

SINOPTICO DE RESPUESTAS

Problema	Muestra cómo esto impide el desarrollo económico	Describe un plan de acción
_____	_____	_____
	_____	_____
_____	_____	_____
	_____	_____
_____	_____	_____
	_____	_____

CAPITULO 5

LA AMERICA LATINA

EL AMBIENTE FISICO

DIMENSIONES Y SITUACION

El nombre de "América Latina" se aplica a la mayor parte de los territorios al sur de los Estados Unidos. Los países de la América Latina abarcan un vasto territorio que se encuentra entre el Atlántico y el Pacífico y que tiene una extensión de 7000 millas de largo y 3000 millas de ancho. La América Latina consta de cuatro regiones distintas:

1. **México**

2. **La América Central**: Guatemala, Honduras, El Salvador, Nicaragua, Costa Rica y Panamá.

3. **Las repúblicas del Caribe** (las Antillas): Haití, la República Dominicana (que se encuentran en la Española) y Cuba.

4. **La América del Sur**: Colombia, Venezuela, Ecuador, Brasil, Perú, Bolivia, Chile, Argentina, Paraguay y Uruguay.

Aunque en términos políticos no son latinoamericanas, por su situación, las siguientes a menudo se consideran parte de la América Latina: Jamaica, Puerto Rico, las Islas Vírgenes, Granada, Barbados, Martinica, Santa Lucía, Tabago y Trinidad.

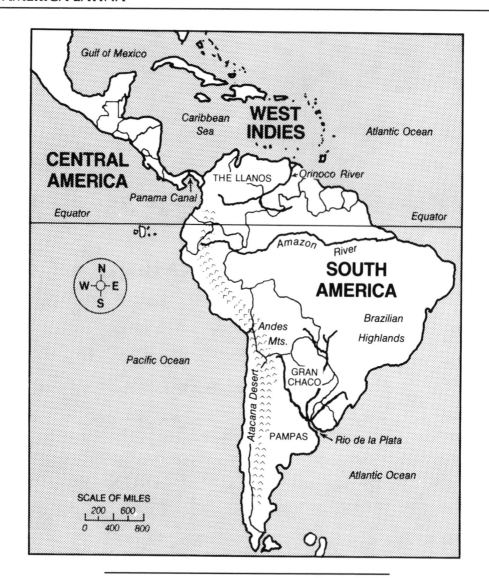

CARACTERISTICAS FISICAS

La geografía de la América Latina es muy variada. Sus montañas y regiones montañosas, y las selvas y los desiertos habían separado las diferentes partes de la región por mucho tiempo.

MONTAÑAS

La **Cordillera de los Andes**, segunda cadena montañosa del mundo en cuanto a su elevación, se encuentra a lo largo de la costa occidental. Los Andes son altos, con pocos pasos, lo que hace difícil el viaje de la costa occidental hacia el este.

MESETAS

En la región este de la América del Sur se encuentran grandes mesetas (llanuras altas). La mayor parte del norte de México es también una meseta.

LLANURAS

Las **pampas** de la Argentina y del Uruguay y los **llanos** de Venezuela y Colombia son praderas de suelo fértil. Las pampas son las tierras más productivas de la América del Sur.

SELVAS TROPICALES HUMEDAS

La selva tropical húmeda del Amazonas cubre la mayor parte del Brasil y, al ser la más grande del mundo, produce una gran parte del oxígeno de la atmósfera terrestre.

DESIERTOS

El desierto de Atacama, situado en el oeste de los Andes, es el más grande de la América Latina.

SISTEMAS FLUVIALES PRINCIPALES

El **Amazonas**, es el segundo río en el mundo en cuanto a la extensión. Tiene unas 2300 millas de largo y corre desde los Andes a través de las selvas y desemboca en el Atlántico. Los otros ríos grandes son el **Río de la Plata** y el **Orinoco**.

EL CLIMA

Por estar cerca del ecuador, una gran parte de la América Latina sería una región extremadamente calurosa si no fuera por las grandes elevaciones y los vientos alisios (constantes). Las regiones más densamente pobladas se encuentran en las "tierras frías", donde la elevación resulta en temperaturas moderadas como en México central.

RECURSOS NATURALES

MINERALES

La América del Sur tiene riquezas minerales, tales como una gran abundancia de cobre en Chile y estaño en Bolivia.

ENERGIA

Aunque la América Latina carece de muchos recursos, como la hulla (carbón de piedra),importantes para la industrialización, posee sin embargo grandes yacimientos de petróleo en México, Venezuela y Colombia.

EXPORTACION

La América Latina exporta productos agrícolas como bananas, tabaco y cacao. Las Antillas son notables por la caña de azúcar.

AGRICULTURA

En gran parte, las tierras de la América del Sur por ser montañsas no son muy fértiles. Sin embargo, las pampas argentinas y los llanos de Venezuela producen grandes cantidades de carne, trigo y otros granos.

¿COMO LA GEOGRAFIA DE LA AMERICA LATINA AFECTO SU HISTORIA Y SU CULTURA?

✓ Las montañas, los desiertos y las selvas de la América del Sur habían separado a los diferentes grupos de población, lo que resultó en culturas regionales muy distintas entre sí.

✓ Una gran parte de la América del Sur consiste en selvas tropicales, montañas y desiertos, resultando en escasez de tierras de cultivo.

✓ Ya que una gran parte de la América del Sur se encuentra cerca del ecuador, las zonas de población más densa están en las regiones elevadas donde la temperatura es más apacible.

✓ La mayoría de las ciudades de la América Latina se desarrolló en la costa del océano Atlántico, facilitando así el comercio con Europa.

✓ El clima de las Antillas (o las Indias Occidentales) favorece la producción del azúcar. Este factor era la razón principal para la importación de esclavos de Africa.

PRINCIPIOS FUNDAMENTALES PARA RECORDAR

GENERALIZACIONES FUNDAMENTALES
✳ Los factores geográficos y del clima tienen un efecto significante en la población de una región y en su forma de vida.

TERMINOS Y CONCEPTOS FUNDAMENTALES
América Latina, América del Sur, Cordillera de los Andes, el Amazonas, pampas, llanos, selva tropical húmeda.

SUCESOS HISTORICOS PRINCIPALES

HERENCIA PRECOLOMBIANA

Más de mil años antes de la llegada de Cristóbal Colón al continente americano, florecieron allí varias civilizaciones indígenas. Aunque estas civilizaciones eran relativamente avanzadas, les faltaban sin embargo las armas y el poder militar de los europeos.

LA CIVILIZACION MAYA (l500 a.de C.-l200 d.de C.)
Los mayas que vivían en el sur de México y en Guatemala, desarrollaron las ciencias y las artes: astronomía, matemáticas, arquitectura, escultura y pintura.

EL IMPERIO AZTECA (1400-1520)

Los aztecas de la América Central y México, conquistaron a otras tribus indias y contruyeron un imperio imponente. Sus grandes pirámides se elevan hoy en la ciudad de México que había sido su capital.

EL IMPERIO INCA (1000-1530)

En los Andes, a lo largo de la costa occidental del continente, los incas formaron un complejo sistema político que les permitía controlar grandes territorios.

LAS EXPLORACIONES EUROPEAS (1492-1542)

Los exploradores europeos descubrieron el **Nuevo Mundo** (la América del Norte y la América Latina) cuando buscaban una ruta marítima a la India. La conquista, exploración y **colonización** del continente llevó a una creciente dependencia mutua entre la América Latina y Europa.

LAS RAZONES PARA LA EXPLORACION EUROPEA

Los motivos para la exploración europea del Nuevo Mundo eran los siguientes:

■ Descubriendo una nueva ruta marítima a la India, las naciones del occidente de Europa esperaban eliminar el monopolio que tenían las ciudades-estado de Italia en el comercio con el Oriente.

■ De acuerdo con la teoría del **mercantilismo** (popular en aquel tiempo), la riqueza de una nación se medía de acuerdo a la cantidad de oro y plata en su posesión. Esta teoría estimulaba el deseo de encontrar nuevas fuentes de estos metales.

■ Los europeos deseaban cristianizar a los indígenas de estas tierras.

LOS EXPLORADORES IMPORTANTES

■ **CRISTOBAL COLON** (1492) descubrió el Nuevo Mundo por accidente. Creía que el mundo era esférico y que al navegar a través del océano Atlántico encontraría una nueva ruta marítima a las Indias.

■ **VASCO DE BALBOA** (1513) era un explorador español que llegó a la costa occidental del Panamá descubriendo el océano Pacífico.

■ **FERNANDO DE MAGALLANES** (1519) era un capitán portugués, cuyos barcos doblaron la punta sur del continente, atravesaron el Pacífico y circunnavegaron el mundo, comprobando así que es redondo.

LA IMPORTANCIA DE LAS EXPLORACIONES

El descubrimiento del Nuevo Mundo por los habitantes de Europa cambió los dos continentes para siempre. Algunos de los cambios de más importancia eran:

■ **Nuevos inventos.** Estas exploraciones comprobaron de que la tierra es redonda, lo que llevó a mejoras en la cartografía, en la construcción de naves y en la navegación.

■ **Difusión cultural de gran alcance.** Los españoles introdujeron artículos nuevos a las regiones conquistadas: nuevos alimentos (café, azúcar), bestias de carga (mulas y caballos) y la rueda, haciendo más fácil la agricultura y el transporte. El Nuevo Mundo dió a Europa nuevos alimentos como el chocolate, papas y maíz.

■ **Esclavitud.** Muchos indios fueron muertos o esclavizados. También se trajeron esclavos africanos al Nuevo Mundo.

■ **Cambio de rutas comerciales.** Las exploraciones desviaron las rutas comerciales del mar Mediterráneo al océano Atlántico. Esto aumentó el poder de las naciones en el occidente de Europa, especialmente las que están en en las costas del Atlántico, como España, Portugal, Francia e Inglaterra.

■ **Una válvula de seguridad.** El Nuevo Mundo sirvió de "válvula de seguridad" para los grupos europeos descontentos, que llegaron a este continente como colonos.

LA EPOCA COLONIAL (1520-1808)

La conquista de la América del Sur fue extraordinariamente rápida. Pequeños grupos de **conquistadores** (soldados) podían subyugar a los indígenas porque tenían caballos y cañones desconocidos para los indios. Además, los indios estaban desunidos y los españoles ponían unas tribus en rivalidad con otras. En 1519, **Hernando Cortés** y sus soldados conquistaron el Imperio Azteca. En 1530, **Francisco Pizarro** llevó su ejército a la conquista del imperio de los incas. Los mayas fueron conquistados en 1546. Una vez conquistadas las tribus indígenas, sus tierras fueron declaradas como posesiones de los reyes de España y de Portugal.

LA POLITICA ECONOMICA
Según la teoría **mercantil**, las colonias existían sólo para el beneficio de la madre patria. Se esperaba que las colonias importaran más mercancías que las que exportaban a la madre patria. Grandes extensiones de tierra estaban en posesión de una pequeña clase privilegiada bajo el **sistema de encomiendas**. Este sistema permitía que los terratenientes usaran a los indígenas para trabajar en sus posesiones a cambio de protección.

LAS CLASES SOCIALES
En aquella época había cuatro clases principales:

■ **LOS EUROPEOS** tenían el verdadero poder y control. Eran enviados de España y de Portugal para gobernar las colonias.

■ **LOS CRIOLLOS** eran personas nacidas en América de padres europeos. Este grupo consistía en terratenientes acomodados, abogados y sacerdotes, pero los nacidos en Europa los miraban con menosprecio.

■ **LOS MESTIZOS Y LOS MULATOS** eran individuos de ascendencia mixta europea e india o negra. Tenían una posición apenas superior a la de los indios o negros.

■ **LOS INDIOS Y LOS NEGROS** trabajaban en los campos y en las minas y componían la mayor parte de la población. Carecían de poder político, posición social y oportunidades para su educación.

EL PAPEL DE LA IGLESIA CATOLICA

Durante los tiempos de la colonia, la alta jerarquía eclesiástica era parte de la clase alta y tenía voz en asuntos políticos. Los sacerdotes trataban de convertir a los indios al catolicismo y de protegerlos de la áspera esclavitud. Los monjes **jesuitas** contruían escuelas, enseñaban agricultura y protegían a los indios de la esclavitud. Sin embargo, en 1767, los jesuitas fueron expulsados de la América Latina.

LOS MOVIMIENTOS POR LA INDEPENDENCIA

Entre 1803 y 1825 muchas colonias españolas y portuguesas se rebelaron y alcanzaron su independencia. Las causas principales de estos movimientos eran:

■ **LOS ABUSOS DEL SISTEMA COLONIAL.** Los sistemas coloniales rigurosos, con sus múltiples restricciones, altos impuestos y otros abusos, llevaron a la inquietud.

■ **LAS IDEAS REVOLUCIONARIAS**. Tanto la Revolución Norteamericana, como la Revolución Francesa esparcieron sus ideas a la América Latina y le sirvieron de inspiración.

■ **LA DOCTRINA MONROE.** Proclamada en 1823, por el presidente Monroe de los Estados Unidos, esta doctrina advertía a las naciones europeas contra su intervención en el **Hemisferio Occidental** con el propósito de recuperar los territorios de las naciones recientemente independizadas. El monroísmo ayudó a prevenir el establecimiento de nuevas colonias y la reconquista de colonias antiguas.

LOS JEFES EN LA LUCHA POR LA INDEPENDENCIA

De los numerosos líderes en la lucha por la independencia se destacaron más los siguientes:

■ **TOUSSAINT L'OUVERTURE** se puso a la cabeza de una rebelión de esclavos (1803-1804) expulsando a los franceses del Haití. Se dio muerte a los blancos, dueños de esclavos.

■ **BERNARDO O'HIGGINS** luchó por la independencia de Chile en 1818.

■ **JOSE DE SAN MARTIN** era el libertador de la Argentina y contribuyó a la liberación de Chile entre 1816 y 1818.

■ **SIMON BOLIVAR**, entre 1819 y 1825 participó en la liberación de Venezuela, Colombia, Ecuador, Perú y Bolivia.

Estatua de Simón Bolívar en Caracas, Venezuela

LA EVOLUCION POLITICA DESDE LA INDEPENDENCIA

Una vez ganada la independencia, se establecieron relativamente pocas democracias verdaderas porque en las naciones latinoamericanas había una fuerte división entre los ricos y los pobres, y también les faltaba la experiencia de participación en los procesos políticos. Como resultado, en los siglos XIX y XX surgieron las dictaduras y gobiernos inestables.

LOS CAUDILLOS

A menudo el gobierno estaba en las manos de poderosos jefes militares y políticos, llamados caudillos. Un caudillo generalmente llegaba al poder por la fuerza. La gente común, en general apoyaba a estos individuos porque tenían una personalidad fuerte, interés por la ley y el orden, contaban con el apoyo militar y ofrecían promesas de reforma.

UNA EXCEPCION NOTABLE: COSTA RICA

En 1502 Colón echó el ancla cerca de la costa de la América Central para explorar lo que hoy día es Costa Rica. Los colonos españoles que se radicaron en la región encontraron poco oro y tribus indígenas hurañas que no se dejaron esclavizar. Por lo tanto los colonos tenían que cultivar la tierra ellos mismos, y Costa Rico se desarrolló como una sociedad individualista de clase media. Desde su independencia de España en 1821, sólo tres de los jefes del país habían sido caudillos. Una nueva constitución de 1949 abolió el ejército, eliminando la carga de gastos militares. Costa Rica proporciona cuidado médico gratuito, educación y pago de jubilación a todos sus ciudadanos. Un 90% de la población sabe leer y escribir. La reforma agraria gradualmente otorgó tierras a los campesinos. Costa Rica se volvió en refugio para los que escapan la violencia en otros países centroamericanos. Con su sistema democrático estable y un nivel de vida cómodo, Costa Rica sirve como modelo de desarrollo esclarecido latinoamericano.

LAS REVOLUCIONES LATINOAMERICANAS DEL SIGLO XX

En el siglo XX hubo numerosas revoluciones en la América Latina. Las sobresalientes eran las de:

■ **MEXICO.** En 1910 estalló una guerra civil contra el caudillo Porfirio Díaz (defensor de la ley y del orden). En los años 1930, se introdujeron muchas reformas que mejoraron la vida del pueblo.

■ **CUBA.** En 1959, Fidel Castro dirigió una revolución contra el dictador de Cuba. Al apoderarse del gobierno, Castro declaró a Cuba una nación comunista y pidió la ayuda de la Unión Soviética. Para una presentación más detallada, véase la sección de Cuestiones Principales en este capítulo.

■ **NICARAGUA.** En 1979, un grupo revolucionario marxista, llamado **sandinistas**, se apoderó del gobierno de Nicaragua. Desde entonces había una guerra civil, casi constante, entre los sandinistas y los **contras**, que por un tiempo contaban con el apoyo de los Estados Unidos. Para una presentación más detallada, véase la sección de Cuestiones Principales en este capítulo.

PRINCIPIOS FUNDAMENTALES PARA RECORDAR

GENERALIZACIONES FUNDAMENTALES

* La cultura europea y las tradiciones indígenas al fundirse produjeron las tradiciones, los ideales y la cultura latinoamericana.
* La independencia política no es siempre una garantía de reforma social.
* Los cambios en una parte del mundo pueden alterar la vida de las personas en otras regiones.

TERMINOS Y CONCEPTOS FUNDAMENTALES

Mayas, aztecas, incas, colonización, mercantilismo, difusión cultural, Nuevo Mundo, sistema de encomiendas, jesuitas, Doctrina Monroe, Hemisferio Occidental, caudillos.

SISTEMAS PRINCIPALES

EL SISTEMA POLITICO

En el pasado, un gobierno verdaderamente democrático, en el cual todos los ciudadanos pudieran tener influencia, estaba fuera de cuestión para la mayoría de las naciones latinoamericanas. Estas carecían de práctica en la democracia, gobiernos estables o constituciones. Por ejemplo, Bolivia tuvo 60 revoluciones y 11 constituciones desde su independencia en 1825. De este modo, la historia de las naciones latinoamericanas es a menudo la historia de gobiernos militares y frecuente inestabilidad política. Actualmente, tanto la democracia como el comunismo se abrieron el camino en la América Latina y existen varias formas de gobierno:

■ **LAS DEMOCRACIAS.** En las últimas décadas, los cambios económicos, una actitud diferente de los Estados Unidos, y la amenaza del comunismo pusieron a muchas naciones latinoamericanas en rumbo a un grado más alto de democracia. Como resultado, en muchos países se repuso la democracia después de largos períodos de dictadura militar.

■ **LOS GOBIERNOS MILITARES.** En otras naciones el gobierno está en el poder de las fuerzas militares; en esos países son frecuentes las **infracciones contra los derechos humanos** y la mala administración de la economía. Los gobiernos militares a menudo cuentan con el apoyo de la élite adinerada. Justifican sus acciones con su oposición al comunismo y su resistencia a los programas de reforma agraria.

■ **LOS ESTADOS COMUNISTAS**. En esos países, los grupos descontentos con el gobierno de la élite local se unieron con los insurgentes para derribarlo; después, los rebeldes establecieron gobiernos comunistas. Bajo un gobierno comunista, todas las decisiones econonómicas y políticas se hacen por el estado. Cuando un país se vuelve comunista, generalmente se elimina toda oposición política. Por ejemplo, en Cuba se permite un solo partido político y todo desacuerdo queda aplastado despiadadamente.

■ **LAS POSESIONES EXTRANJERAS**. Algunas islas del Caribe son aún posesiones de potencias extranjeros; por ejemplo: Guadalupe y Martinica (Francia). Las siguientes también se encuentran bajo dominación extranjera: las Malvinas (Falkland), Anguilla, las Islas Caimanes, Bermuda y las Islas Vírgenes Británicas (Reino Unido).

■ **LA COMUNIDAD DE NACIONES**. Después de la Guerra Hispano-Norteamericana del 1898, los Estados Unidos tomaron posesión de Puerto Rico. Actualmente, la isla es un Estado Libre Asociado a los Estados Unidos, un punto intermedio entre la posición de estado y la independencia. Aunque Puerto Rico no es un estado, goza de muchos beneficios otorgados a los estados. Su población tiene ciudadanía norteamericana, pero no vota en las elecciones presidenciales.

EL SISTEMA ECONOMICO

La mayoría de las naciones latinoamericanas tienen un sistema **capitalista** (las empresas están en manos privadas y operan con el motivo de lucro). En la América Latina la mayoría de las tierras y recursos están bajo el control de una pequeña minoría. Esta distribución surgió de las condiciones de los tiempos coloniales.

LA ECONOMIA BAJO EL COLONIALISMO
Los españoles y los portugueses tomaron las tierras más fértiles, creando grandes **haciendas**. Esto dio origen a dos sistemas de agricultura, que existían lado al lado. Los indios se ganaban la vida con dificultad, con la agricultura de subsistencia, mientras que los hacendados, al tener esclavos indígenas o africanos, cultivaban cosechas para la exportación.

LA DEPENDENCIA ECONOMICA
Después de la independencia de los países colonizadores, la tierra y las riquezas permanecieron en las manos de una élite reducida. Los países latinoamericanos siguieron con la producción especializada de **monocultivo** (como el azúcar o el café) o un solo mineral de exportación, y siguieron dependiendo en Europa para la mayoría de productos fabricados.

LA REFORMA AGRARIA
En muchos países hubo atentados de dividir las grandes haciendas y de redistribuir la tierra a los campesinos. La élite terrateniente a menudo resiste estos atentados. Además, sin los préstamos necesarios, la educación y un mejor sistema de transporte, los campesinos no pueden beneficiarse aun al poseer más tierras.

LA INVERSION DE CAPITAL
Históricamente, los latinoamericanos dependían de los extranjeros para capital de inversión. Este influjo de capital permitió la industrialización de la América Latina, pero con mucho sacrificio. Las ganancias

vuelven a los forasteros que hacen las inversiones, y a menudo se trata de grandes organizaciones multinacionales o bancos extranjeros.

LA NACIONALIZACION

Nacionalizar quiere decir poner bajo control del gobierno las propiedades privadas. Algunos gobiernos nacionalizaron sus industrias de propiedad extranjera para reducir la influencia del exterior y para retener las ganancias dentro del país:

■ **CUBA**. En 1959 Castro tomó el poder e hizo de Cuba un estado comunista. Las tierras privadas se convirtieron en fincas colectivas. Las empresas quedaron nacionalizadas y se volvieron en industrias dirigidas por el estado.

■ **CHILE**. En 1970, el presidente Allende introdujo medidas de reforma agraria y nacionalizó las minas de cobre, que en gran parte eran propiedad de los norteamericanos.

■ **VENEZUELA**. En l976, Venezuela nacionalizó sus recursos petroleros.

■ **NICARAGUA**. Los sandinistas introdujeron en Nicaragua un sistema económico de tipo socialista-comunista, nacionalizando muchas empresas. Muchas de estas volvieron a ser propiedad privada otra vez.

EL SISTEMA SOCIAL

LA LENGUA

El español, la lengua principal de la América Latina, fue una de las fuerzas unificadoras en la región. En el Brasil se habla portugués, ya que en un tiempo ese país era colonia portuguesa.

LA FAMILIA

La familia es el punto central de la vida y es generalmente una **familia extensa**, de tres generaciones. En una familia típica latinoamericana, la madre recibe mucho respeto y se encarga de la crianza de los hijos. El padre es el proveedor principal y hace todas las decisiones de importancia.

EL MACHISMO

Machismo es un término que se refiere a una interpretación de la masculinidad que glorifica las características de fuerza física, sicológica y moral. A veces significa dominación masculina.

LAS FUERZAS QUE LLEVAN A CAMBIOS

Tradicionalmente, los que apoyaban el orden social existente eran principalmente la poderosa élite de los hacendados, la Iglesia Católica y las fuerzas militares. Sin embargo, hay actualmente varias fuerzas que llevan a cambios sociales en la América Latina:

■ **La urbanización**: la gente se va mudando del campo a las ciudades en busca de trabajo, educación y mejores condiciones de vida.

■ **Los medios de comunicación:** hay influencia de la televisión, con programas de los Estados Unidos.

■ **La profesionalización y sindicatos de trabajadores:** hay una clase profesional en desarrollo y va aumentando la importancia de los sindicatos de trabajadores.

■ **Los programas gubernamentales de reforma social:** consisten en la reforma agraria y la difusión de la enseñanza.

■ **La Iglesia**: la Iglesia está asumiendo un papel más directo en el fomento de reformas sociales.

EL SISTEMA RELIGIOSO

Los exploradores españoles y portugueses trajeron la religión católica al continente americano. En el siglo XIX y a principios del XX, la Iglesia era una fuerza unificadora y defensora el orden existente; a los pobres se les enseñaba a ser sumisos y de esperar gratificación en la otra vida. Ahora, la vasta mayoría de los latinoamericanos practica la religión católica que tiene gran influencia en la vida de la familia. La alta natalidad se debe en parte a la posición de la Iglesia con respecto a la limitación de la natalidad. Utimamente, una gran parte del clero latinoamericano tomó un papel activo en la oposición a la injusticia social, las infracciones contra los derechos humanos y las terribles condiciones de vida de los pobres. Esta nueva posición vino a llamarse la "teología de liberación".

PRINCIPIOS FUNDAMENTALES PARA RECORDAR

GENERALIZACIONES FUNDAMENTALES

* Los gobiernos difieren en la forma en que su poder de gobernar—promulgar, hacer cumplir y juzgar leyes—fue obtenido y aplicado.
* El poder en las naciones recién independizadas a menudo está concentrado en las manos de una pequeña élite acomodada.
* La dependencia en la econommía basada en el monocultivo es a menudo una característica de las naciones en desarrollo.
* En la economía mundial moderna existe dependencia mutua entre los diferentes países y regiones.

TERMINOS Y CONCEPTOS FUNDAMENTALES

Democracia, constituciones, Comunidad de Naciones, capitalismo, colonialismo, haciendas, estados comunistas, nacionalizado, monocultivo, inversión de capital, mestizos, mulatos, machismo.

PERSONAJES PRINCIPALES

SALVADOR ALLENDE (1908-1973)
Allende fue elegido presidente de Chile en 1970. Nacionalizó los recursos naturales del país, y tomó control de los bancos. Se decía que era **marxista** porque sus ideas sobre la economía se parecían a las de Carlos Marx. Promovió los intereses de los campesinos, de los mineros y de los pobres, pero no de la clase alta y media. Fue derribado y muerto por los militares en 1973.

FIDEL CASTRO (1927-PRESENTE)
En 1959, Castro y un pequeño ejército revolucionario derribaron al dictador de Cuba. Castro nacionalizó todos los bancos, industrias e inversiones de propiedad extranjera, haciendo de Cuba la primera nación comunista en el Hemisferio Occidental. Bajo su jefatura, Cuba ha procurado exportar el comunismo a otras naciones latinoamericanas y a las africanas. Castro se encuentra ahora frente a una severa crisis ya que el comunismo fue abandonado en la Unión Soviética y esta ya no subvencionará la economía cubana.

MANUEL NORIEGA (1940-PRESENTE)
Noriega era un jefe militar que tomó el poder político de Panamá. No dejó que tuvieran lugar las elecciones democráticas en su país y se comprometió en el tráfico de drogas. En diciembre de 1989, las fuerzas armadas de los Estados Unidos invadieron a Panamá, derribaron su gobierno y trajeron a Noriega al territorio norteamericano para juzgarlo como narcotraficante.

DANIEL ORTEGA (1945-PRESENTE)
En 1985, Ortega, un marxista y jefe de los sandinistas, llegó a ser presidente de Nicaragua. En 1981, los Estados Unidos interrumpieron la ayuda a Nicaragua mientras siguieron apoyando a los contras. Para contrarrestar estas medidas, Ortega pidió asistencia militar de Cuba y de la Unión Soviética. En 1990, Ortega consintió a que tuviesen lugar elecciones democráticas. Su partido las perdió y Ortega entregó el mando a su oponente, Violeta Chamorra.

JUAN DOMINGO PERON (1895-1974)
En la Argentina, Perón llegó al poder en 1943. En 1955, quedó derribado por un golpe militar. Después de un exilio de 18 años, fue nuevamente elegido presidente en 1972 y murió desempeñando su cargo en 1974. Perón se estableció como un líder popular. Era sensitivo a las necesidades del país, pero gobernaba por medio del ejército, limitando las libertades del individuo.

PRINCIPIOS FUNDAMENTALES PARA RECORDAR

GENERALIZACIONES FUNDAMENTALES
* Los jefes militares tenían y siguen teniendo un papel importante en la vida política de la América Latina.

TERMINOS Y CONCEPTOS FUNDAMENTALES
Marxista, golpe militar (de estado).

❖❖ UN CASO EJEMPLAR: MEXICO ❖❖

EL AMBIENTE FISICO

Situación
México tiene la forma de un triángulo encorvado: al norte se encuentran los Estados Unidos; al oeste, el océano Pacífico y al este, el golfo de México.

La topografía y el clima
La mayor parte de México consta de una meseta elevada, bordeada por la Sierra Madre Oriental y Occidental. Aunque México se encuentra en la zona tropical, tiene un clima fresco y seco a causa de su elevación. Sólo un 20% de sus tierras se prestan al cultivo. La península de Yucatán es calurosa y húmeda, principalmente cubierta de selvas.

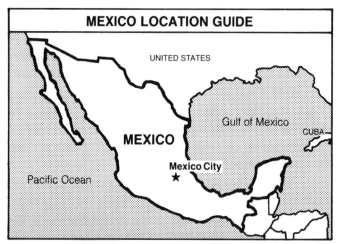

LOS SUCESOS HISTORICOS PRINCIPALES

Las civilizaciones indígenas precolombianas
Antes de la llegada de los primeros europeos, México tenía varias civilizaciones indígenas avanzadas, entre ellas los mayas, los toltecas y los aztecas. Los mayas construyeron templos y pirámides en el Yucatán. Los aztecas recogían tributos de los pueblos vecinos y practicaban el sacrificio humano en honor de sus dioses. Construyeron enormes pirámides, cuyas ruinas se pueden ver aún hoy en la ciudad de México.

La época colonial
El explorador español Hernán Cortés era el primer europeo que visitó la capital azteca en 1519. Quedó impresionado por el oro de los aztecas, y se alió con otros pueblos indígenas para derribar a Montezuma, el emperor azteca. Tenía también la ventaja de la pólvora y caballos desconocidos por los aztecas.

Después de conquistarlos, los españoles obligaron a los indios a trabajar en las minas de oro y de plata y en las grandes posesiones de los terratenientes españoles. También se introdujo el cristianismo. La dominación española duró trescientos años.

El México independiente en el siglo XIX
Los mexicanos comenzaron su lucha por la independencia en 1810, en pos de la conquista de España por Napoleón y el esparcimiento de los movimientos por la independencia a través del resto de la América Latina. El padre Miguel Hidalgo se puso a la cabeza de la rebelión de los indios y mestizos pobres. México finalmente logró independizarse en 1821.

La independencia no llevó a mayores cambios en la sociedad mexicana que siguió bajo el control de los latifundistas criollos. La Iglesia y el ejército permanecieron como instituciones poderosas y México siguió sufriendo de inestabilidad política y a menudo de gobiernos militares.

La otra influencia importante en México era la presencia de un vecino fuerte al norte, los Estados Unidos. Entre 1836 y 1848, los Estados Unidos adquirieron más de la mitad de los territorios mexicanos como resultado de la Guerra por la Independencia de Texas y la Guerra Mexicano-Norteamericana.

Desde 1877 al 1910, México se encontraba bajo el régimen del dictador Porfirio Díaz. Díaz alcanzó desarrollo económico al fomentar inversiones extranjeras. También alcanzó estabilidad política, pero sólo a través de su dictadura personal.

La Revolución Mexicana de 1910-1917

La Revolución Mexicana comenzó como una reacción a la dictadura de Díaz. De acuerdo a las ideas revolucionarias, el gobierno mexicano debiera existir para servir al pueblo mexicano. En 1913, Díaz fue reemplazado por el general Huerta. Los Estados Unidos se negaron a reconocer el gobierno de Huerta que se vio obligado al exilio. A esto le siguió una época de guerra civil, hasta que Carranza, un partidario moderado del constitucionalismo, restauró el orden en 1917. Carranza aprobó una nueva constitución que está en efecto aún en el presente. La Constitución de 1917 dio al gobierno mexicano más poder para fomentar las necesarias reformas sociales y económicas.

Carranza quedó derribado y asesinado en 1920. Una serie de presidentes moderados gobernó a México en los veinte años subsiguientes. Estos dividieron los grandes latifundios y confiscaron las tierras de la Iglesia. Transfirieron millones de acres de tierra a los campesinos. Alentaron la organización de gremios de trabajadores.

México desde 1945

México se alió con los Estados Unidos durante la Segunda Guerra Mundial. Desde 1945, la administración gubernamental mexicana siguió prácticas moderadas cuyo fin es el fomento de la industrialización, la reforma agraria y la promoción de inversiones extranjeras. En 1976, se descubrieron importantes yacimientos de petróleo en México. Basándose en su nueva riqueza petrolera, México tomó serios préstamos de los Estados Unidos para costear la industrialización. La baja en los precios del petróleo en los años 1980 imposibilitó el pago del interés sobre las enormes deudas internacionales de México, y llevó a una crisis económica de gran alcance.

EL SISTEMA POLITICO

En el siglo XIX México padecía de una crónica inestabilidad política. Desde el fin de la Revolución Mexicana, el país goza de un gobierno estable. La Constitución de 1917 creó la estructura de una democracia liberal. Estableció un presidente y una legislatura elegidos, un sistema judicial independiente, y garantiza los derechos del individuo tales como la libertad de expresión. De hecho, el poder permaneció en las manos de la jefatura del partido revolucionario. Desde la temporada de las dificultades económicas de los años 1980, se hizo más fuerte la oposición al partido regidor. En 1988, Carlos Salinas fue elegido presidente y actualmente está introduciendo cambios para democratizar el partido revolucionario.

EL SISTEMA ECONOMICO

México tiene una economía capitalista con un gran número de industrias de propiedad estatal. Cuando Salinas asumió su puesto en 1989, México se encontraba frente a enormes dificultades económicas—una enorme deuda con el extranjero, alta inflación, bajo nivel de vida y baja productividad agrícola. Salinas desea fomentar la propiedad individual de tierras comunes pertenecientes a las aldeas y la consolidación de fincas para hacer más eficaz el uso de la maquinaria. Esto puede ser difícil porque está en contra de las tradiciones de la Revolución Mexicana.

En 1990, Salinas comenzó a negociar un acuerdo de trato libre con los Estados Unidos. Los productos, dinero y trabajadores se moverían libremente entre los dos países. Un arreglo de este tipo tendría un efecto dramático en la economía mexicana. Sin embargo, algunos expertos norteamericanos temen que este trato libre con México podría llevar a un exceso de inmigración de parte de los trabajadores mexicanos.

EL SISTEMA SOCIAL

México tenía una población de cerca de 87 millones de habitantes en 1990. Se calcula que la población del país pasará los 100 millones en el año 2000. El rápido aumento de la población de México limita su capacidad de elevar el nivel de vida.

Igual que muchos otros países latinoamericano, una pequeña élite tiene el control de una gran parte de la riqueza de México. En 1977, un 20% de los más acomodados recibió un 58% de los ingresos del país. En contraste, el 40% de los más pobres recibió sólo un 10%.

EL SISTEMA RELIGIOSO

Nueve de cada diez mexicanos son católicos. La Revolución Mexicana trató de reducir la influencia de la Iglesia en la sociedad mexicana. La constitución específicamente prohibe que la Iglesia sea propietaria de tierras y se prohibe que los sacerdotes voten o participen en la política.

❖ ❖ UN CASO EJEMPLAR: EL BRASIL ❖ ❖

EL AMBIENTE FISICO

El Brasil es el quinto país del mundo en cuanto a su dimensión. Su frontera del norte corre cerca del ecuador y el clima es constantemente cálido todo el año. El Brasil tiene cerca de 150 millones de habitantes, o sea la mitad de toda la población de la América del Sur.

TOPOGRAFIA

El Brasil tiene ciertas características que lo hacen distintivo:

La selva húmeda amazónica. Al norte se encuentra la selva húmeda amazónica, la más grande del mundo, donde las abundantes lluvias, el clima cálido y el asoleo intenso estimulan el crecimiento de las plantas.

La región del sureste. El sureste del Brasil se compone de colinas, praderas y manchas de bosques. Es aquí que se encuentra la mayor densidad de la población. Las dos ciudades más grandes del Brasil, São Paulo y Río de Janeiro, están situadas en la costa sureste.

Ríos. El río Amazonas en el Brasil es uno de los más grandes del mundo. Otros ríos importantes son São Francisco y el Paraná.

Deforestación. En los años 1970 y 1980, el gobierno brasileño comenzó un programa de utilización de los recursos de la región amazónica. Se talaron los bosques y la madera fue vendida con lucro. Los especialistas en medio ambiente advierten de las posibles consecuencias adversas resultantes de la destrucción de las selvas húmedas que aún existen. Estas selvas son donde viven muchas especies de plantas y animales, mientras que los árboles proporcionan oxígeno para el planeta. Muchos brasileños mantienen que la tala de las selvas será una fuente de gran beneficio económico para el Brasil. Argumentan que otros países deforestaron sus tierras y que el Brasil solo no debiera tener que sacrificarse para beneficiar el medio ambiente del mundo entero.

LOS SUCESOS HISTORICOS PRINCIPALES

El Brasil de la época precolombiana

Cuando llegaron los europeos, en el Brasil vivía aproximadamente un millón de indígenas. La mayoría murió, sea luchando contra los portugueses o de las enfermedades traídas por ellos. Los otros se fueron casando con sus conquistadores. En el presente quedan sólo cerca de 100.000 indios de raza pura en el Brasil.

La época colonial

Mientras casi todo el resto de la América Latina fue colonizado por España, el Brasil era el único país de Sudamérica colonizado por Portugal. Por lo tanto, el idioma nacional del país es el portugués. El Brasil colonial estaba dividido en estados semifeudales, regidos por individuos privados. El gobierno colonial en el Brasil nunca era fuerte, y como resultado los latifundistas coloniales y los mercaderes se organizaron en sus propios consejos municipales.

La esclavitud

Los colonos establecieron plantaciones de caña de azúcar muy lucrativas. En ellas, se usaba a los indígenas como esclavos, pero sus números pronto se menguaron. Los dueños de las plantaciones comenzaron a importar esclavos de Africa. Durante 300 años, se trajo casi cuatro millones de personas de Africa al Brasil, casi un tercio de todas las víctimas de la trata transatlántica de esclavos. La población del Brasil aumentó con rapidez. Hacia el fin del siglo XIX, el país tenía más de tres millones de habitantes; casi la mitad eran esclavos. En ese tiempo, el Brasil producía más de la mitad del café del mundo. Desgraciadamente, los dueños de las plantaciones argumentaban que necesitaban el trabajo de los esclavos para producir café y azúcar. La esclavitud continuó en el Brasil hasta 1888.

La independencia

En 1822, el hijo del rey de Portugal, que vivía en el Brasil, declaró su independencia del padre. En 1898, la monarquía quedó derribada por los militares y los miembros de la élite brasileña, y se instauró la república. Se estableció entonces una norma de intervención militar en el gobierno brasileño cuando el gobierno civil aparecía malogrado.

El gobierno de Vargas

La gran crisis de 1930 amagó la exportación del café y creó desempleo de gran alcance, llevando a una crisis política. Getulio Vargas, se unió con los militares para derribar el gobierno constitucional y se estableció como jefe nacional. Una vez en el mando, Vargas usó métodos autoritarios para gobernar el Brasil. Atrajo tanto a la élite como a los trabajadores industriales al fomentar el nacionalismo y la modernización económica. En 1945, quedó apartado del poder por los militares, pero regresó cuando fue elegido presidente en 1951. Acusado de escándalo en 1954, se suicidó.

El gobierno militar

Para 1964, el Brasil otra vez se encontraba en crisis económica. Un político, João Goulart, trató de reformar la nación introduciendo la reforma agraria, dándoles el derecho de voto a los analfabetos y nacionalizando las refinerías de petróleo. Goulart atemorizó a la élite, y los jefes militares lo derribaron en 1964. Los militares mantuvieron el control del gobierno durante los veinte años subsiguientes. Al principio, las prácticas económicas del gobierno militar tenían un éxito inmenso, pero hacia el fin de la década, el Brasil estaba frente a problemas a causa de la alta razón de interés, deudas agobiantes con el extranjero y retroceso económico de alcance mundial.

La vuelta a la democracia

Hacia el fin de los años 1970, el gobierno militar comenzó a moverse cuidadosamente hacia la democracia. En 1985, José Sarney llegó a ser el primer presidente civil del Brasil en muchas décadas. No pudo resolver los difíciles problemas económicos del país. Tampoco llevó a cabo la prometida reforma agraria que hubiera distribuido propiedades a los campesinos sin tierra en el norte. Hacia el fin del plazo de su cargo en 1989, la inflación alcanzó más de 2.000% y Sarney era inmensamente impopular.

LOS SISTEMAS PRINCIPALES

El sistema político

En 1988 se completó una nueva constitución democrática, creando un congreso nacional elegido y una presidencia elegida con un plazo de cinco años. La consitución también contiene provisiones con respecto a las prácticas económicas, tales como la legalización de huelgas, nacionalización de minas y trato preferente de las compañías brasileñas sobre las extranjeras. El nuevo presidente del Brasil, Fernando Collor de Mello, comenzó con la práctica de la privatización, la venta de las industrias del estado. También entró en negociaciones con los países extranjeros para reducir las grandes deudas brasileñas con ellos. Para reducir la inflación, inmovilizó el dinero en las cuentas bancarias del Brasil. Su éxito como presidente dependerá principalmente en el éxito de sus prácticas económicas.

El Sistema Económico

Hace cincuenta años, el Brasil era un país agrícola, cuyas exportaciones principales eran el café y minerales mientras que importaba la mayoría de los productos manufacturados. En el presente, el Brasil sigue siendo el productor de café más grande del mundo y productor importante de azúcar y soja. Es también una nación industrial que fabrica muchos de sus artículos de consumo. Sin embargo, la economía del Brasil en el presente se encuentra frente a dos problemas serios: la deuda con el extranjero y la inflación. El Brasil tiene una deuda extranjera de $100 billones, la más grande del Tercer Mundo. Más de un tercio de las ganancias de exportación tienen que ir hacia el pago de sus deudas. El Brasil también tiene una inflación elevadísima — más de 2.000% hacia el fin de 1989.

El Sistema Social

El Brasil es un país de gran diversidad cultural. Su población representa una mezcla de sangre portuguesa, indígena y africana. Un censo reciente enumeró aproximadamente dos tercios de la población como blancos, un cuarto como mulatos y una décima parte como negros. Además, en los siglos XIX y XX, unos cuantos millones de italianos, alemanes, españoles y europeos orientales emigraron al Brasil, donde generalmente encontraron trabajo en las ciudades.

Los dos Brasiles: Algunos expertos dicen que hay dos Brasiles. Uno consiste de una élite acomodada de negociantes, profesionales, agricultores comerciales y trabajadores adiestrados. El segundo Brasil se compone de los agricultores de subsistencia analfabetos, campesinos sin tierra y obreros desempleados que viven en las afueras de los pueblos. Este segundo Brasil, pobre y sin educación, constituye más de dos tercios de la nación. Los pobres de los campos fluyen a las ciudades, pero a menudo no pueden encontrar trabajo allí. Se ven obligados a vivir en los barrios de chozas en las afueras de las ciudades, sin sanidad apropiada. Abandonados por el gobierno, viven en condiciones miserables. Se teme que las nuevas medidas del gobierno contra la inflación aumenten el desempleo y empeoren las condiciones de los pobres.

El Sistema Religioso

La vasta mayoría de los brasileños practica el catolicismo, introducido allí por los portugueses. Sin embargo, hay unos cuantos millones de protestantes y se encuentran rastros de religiones tribales africanas. El famoso carnaval del Brasil, se celebra con música y baile, y señala el principio de la cuaresma.

CUESTIONES PRINCIPALES

LAS RELACIONES ENTRE LOS ESTADOS UNIDOS Y LA AMERICA LATINA

LOS INTERESES NORTEAMERICANOS EN LA AMERICA LATINA

Algunas de las razones del interés de los Estados Unidos en la América Latina son las siguientes:

■ **La protección del Hemisferio**. Tanto la América Latina como los Estados Unidos están situados en el Hemisferio Occidental. Históricamente, los Estados Unidos trataron de impedir la presencia de potencias extranjeras en la América Latina porque estas podrían presentar una amenaza a los Estados Unidos.

■ **La protección del canal de Panamá**. El Canal de Panamá tiene importancia estratégica, porque permite acceso fácil y mayor movilidad entre los océanos Atlántico y Pacífico, uniendo las costas del este y del oeste de los Estados Unidos. El acceso al canal constituye por lo tanto un interés vital para los norteamericanos.

■ Los intereses económicos. La América Latina es un importante proveedor de minerales y productos agrícolas, y representa un mercado valioso para las mercancías e inversiones norteamericanas.

LOS SUCESOS HISTORICOS SIGNIFICANTES

Algunos de los sucesos históricos significantes entre los Estados Unidos y la América Latina fueron:

■ **La Doctrina Monroe,** anunciada por los E.E.U.U. en 1823, declaraba que este país ya no permitiría que se establecieran nuevas colonias en la América Latina. Cualquier atentado de hacerlo se consideraría peligroso para la paz y seguridad de los Estados Unidos.

■ **La Guerra Mexicano-Norteamericana** (1846-1848) comenzó en una disputa fronteriza en Texas. Victoriosos, los Estados Unidos tomaron las tierras del noroeste de México. Este territorio se convirtió luego en los estados de California, Arizona, Utah, Nuevo México y Nevada.

■ **La Guerra Hispano-Norteamericana** (1898) comenzó con el deseo de los Estados Unidos de liberar a Cuba del poder de España. Como resultado de esta guerra, los norteamericanos adquirieron a Puerto Rico y convirtieron a Cuba en un protectorado de los Estados Unidos, reteniendo voto de control en los asuntos cubanos.

■ La Doctrina Monroe fue ampliada al agregarse el **Corolario de Roosevelt**, o la "**política del garrote**" (1904). Bajo sus provisiones, se prevenía la intervención en la América Latina de los estados europeos con los cuales estuvieran adeudados los latinoamericanos. En vez de eso, los Estados Unidos recogerían esas deudas para los acreedores. Bajo esa política, los Estados Unidos enviaban sus tropas a las Antillas y a la América Central con tanta frecuencia que algunos llamaron el Caribe un "lago norteamericano". A causa de estas acciones, los Estados Unidos se encontraban apoyando regímenes opresivos y poco populares.

■ El presidente Teodoro Roosevelt hizo un trato con los revolucionarios de Colombia que establecieron un nuevo país, el Panamá. El Panamá permitió entonces la construcción del Canal en su territorio. A los Estados Unidos se les dio control completo de una banda de

La construcción de una esclusa en el Canal de Panamá (1913)

tierra de 10 millas de ancho, que corre por el medio del país, y que se llamó **la Zona del Canal de Panamá**. En 1977, el descontento entre los panameños llevó a la negociación de un nuevo acuerdo con los Estados Unidos bajo la dirección del presidente Carter. El nuevo tratado comenzó con el traslado gradual del control del canal a Panamá. La Zona del Canal se puso bajo el poder panameño.

■ Bajo la presidencia de Franklin Roosevelt, las relaciones con la América Latina empezaron a mejorarse. Con **la Política de Buen Vecino** (1933-1945), los Estados Unidos accedieron a no intervenir en los problemas internos de la América Latina.

■ En 1948 se creó la **Organización de Estados Americanos** (O.E.A.). Su propósito era de proveer los medios para resolver disputas y problemas en el hemisferio de forma pacífica, a través de sesiones periódicas. La O.E.A. sigue siendo un medio legal de resolver disputas internacionales en la América Latina. En el pasado, las relaciones entre los Estados Unidos y la América Latina a menudo eran tirantes. Tradicionalmente, los Estados Unidos consideraban a La América Latina como un vecino débil. Esto llevó a su vez a la desconfianza y hostilidad de parte de la América Latina hacia los Estados Unidos. Sin embargo, desde la Segunda Guerra Mundial, había un deseo creciente de parte de los Estados Unidos de mejorar sus relaciones con sus vecinos latinoamericanos.

LOS GOBIERNOS COMUNISTAS EN LA AMERICA LATINA

CASTRO Y LA CUBA COMUNISTA

Castro y sus guerrilleros derribaron la dictadura de Batista en Cuba en 1959. Castro prometía democracia pero rindió una dictadura comunista. Esto resultó en la ruptura de las relaciones oficiales de los Estados Unidos con Cuba en 1961. Desde entonces, Cuba fue un gran problema de política externa para los Estados Unidos.

■ **La Bahía de los Puercos**. En 1961, los exilados cubanos, armados y entrenados por la "C.I.A." (Agencia Central de Información) trataron de invadir a Cuba desde la Bahía de los Puercos. El presidente Kennedy se negó a proporcionar apoyo de fuerzas aéreas a los rebeldes, y los invasores fueron derrotados.

■ **La Alianza para el Progreso**. Para responder al desafío cubano, el presidente Kennedy formó la Alianza para el Progreso (1961), un programa que ofrece subvenciones y préstamos para fomentar reformas sociales, progreso económico y aumento de comercio. A menudo la obra de la Alianza fracasa a causa de la resistencia de la élite local adinerada y de terratenientes.

■ **La crisis cubana de proyectiles**. En 1961 los Estados Unidos descubrieron que Cuba secretamente estaba tratando de construir bases para proyectiles dirigidos soviéticos, que contenían cabezas nucleares. Los Estados Unidos impusieron un bloqueo de Cuba y amenazaron invadir la isla si no se retiraban los proyectiles. La Unión Soviética accedió a remover los proyectiles a cambio de la promesa norteamericana de no invadir a Cuba.

■ **La amenaza de la expansión comunista**. Castro trató de introducir el comunismo a otras naciones latinoamericanas, y los Estados Unidos hicieron que se expulsara a Cuba de la O.E.A.. Los cubanos ayudaron a los sandinistas a llegar al poder en Nicaragua y apoyaron a los rebeldes en El Salvador. En 1975, Cuba envió tropas a Angola, un estado comunista en Africa; actualmente, dichas tropas han sido retiradas.

■ **Castro y la decadencia del comunismo**. El movimiento hacia una economía de mercado libre y las elecciones democráticas en la Unión Soviética y la Europa Oriental presentan un fuerte desafío para Castro. La Unión Soviética había ayudado a mantener la economía cubana, pero en 1990, abandonó esta práctica. Después de 30 años de comunismo, la economía cubana está al borde del fracaso. Se racionan los comestibles y los productos de consumo fundamentales. Castro mantiene que conservará el marxismo a toda costa.

LA REPUBLICA DOMINICANA (1965) y GRANADA (1983)

Los Estados Unidos intervinieron también en otros países latinoamericanos como la República Dominicana (1965) y Granada (1983) para prevenir el establecimiento del comunismo allí. De igual manera, los Estados Unidos apoyaban el gobierno de El Salvador para impedir la victoria de los rebeldes comunistas en ese país.

Distribución de comestibles por los soldados norteamericanos en Santo Domingo (1965)

LOS CONTRAS Y LOS SANDINISTAS EN NICARAGUA

Por 46 años Nicaragua se encontraba bajo la dictadura militar de la familia de los Somoza. Los Somoza se enriquecieron por medio de sobornos y reprimían brutalmente la oposición política.

■ En 1979, algunos comunistas y nacionalistas se agruparon en el partido sandinista y encabezados por **Daniel Ortega** tomaron el poder completo del país. Se clausuraron los partidos de oposición y la prensa libre.

■ **Los contras**, un grupo de fuerzas anticomunistas, se puso a guerrillear contra el nuevo gobierno comunista. El presidente Reagan suspendió la ayuda a Nicaragua y comenzó la política de apoyo a los contras antisandinistas. Cuando el Congreso votó por la eliminación de la ayuda a los contras, varios oficiales del gobierno de Reagan recogieron fondos privados y enviaron ese dinero a los contras. Esto resultó en el "escándalo de Irán-contras".

■ Los apremios de parte de los Estados Unidos y de la Unión Soviética obligaron a los sandinistas a declarar elecciones en 1990, que perdieron a favor de Violeta Chamorra. Los contras depusieron sus armas y los sandinistas pacíficamente entregaron el control del gobierno a Violeta Chamorra.

LA GUERRA CONTRA LOS NARCOTICOS

Muchos países sirven como productores y distribuidores de cocaína y marijuana que se traen ilícitamente a los Estados Unidos. Los gobiernos latinoamericanos ponen la culpa en la gran demanda creada por la población de los Estados Unidos.

EL PROBLEMA

Los Estados Unidos urgieron a los gobiernos latinoamericanos a tomar medidas más eficaces contra el cultivo de las plantas que rinden las drogas. El presidente Bush declaró una "guerra nacional contra drogas". Sin embargo, estos países obtienen fondos que necesitan a través de la venta de drogas y sus gobiernos no podían tomar acción más eficaz. En algunos casos, los ricos proveedores controlan provincias enteras de su nación.

■ En **Colombia** la venta de cocaína trae ganancias casi iguales a las derivadas de la exportación principal, el café. El gobierno nacional está haciendo guerra contra los narcotraficantes principales. Estos son extremadamente ricos y poderosos. Su lucha contra el gobierno quedó marcada con asesinatos políticos, explosiones y derrame de sangre. El presidente Bush ha proporcionado asistencia militar para ayudar a Colombia en su lucha contra las drogas.

■ En **Panamá**, el personaje político principal, el **general Manuel Noriega**, fue acusado por los Estados Unidos de traficar en drogas en gran escala. Noriega usó fuerza armada para prevenir que los jefes elegidos de forma democrática asumieran su cargo. En diciembre de 1989, las fuerzas militares norteamericanas invadieron a Panamá, derribaron el gobierno y trajeron a Noriega a los Estados Unidos para que fuera juzgado por sus actividades en el tráfico de drogas. Mientras que la mayoría de los países latinoamericanos censuraron a Noriega, miraron con alarma la invasión como una vuelta a los días de la intervención norteamericana.

LAS SOLUCIONES ATENTADAS

El congreso norteamericano pidió que se aplicaran medidas más severas contra los gobiernos que no cooperasen en la lucha contra las drogas. Una de esas medidas sería la eliminación de toda ayuda al extranjero. También, los Estados Unidos proporcionan fondos y armas a los países latinoamericanos que combaten a los jefes narcotraficantes. Hay quienes proponen que las fuerzas militares norteamericanas debieran utilizarse para cerrar las fronteras del país. La mayoría de los expertos está de acuerdo de que la clave al control de las drogas está en la reducción de la demanda en los Estados Unidos.

LOS PROBLEMAS DE DESARROLLO ECONOMICO

Las naciones latinoamericanas se encuentran frente a muchos problemas en el desarrollo de su economía:

LA FALTA DE INDUSTRIAS

El desarrollo de la industria fue dificultado por a) falta de capital de inversión; b) falta de pericia local; c) falta de hulla; d) una fuerza trabajadora sin instrucción; y e) competición extranjera.

LA INFLACION

A principios de los años 1980, muchos gobiernos latinoamericanos simplemente imprimían más dinero para cubrir sus gastos. Como resultado, se elevó la inflación y la gente se encontró con el hecho de que sus ahorros y sus sueldos valían menos cada día.

EL PAGO DE DEUDAS

Un problema importante para muchas naciones latinoamericanas es el pago de sus deudas a naciones extranjeras. Ya que la élite acomodada envía su dinero al extranjero para resguardarlo, las naciones latinoamericanas generalmente también tienen que obtener préstamos del exterior. Los países latinoamericanos tienen gran dificultad en hacer los pagos sobre esos préstamos, creando preocupación entre los jefes de gobiernos extranjeros y los bancos norteamericanos. Esto creó un dilema; si un país latinoamericano se niega a pagar sus deudas, no podrá obtener préstamos en el futuro. Si paga las deudas, tendrá que reducir el nivel de vida de su pueblo, llevando al descontento y posible inestabilidad política.

UNA POBLACION CRECIENTE

El aumento de la población en la América Latina es tan grande que el número de habitantes se dobla cada 25 a 30 años. Este crecimiento agota todo el progreso en la productividad de un país. El aumento de la población obliga a muchas naciones latinoamericanas a gastar en importación de alimentos los fondos necesarios para el adelantamiento. El otro efecto es que la gente de las regiones rurales se muda a las ciudades en busca de empleo y una vida mejor. Los que llegan del campo carecen de las destrezas necesarias para muchos empleos. Por consiguiente, se ven obligados a vivir en los barrios bajos que rodean muchas ciudades latinoamericanas.

LAS INFRACCIONES CONTRA LOS DERECHOS HUMANOS

A causa de la debilidad de muchos gobiernos civiles y su incapacidad de tratar con los numerosos problemas ante los cuales se encuentran sus naciones, las fuerzas militares a menudo se apoderan del control del gobierno. Los gobiernos militares en la América Latina frecuentemente cometen infracciones contra los derechos y las libertades civiles de su pueblo. Toda oposición queda brutalmente aplastada y los adversarios muertos o encarcelados por los jefes militares. Los ejemplos de tal quebrantamiento de los derechos humanos se podían observar en:

■ **Cuba,** donde Castro encarcelaba y mataba a los adversarios del comunismo.

■ **Argentina**, donde miles de personas desaparecieron durante el régimen militar que terminó en 1984. Estas personas nunca se encontraron y hay evidencia de que sus hijos a menudo fueron entregados a otras familias.

■ **El Salvador**, donde las "escuadras de muerte" abalearon a los políticos y a otras personas que se oponían a sus prácticas.

■ **Chile**, donde el gobierno militar torturó y mató a muchos chilenos cuando el general Pinochet tomó el poder y declaró un estado de guerra.

LAS CUESTIONES DEL MEDIO AMBIENTE: DESTRUCCION DE LA SELVA TROPICAL

Los bosques del mundo proporcionan gran parte del oxígeno necesario en la tierra. Sin embargo, en la América Central y en la América del Sur, muchos países están **deforestando** las tierras para aumentar la candidad de terrenos de cultivo. Esperan que al talar sus bosques, puedan vender la madera y cultivar más comestibles para elevar el nivel de vida de su pueblo. Con este propósito, Brasil está construyendo una gran carretera a través de la selva amazónica. Otros países, como los Estados Unidos, criticaron esta destrucción del ambiente, aunque se aplicaron métodos parecidos en Alaska. Finalmente, ya que el suelo de las selvas es pobre, las áreas despejadas no llegan a producir muchas cosechas sucesivas. También las fuertes lluvias de la región aceleran la erosión del terreno que al final deja de prestarse a la agricultura.

LA INMIGRACION ILEGAL A LOS ESTADOS UNIDOS

Un problema causado por las dificultades económicas en la América Latina es el constante flujo de inmigrantes ilegales a los Estados Unidos. Los refugiados de la América Central y de México cruzan de noche la frontera de los Estados Unidos en busca de trabajo y dinero que enviar a sus familias. Si quedan detenidos en la frontera, los inmigrantes ilegales son enviados a su país de origen; a menudo atentan la entrada a los Estados Unidos otra vez. Al encontrarse en los territorios norteamericanos, con frecuencia son explotados por los patronos que les pagan muy poco a causa de su posición ilegal. Los atentados de corregir el problema por medio de una nueva ley de innmigración en los Estados Unidos no tuvieron éxito.

PRINCIPIOS FUNDAMENTALES PARA RECORDAR

GENERALIZACIONES FUNDAMENTALES

✻ Las dificultades económicas, políticas y sociales a menudo están fuertemente vinculadas.
✻ La América Latina es una región unida por factores geográficos, culturales, políticos y económicos.
✻ Las naciones latinoamericanas se encuentran influidas en alto grado por los E.E.U.U.

TERMINOS Y CONCEPTOS FUNDAMENTALES
Guerra Hispano-Norteamericana, canal de Panamá, política del garrote, Política de Buen Vecino, Organización de Estados Americanos (O.E.A.), Bahía de los Puercos, crisis cubana de proyectiles, Alianza para el Progreso, sandinistas, contras, pago de deudas, derechos humanos, deforestación.

RESUMEN DE TU COMPRENSION

Direcciones: Comprueba lo bien que comprendiste lo leído sobre la América Latina al responder a las siguientes preguntas.

TERMINOS Y CONCEPTOS FUNDAMENTALES

Completa las palabras y expresiones según las definiciones dadas.

C _ _ _ _ _ _ _ _ _ _ _ _ _ Soldados primeros españoles y portugueses que tomaron posesión de las tierras del Nuevo Mundo en nombre de sus soberanos.

M _ _ _ _ _ Presidente norteamericano que dijo que América era para los americanos.

D _ _ _ _ _ _ _ _ h _ _ _ _ _ _ Se quebrantaron a menudo por gobiernos de dictadores.

M _ _ _ _ _ , i _ _ _ _ y a _ _ _ _ _ _ Tenían imperios en el continente americano.

M _ _ _ _ _ _ _ _ _ _ _ Teoría económica que medía la riqueza de una nación según la cantidad de metales preciosos.

N _ _ _ _ _ _ _ _ _ _ _ Incitó a las colonias a luchar por su independencia.

C _ _ _ _ _ _ _ y s _ _ _ _ _ _ _ _ _ _ Batallaron en Nicaragua.

D _ _ _ _ _ Muchos países latinos las tienen con los extranjeros.

P _ _ _ _ _ _ _ _ _ _ Hubo una crisis causa de su instalación en Cuba.

LOS FACTORES GEOGRAFICOS

El desarrollo de una región a menudo queda influido por factores geográficos. Resume tu comprensión de esta idea completando el cuadro que sigue.

FACTORES CLIMATICO-GEOGRAFICOS	EFECTOS SOBRE LA AMERICA LATINA
MONTAÑAS	
PAMPAS Y LLANOS	
PROXIMIDAD AL ECUADOR	
SELVAS HUMEDAS	
RECURSOS NATURALES	

INDIVIDUOS IMPORTANTES

Un individuo a menudo tiene influencia en la vida política, social y/o económica de su país. Imagínate que estás a cargo de preparar un certificado de mérito para los individuos de la lista dada. Indica el nombre de cada uno y los alcances por los cuales va a ser reconocido.

Individuo

Hernando Cortés
Simón Bolívar
Fidel Castro
Daniel Ortega

Se Otorga Este Certificado

a _____

por haber _____

_____

PROBLEMAS Y CUESTIONES

La América Latina se encuentra frente a muchos problemas que tienen alcance mundial. Resume tu comprensión de estos problemas al completar el cuadro dado:

PROBLEMA	DESCRIPCION DEL PROBLEMA	POSIBLES SOLUCIONES
ECONOMIAS EN DESAROLLO		
RELACIONES DE LOS E.E.U.U. CON CUBA		
PAGO DE DEUDAS CON EL EXTRANJERO		
LA GUERRA CIVIL DE NICARAGUA		

COMPRUEBA TU COMPRENSION

Direcciones: comprueba tu comprensión de esta unidad respondiendo a las siguientes preguntas. Haz un círculo alrededor del número que precede la palabra o expresión que representa la respuesta correcta a la pregunta o declaración. Después de contestar las preguntas de respuestas breves dirígete a los ensayos.

DESARROLLO DE DESTREZAS:
INTERPRETACION DE UN MAPA

Basa tus respuestas a las preguntas 1 al 4 en el mapa dado y en tus conocimientos de estudios sociales.

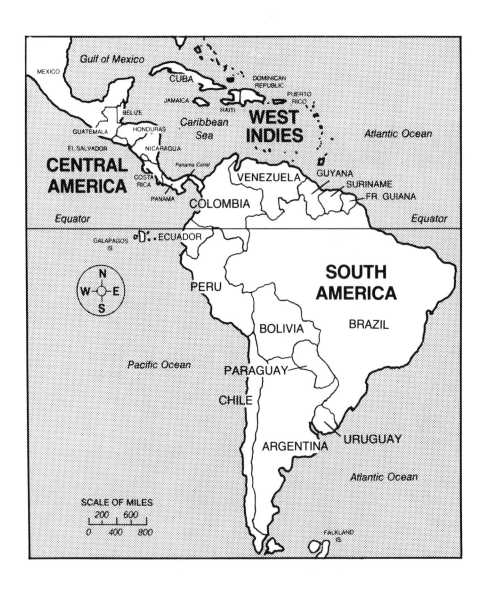

1 La región en la que se encuentran Colombia, el Brasil y Chile es
    1 la América Central   3 la América del Sur
    2 la América del Norte   4 el Caribe

2 Al viajar del Uruguay a Bolivia se toma la dirección general hacia el
    1 noreste   3 sureste
    2 sudoeste   4 noroeste

3 ¿Cuál país está situado al norte del ecuador?
    l México   3 la Argentina
    2 Chile   4 el Paraguay

4 Un barco viajando rumbo al norte a través del Canal de Panamá pasa del
    1 océano Pacífico al océano Atlántico
    2 mar Caribe al océano Pacífico
    3 océano Pacífico al mar Caribe
    4 mar Caribe al océano Atlántico

DESARROLLO DE DESTREZAS: FINALIZACION DE UN ESQUEMA

Se omitieron cuatro elementos en el esquema que sigue. Para cada espacio en blanco, escoge el elemento que complete la serie de forma apropiada.

Elementos

1. Clima
2. Características físicas
3. Recursos
4. América Central

AMBIENTE FISICO DE LA AMERICA LATINA

5   I Regiones

        A América del Sur
        B ....
        C Antillas

6   II ....
        A Montañas
        B Selvas tropicales húmedas
        C Ríos

7   III ....
        A Frutos de agricultura
        B Minerales
        C Pesca

8 Malí, inca y maya son todos nombres de
    1 antiguas colonias de España   3 ríos sudamericanos
    2 civilizaciones antiguas   4 productos comestibles de la América Latina

9 Simón Bolívar, Juan Perón y Roberto Mugabe se conocen como
    1 jefes religiosos   3 exploradores españoles
    2 hombres de ciencia   4 políticos

10 Balboa, Magallanes y de Gama hicieron contribuciones importantes en
    1 la religión   3 la exploración
    2 la ciencia   4 la política

11 Una característica importante del mercantilismo es que
    1 se espera que las colonias importen bienes más caros que los que exportan a la madre patria
    2 la gente se mude del campo a las ciudades en busca de empleo
    3 el pueblo apoye a los jefes políticos por su preocupación por el orden y la justicia
    4 ofrece préstamos para fomentar progreso económico, reforma social y aumento del comercio

12 El hecho de que los tacos son un bocadito popular en los Estados Unidos es un ejemplo de
    1 nacionalismo   3 imperialismo económico
    2 difusión cultural   4 machismo

13 ¿Cuál libro es el más útil para encontrar la definición de "machismo"?
    1 la enciclopedia   3 el almanaque
    2 el atlas   4 el diccionario

14 ¿Cuál es el conjunto de condiciones más típicas de una nación en desarrollo?
    1 Altos ingresos por cabeza y alta natalidad
    2 Gran uso de energía y pocos hospitales
    3 Bajos ingresos por cabeza y alta mortalidad infantil
    4 Baja natalidad y grandes números de personas que saben leer y escribir

15 ¿Cuál declaración es la más acertada acerca de las Antillas (Indias Occidentales)?
    1 Es un país situado a una distancia de 100 millas de la India.
    2 Es un conjunto de islas en el Caribe.
    3 Es el segundo río de la América Central en cuanto a su largo.
    4 Es la cadena montañosa más grande en el oeste de la América del Sur.

16 ¿Cuál es la política que proclamaba que los Estados Unidos ya no permitirían que un poder europeo estableciera colonias en el Nuevo Mundo?
    1 La "política del garrote"   3 La Alianza para el Progreso
    2 La Doctrina Monroe   4 La "Política de Buen Vecino"

17 ¿Cuál suceso era el último en ocurrir?
    1 El fin de la Guerra Hispano-Norteamericana
    2 Los sandinistas tomaron el poder en Nicaragua
    3 El principio de la guerra con los bóers
    4 La proclamación de la Doctrina Monroe

18 ¿Cuál declaración acerca de los sistemas económicos de la América Latina es una expresión de opinión más bien que de hecho?

    1 La mayoría de las naciones latinoamericanas tienen una economía de mercado libre.

    2 Las haciendas eran grandes posesiones de tierra o plantaciones.

    3 Si quiere desarrollarse, la América Latina tiene que obtener capital de inversión de los Estados Unidos.

    4 Las naciones latinoamericanas deben más de 400 billones de dólares a bancos extranjeros.

19 Castro y Allende se parecen porque ambos creían en

    1 la reducción de las fuerzas militares

    2 la nacionalización de empresas extranjeras

    3 la protección del sistema de libre empresa

    4 el aumento de las libertades del individuo

20 La Organización de Unidad Africana y la Organización de Estados Americanos se parecen porque ambas fueron establecidas para que las naciones de cada región pudieran

    1 discutir sus problemas mutuos.

    2 resolver sus problemas de deudas con el extranjero.

    3 combatir el problema de las drogas.

    4 oponerse a las inversiones extranjeras.

21 ¿Cómo se explica que un número limitado de conquistadores españoles pudo conquistar las civilizaciones indígenas de la América del Sur?

    1 Los españoles tenían caballos y cañones desconocidos a los indios.

    2 Los indios no tenían una constitución escrita.

    3 Las creencias religiosas de los indios les prohibían pelear.

    4 Los españoles seguían la política del mercantilismo.

22 ¿Cuál titular de periódico refleja mejor los sucesos en la América Central en los años 1980?

    1 "Hambre y Carestía Atormentan América Central"

    2 "Poderes Europeos Establecen Nuevas Colonias"

    3 "Los Combates Siguen Sin Cesar"

    4 "El Progreso Económico es Impresionante"

23 Se dice que en los años recientes los quebrantamientos de los derechos del hombre tuvieron lugar en

    1 Cuba y Costa Rica   3 Puerto Rico y Colombia

    2 Argentina y Chile   4 Jamaica y las Islas Vírgenes

24 Un sociólogo, al hacer investigaciones en la América del Sur, estaría más interesado en sus

    1 batallas militares   3 métodos de agricultura

    2 organizaciones políticas   4 sistema de enseñanza

25 Uno de los más importantes obstáculos al progreso económico de los países en desarrollo es la falta de

    1 materias primas   3 tierra

    2 obreros sin habilidad   4 capital doméstico o extranjero

ENSAYOS

1 Las cuestiones o problemas de una parte del mundo a menudo tienen influencia en otras regiones.

PROBLEMAS

Castro desafía a los E.E.U.U. al establecer el comunismo en Cuba
La producción de drogas
Infracciones a los derechos humanos en la América Latina
Falta de pago de deudas de los países latinoamericanos
Destrucción de la selva tropical en la América Latina

Parte A

Escoge *uno* de los problemas de la lista dada:

a. Describe el problema

b. Enumera *dos* formas en las que este problema se refleja en otras partes del mundo.

1. _____   2. _____

Parte B
Basa parte de tu respuesta a B en la respuesta en A.

En una hoja aparte, escribe un ensayo mostrando cómo un problema de una parte del mundo puede tener un impacto en otras regiones.

2 El desarrollo de una región a menudo está influido por sus características geográficas y climáticas.

Características geográficas y climáticas

Ríos
Desiertos
Montañas
Praderas
Recursos naturales
Puertos naturales

Escoge *tres* factores de geografía o de clima.

En el caso de *cada uno* de los factores, explica la influencia positiva o negativa sobre la América Latina o Africa.

NOTA: usa un cuadro de respuestas como lo hiciste previamente.

CAPITULO 6

EL ORIENTE MEDIO

EL AMBIENTE FISICO

DIMENSIONES Y SITUACION

El Oriente Medio es la **encrucijada de tres continentes**, que une a Africa, Asia y Europa. Su dimensión es dos veces más grande que los Estados Unidos continentales. Contiene dos estratégicas extensiones de agua: el **Canal de Suez** que une a Europa con el sur de Asia por vía marítima, y los **estrechos de Dardanelos** y de **Bósforo** que conectan el mar Negro con el mar Mediterráneo.

CARACTERISTICAS FISICAS

El Oriente Medio se puede dividir en cinco regiones topográficas:

EL DESIERTO DEL SAHARA
El Desierto del Sahara (o Sáhara), el más grande del mundo, se extiende a través de la mayor parte del norte de Africa. Se compone de mesetas áridas y rocosas y de médanos arenosos.

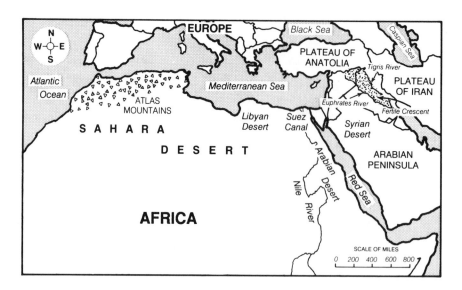

LA PENÍNSULA ARABE

La península Arabe penetra el océano Indico y está rodeada por el mar Rojo, el mar Arábico y el golfo Pérsico. Igual que el norte de Africa, una gran parte de la península Arabe es un desierto.

LA MEDIALUNA DE TIERRAS FERTILES

Esta región se extiende desde Israel y el Líbano en la costa del Mediterráneo, a través de Jordania, Siria e Iraq hasta el golfo Pérsico. Tal como el valle del Nilo, contiene suelo muy fértil.

LA CUENCA DEL RIO NILO

El Nilo es el río más largo del mundo. Recorre el Sudán y Egipto y desemboca en el mar Mediterráneo. El Nilo lleva sedimentos de tierra rica y fértil a sus orillas y al delta, haciendo estas tierras extremadamente productivas para la agricultura.

Campesinos plantando vegetales en el suelo rico a lo large del Río Nilo

LA BANDA DEL NORTE

Esta región consiste de las mesetas de Anatolia y de Irán, al extremo norte del Oriente Medio. Turquía ocupa la entera meseta de Anatolia, e Irán y Afganistán se encuentran al este.

EL CLIMA

La mayor parte del Oriente Medio está cerca del ecuador. Este factor geográfico explica porqué la región tiene inviernos cálidos y veranos áridos y calurosos. La falta de lluvia hace difícil la agricultura.

LOS RECURSOS NATURALES

El Medio Oriente carece de muchos recursos naturales, especialmente de agua. Al mismo tiempo, se cree que esta región contiene casi tres cuartos de los yacimientos de petróleo del mundo entero. Cada año el Oriente Medio produce aproximadamente la mitad del petróleo del mundo.

¿COMO LA GEOGRAFIA DEL ORIENTE MEDIO INFLUYO EN SU HISTORIA Y EN SU CULTURA?

✓ El clima apacible y el suelo fértil de los valles de los ríos Tigris, Eufrates y Nilo convirtieron estas regiones en antiguos centros de civilización.

✓ Una gran parte del Oriente Medio consiste en desiertos, resultando en muchas regiones de población escasa. La falta de agua limita el número de áreas que pueden cultivarse.

✓ Desde el siglo XIX, el Oriente Medio era de importancia mundial a causa de su situación estratégica y del Canal de Suez.

✓ En el presente, el Medio Oriente es de importancia mundial especialmente por sus extensos recursos de petróleo.

PRINCIPIOS FUNDAMENTALES PARA RECORDAR

GENERALIZACIONES FUNDAMENTALES
✻ La geografía influye en la historia y en la cultura de una región.

TERMINOS Y CONCEPTOS FUNDAMENTALES
Oriente Medio, medialuna fértil, canal de Suez, "encrucijada de tres continentes".

SUCESOS HISTORICOS PRINCIPALES

LAS CIVILIZACIONES ANTIGUAS

LA EPOCA NEOLITICA (8000 a. de C.-4000 a. de C.)

La capacidad de producir comestibles por medio de la agricultura y la domesticación de animales surgió primero en el Oriente Medio, haciendo posible la construcción de las primeras ciudades en los valles de Egipto y de Mesopotamia. En estas ciudades antiguas se desarrolló el comercio y se formaron complejos sistemas políticos.

EGIPTO (3100 a. de C.-1100 a. de C.)

La civilización egipcia se desarrolló a lo largo del río Nilo. Era notable por su creencia en la vida después de la muerte y por el poder supremo de sus soberanos, los **faraones**. Se construyeron enormes **pirámides** como tumbas en las cuales se creía que los faraones gozarían de una vida eterna después de morir.

MESOPOTAMIA (4000 a. de C.-1700 a. de C.)

Mesopotamia es la región entre los ríos Tigris y Eufrates. Las civilizaciones mesopotámicas de Sumeria, Asiria y Babilonia se desarrollaron en estos valles fluviales.

LAS INNOVACIONES DEL MUNDO ANTIGUO

Una característica importante de la civilización es de proveer al mundo innovaciones duraderas. Las antiguas civilizaciones del Oriente Medio proporcionaron las contribuciones siguientes:

La esfinge y la Gran Pirámide de Keops en Egipto

■ **La escritura.** Los egipcios inventaron una forma pictográfica de escritura conocida como **jeroglíficos** (o hieroglíficos). En Mesopotamia, la escritura **cuneiforme** hizo aún más uso de símbolos. Los fenicios eran los primeros en desarrollar un alfabeto fonético en el cual cada letra representaba un sonido específico.

■ **El transporte**. Los habitantes de Mesopotamia inventaron la rueda y el velero.

■ **Los códigos de leyes**. Los mesopotamios se conocen mejor por formular el **Código de Hammurabi**, el primer código legal escrito, que ponía énfasis en el concepto de justicia al estilo de "ojo por ojo, diente por diente".

■ **La religión**. Los antiguos judíos desarrollaron la primera religión monoteísta (creencia en sólo un Dios).

LA EPOCA GRIEGA Y ROMANA (336 a. de C.-479 d. de C.)
Estas regiones primero fueron conquistadas por Alejandro el Grande y luego por los romanos. Durante este tiempo, Europa absorbió una gran parte de los conocimientos y de la cultura del Oriente Medio antiguo.

EL IMPERIO BIZANTINO (395 -1453)
Por más de 1000 años después de la caída del Imperio Romano, el Imperio Bizantino mantuvo vivos y fundió los adelantos hechos por la civilización grecorromana. Su capital estaba en la Turquía de hoy. El Imperio Bizantino desarrolló el **Código Justiniano**, un código legal que se convirtió en la base de muchos sistemas jurídicos en el oeste de Europa y en la América Latina. El Imperio Bizantino cayó finalmente cuando los turcos musulmanes capturaron a Constantinopla.

LA EMERGENCIA DEL ISLAM

El islam, la religión de los musulmanes, se desarrolló en el Oriente Medio.

EL DESARROLLO DEL ISLAM
Basada en las prédicas de **Mahoma,** la religión musulmana llegó a dominar la península Arabe en el siglo VII de nuestra era. El islam unificó a los árabes con el idioma (el árabe o arábigo) y con la religión. Las tribus árabes, unidas todas por la religión islámica, comenzaron una "guerra santa" contra los infieles. Después de la muerte de Mahoma, los árabes esparcieron su religión a través del Oriente Medio. Con el tiempo, su imperio incluía la península Arabe, Siria, Persia, Palestina, Egipto, el norte de Africa y España.

LA EDAD DE ORO DE LA CULTURA MUSULMANA
Desde el siglo IX al XIV, floreció la cultura y la tecnología. La cultura islámica hizo las siguientes contribuciones a la civilización:

■ Conservó los conocimientos de los griegos y de los romanos que se perdieron en Europa.

■ Inventó los números árabes para reemplazar los números romanos, haciendo uso del cero, una invención india. Los números árabes con el tiempo fueron adoptados por el Occidente.

■ Alentó nuevas investigaciones en la medicina (usando anestéticos) y adelantó el estudio de álgebra, geometría y trigonometría.

LAS INVASIONES

El Oriente Medio era de interés vital a muchos pueblos a causa de su situación crítica como la encrucijada de tres continentes. Por consiguiente, a menudo se volvió en objeto de invasiones y de guerras.

LOS TURCOS SELYUCIDAS

Los turcos selyúcidas, llegando desde el noreste, ganaron el dominio del mundo musulmán en el siglo XI. Cerraron las rutas europeas a la Tierra Santa inquietando a los cristianos europeos.

LAS CRUZADAS

El papa Urbano II convocó un ejército de cruzados para capturar la Tierra Santa de los turcos. Había siete cruzadas principales (1095-1291) que dejaron un legado de desconfianza entre los occidentales y los musulmanes. Sin embargo, también resultaron en **difusión cultural**, que consiste en esparcir ideas y productos de una cultura a otra. Las cruzadas abrieron para Europa un nuevo mundo de ideas, comercio y cultura del Oriente Medio.

LOS MONGOLES

Al principio del siglo XIII los mongoles, jinetes bárbaros de Asia, capitaneados por **Gengis Kan**, conquistaron vastos territorios que se extendían desde China hasta la Rusia europea. Uno de los nietos de Gengis Kan, llegó hasta Siria antes de ser derrotado por las fuerzas musulmanas. El imperio de los mongoles se dividió entonces en un número de estados más pequeños.

LOS TURCOS OTOMANOS

En 1453, los turcos otomanos lograron capturar a Constantinopla, la capital del Imperio Bizantino. Para el siglo XVI, los otomanos dominaron todo el Oriente Medio y avanzaron hasta Europa central. Los siglos XVIII y XIX eran testigos de la declinación gradual del Imperio Otomano. Como resultado de encontrarse del lado que perdió la Primera Guerra Mundial, los turcos quedaron despojados de todas sus posesiones del Oriente Medio fuera de la Turquía de hoy.

EL IMPERIALISMO EUROPEO

Hacia el fin del siglo XIX, el Medio Oriente asumió nueva importancia para las potencias europeas. Muchos gobiernos europeos llegaron a creer que con el dominio económico y político de la región se volverían más poderosos. Esta convicción, conocida como **imperialismo**, era la política principal que dominaba las relaciones europeas con el Oriente Medio durante el medio siglo subsiguiente.

LOS INTERESES EUROPEOS EN EL ORIENTE MEDIO

Algunas de las razones principales por las que los europeos estaban interesados en la región eran las siguientes:

■ **Estratégicas extensiones de agua.** El Canal de Suez, el Mediterráneo y los Dardanelos servían como vínculos importantes entre los países europeos y sus consocios del comercio con Asia. En particular, el Canal de Suez unía a Gran Bretaña con su colonia en la India.

■ **Motivos económicos**. El Oriente Medio representaba un lugar donde las naciones europeas podían vender sus productos industriales y donde podían obtener materias primas, como el algodón de Egipto.

EL DOMINIO DEL ORIENTE MEDIO

Gran Bretaña se apoderó de Egipto para asegurar el Canal de Suez. Francia extendió su dominio en casi todo el resto del norte de Africa. Rusia esperaba dominar a Turquía para obtener acceso del mar Negro al Mediterráneo, pero nunca tuvo éxito. Alemania comenzó la construcción de la ruta ferroviaria de Berlín a Bagdad y se alió con Turquía.

LA EMERGENCIA DEL NACIONALISMO

El **nacionalismo** puede definirse como el deseo de un pueblo a ejercer su propio gobierno, libre de dominación extranjera. Aunque era lento en aparecer en el Medio Oriente, el nacionalismo iba a traer muchos cambios importantes.

EL NACIONALISMO TURCO

Alentado por ideas nacionalistas, **Kemal Ataturk** capitaneó una lograda revuelta contra el sultán turco y convirtió a Turquía en un estado moderno secular. Apoyó la occidentalización y el desarrollo económico.

LAS MATANZAS DE LOS ARMENIOS

Los nacionalistas a menudo encuentran difícil de tolerar la existencia de minorías en su país. Los armenios vivían en la región entre Rusia y Turquía. Los armenios son cristianos y hay una larga historia de hostilidades entre los armenios y los turcos que los dominaban. En Turquía hubo matanzas de armenios en los años 1894-1896 y en 1900. Durante la Primera Guerra Mundial, los jefes nacionalistas turcos temían que los armenios simpatizaran con Rusia, enemiga de Turquía. Decidieron resolver su problema al eliminar a los armenios de Turquía. Los armenios tenían que convertirse al islam o quedar desterrados al desierto sirio. Más de un millón de armenios perecieron en estas atrocidades.

LOS PRIMEROS MOVIMIENTOS POR LA INDEPENDENCIA

Para ganarse el apoyo de los árabes contra Turquía, los ingleses prometieron independencia a los grupos árabes después de la Primera Guerra Mundial. Cuando más tarde Gran Bretaña trató de desdecirse, estallaron alzamientos en Egipto y en la Arabia Saudita, llevando a su independencia (1922-1924).

LOS SUBSIGUIENTES MOVIMIENTOS POR LA INDEPENDENCIA

En 1932, a Iraq se le otorgó la independencia. En 1922, los ingleses dividieron a Palestina en dos partes: Jordania y Palestina. Jordania se independizó en 1946 y Palestina llegó a ser el Israel independiente en 1948. En 1945 Siria y el Líbano recibieron su independencia de Francia. Los protectorados franceses de Marruecos y de Túnez se independizaron en 1956. Después de una larga guerra civil, Argelia logró su independencia en 1962.

PRINCIPIOS FUNDAMENTALES PARA RECORDAR

GENERALIZACIONES FUNDAMENTALES

✻ Las invasiones tienden a cambiar las instituciones políticas y culturales tanto las del dominado como del invasor.

✻ El nacionalismo es uno de los factores más fuertes para el cambio social, político y económico.

TERMINOS Y CONCEPTOS FUNDAMENTALES

Epoca neolítica, faraones, pirámides, código de Hammurabi, jeroglíficos, cuneiforme, islam, cruzadas, imperialismo, nacionalismo.

SISTEMAS PRINCIPALES

EL SISTEMA POLITICO

Al presente, en el Oriente Medio existe una gran variedad de gobiernos, haciendo complejas y a menudo difíciles las relaciones entre estos estados.

LOS SISTEMAS POLITICOS TRADICIONALES

Aún hoy, muchos países del Oriente Medio, tales como la Arabia Saudita y Jordania, están bajo el dominio de un rey. En estos países, la mayor parte de las riquezas y del poder está en las manos de una pequeña élite hereditaria. Estos estados son conservativos y se oponen a cambios radicales.

LOS GOBIERNOS MONOPARTIDARIOS

En algunos países, tales como Libia y Siria, un solo partido, a menudo dominado por un personaje fuerte como Qaddafi en Libia, tiene las riendas del gobierno. Para prevenir que las fuerzas militares se apoderen del gobierno es importante que el ejército sea leal al partido que está en el poder.

LAS DEMOCRACIAS MULTIPARTIDARIAS

En los países tales como Israel y Turquía se hace progreso hacia una democracia completa.

EL FUNDAMENTALISMO ISLAMICO

Bajo esta forma de gobierno, el verdadero poder está en las manos de los jefes religiosos. Estos a menudo tratan de asegurarse que la nación sea gobernada de acuerdo a la ley islámica fundamental, rechazando todo lo occidental. Irán tiene este tipo de gobierno. Los grupos que están a favor del fundamentalismo islámico también tienen bastante poder en ciertos otros países del Oriente Medio.

EL MOVIMIENTO PANARABE

El propósito del movimiento panárabe es de unificar a todos los árabes en un solo estado. En el presente, un factor principal que une a los países árabes es la hostilidad hacia Israel. Las naciones árabes se compadecen de los árabes palestinos. Sin embargo, el nacionalismo y las diferencias entre los países árabes siguen siendo serios obstáculos a la unidad panárabe. También, ciertos países importantes del Oriente Medio, como Turquía e Irán, no son naciones árabes y serían excluídos de cualquier estado panárabe.

EL SISTEMA ECONOMICO

LA ECONOMIA TRADICIONAL

En una economía tradicional, la gente sigue la forma de vida de sus antepasados. Esto es todavía cierto en el caso de una gran parte del Oriente Medio. Muchas personas son campesinos pobres que cultivan la tierra. Donde la agricultura no es posible, las tribus nómadas se componen de ganaderos de cabras, ovejas o camellos. Pero esta economía tradicional va pasando por cambios importantes:

irabe. Después de lograr la independencia nacional, muchos jefes del ron de resolver los problemas económicos al nacionalizar las empresas. o controlaba la economía al establecer planes nacionales de reglamen- recios y producción. Finalmente, algunos países llevaron a cabo un na agraria, tomando tierras de los terratenientes ricos y dándolas a los res pobres. Estos programas recibieron el nombre de "socialismo

■ **El papel del petróleo.** Los aumentos en su precio en los años 1970, trajeron vastas cantidades de capital extranjero a los países del Oriente Medio con grandes yacimientos de petróleo. Mucho de este capital fue usado para adquirir tecnología occidental y para elevar el nivel de vida. Se construyeron refinerías de petróleo, fábricas y ciudades modernas, cambiando para siempre la economía de la región.

ECONOMIA MIXTA

Muchos de los países del Oriente Medio tienen economía mixta. Una economía mixta combina ciertas características de la empresa privada con las de economía planificada. Con frecuencia, en una economía mixta, varios aspectos de la economía son de propiedad del estado y están bajo el control del gobierno. Por ejemplo, para desarrollar su agricultura, los jefes israelís formaron el kibutz (fincas de propiedad colectiva, donde los trabajadores viven, comen y trabajan juntos). Las personas que viven en un kibutz comparten tanto el trabajo como los ingresos.

EL SISTEMA SOCIAL

LA FAMILIA

En el Oriente Medio la familia es el centro de la vida. Tradicionalmente cada **familia extensa** está bajo el dominio del varón de más edad. Los matrimonios eran arreglados por los padres y cada miembro de la familia tenía un papel tradicional. El hombre cultivaba la tierra, protegía a la familia y hacía las decisiones. Las mujeres estaban a cargo de los quehaceres domésticos, la crianza de los hijos y también ayudaban en los trabajos del cultivo de la tierra. Se esperaba que los hijos siguiesen la ocupación del padre. Muchas personas en la región todavía siguen esta forma de vida tradicional.

LAS PRACTICAS DE LA VIDA MUSULMANA

La mayoría de los habitantes del Oriente Medio son musulmanes. Ya que el islam encierra todos los aspectos de la vida, la mayoría de los creyentes lleva un modo de vivir parecido:

■ Un buen musulmán no debe comer carne de cerdo, tomar alcohol, prestar dinero con fin de lucro o entrar en juegos de azar.

■ Los viernes, los musulmanes rezan en una **mezquita**, el templo islámico.

■ Tradicionalmente, a los varones musulmanes se les permitía tener más de una esposa. La mujer estaba destinada a pasar la mayor parte del tiempo en la casa y no tenía función en la vida pública. En algunos países islámicos, aún hoy día, la mujer no sale fuera de casa sin cubrirse con un velo la cara o por lo menos la cabellera.

LOS DESAFIOS A LA TRADICION

En el presente, la vida tradicional está frente al desafío por muchas nuevas fuerzas en el Oriente Medio:

■ **La modernización.** Las nuevas comodidades se van estableciendo en las aldeas. Estas incluyen la electricidad, el agua potable pura, la medicina moderna, la radio y la televisión. La enseñanza moderna lleva a los jóvenes a poner en duda los papeles y las creencias tradicionales.

■ **La urbanización.** Urbanización significa migración a las ciudadess (centros urbanos). En el Oriente Medio muchos jóvenes se mudan de las aldeas a las ciudades en busca de nuevas oportunidades y de una vida moderna. En las ciudades, a menudo entran en contacto con la clase media no muy religiosa y con convicciones occidentales.

■ **El nuevo papel de las mujeres.** En el presente, muchas mujeres de la región asisten a la universidad, entran en las profesiones y todos los otros aspectos de la fuerza trabajadora. Muchas también adoptan la vestimenta occidental.

EL DESAFIO PARA EL FUTURO

El cambio ocurre en el Oriente Medio a pasos diferentes. En algunos países, una clase media urbana grande aceptó las prácticas seculares occidentales. En otros, la tradición sigue siendo muy fuerte. El problema está en equilibrar la cultura tradicional con la modernización.

EL SISTEMA RELIGIOSO

El Oriente Medio es la cuna de tres de las grandes religiones del mundo: el judaísmo, el cristianismo y el islam.

EL JUDAISMO

El judaísmo es la más antigua de las tres religiones mencionadas. De acuerdo a la tradición, los judíos quedaron esclavizados en Egipto y liberados por Moisés aproximadamente hace cuatro mil años. Siglos más tarde, Israel se volvió en una provincia del Imperio Romano. Cuando los judíos se sublevaron contra sus gobernantes romanos, Jerusalén fue destruida y los judíos puestos en destierro. Se esparcieron a través de Europa, Africa y Asia. Esta dispersión se conoce como **diáspora**. Algunos de los fundamentos del judaísmo son los siguientes:

■ **El monoteísmo**. En distinción a los otros pueblos antiguos, los judíos creían que había un solo Dios universal que era justo y todopoderoso. Creían que Dios hizo un "pacto" especial con ellos: Dios los protegería y ellos seguirían los preceptos divinos.

■ **Los mandamientos de la Ley de Dios.** Ya que los judíos creen que Dios quiere que se comporten rectamente con otros seres humanos, deben seguir los diez mandamientos. Estos prohiben el robo, el asesinato, el adulterio y otras formas de conducta inmoral.

■ **Los libros sagrados**. La antigua historia de los judíos y de su relación con Dios se encuentra en los primeros cinco libros de la Biblia (la **Tora**). Además, los judíos se dirigen al **Talmud** (un libro de comentarios sobre la Biblia) como guía en la interpretación de la Ley de Dios.

EL CRISTIANISMO

El cristianismo se originó en el Oriente Medio aproximadamente hace dos mil años. Fue basado en las creencias y en la vida de Jesucristo que predicaba hermandad, caridad y paz. Después de la muerte de Cristo, un grupo de sus discípulos, conocidos como apóstoles, ayudó a esparcir la nueva religión cristiana. Con el tiempo, el cristianismo llegó a ser la religión dominante del Imperio Romano. Las siguientes son algunos de las creencias fundamentales del cristianismo:

■ **La importancia de Jesucristo**. Los cristianos creen que Cristo era el Hijo de Dios, y que se sacrificó para salvar a la humanidad del castigo por sus pecados. También creen que después de ser crucificado, resucitó y ascendió a los cielos.

■ **La conducta cristiana**. Los cristianos ponen gran énfasis en la rectitud de conducta hacia el prójimo. Creen que se salvarán e irán al cielo si tienen fe en Jesucristo y tratan a otras personas con amor y respeto.

■ **La Biblia**. La Biblia cristiana, el libro sagrado de la cristiandad, consiste tanto en el **Antiguo Testamento** (la Biblia de los judíos), como en el **Nuevo Testamento**, que habla de la vida de Cristo y de la obra de los apóstoles.

EL ISLAM

En el presente, el islam es la religión dominante en el Medio Oriente. Fue establecida por Mahoma en el siglo VII. Las creencias fundamentales de los musulmanes son las siguientes:

■ **LA IMPORTANCIA DE ALA**. Mahoma creía que Alá (Dios en árabe) es el Dios todopoderoso y determina el destino de cada persona. Alá juzgará a todos al fin del mundo.

■ **JIHAD**. Mahoma enseñaba que todo el que muriese en una "guerra santa" (jihad) en la diseminación de su nueva religión iría directamente al cielo.

■ **LOS CINCO PUNTALES DE LA PRUDENCIA** son las obligaciones religiosas fundamentales con las que debe cumplir todo buen musulmán.

1. **La confesión de fe**: "No hay otro Dios sino Alá y Mahoma es su profeta", dicen los musulmanes en sus oraciones.

2. **La oración**: el musulmán debe rezar cinco veces al día. Al rezar, se vuelve hacia la ciudad de Meca.

3. **La caridad**: el musulmán debe dar limosnas a los pobres y pagar impuestos a la mezquita.

4. **El ayuno**: durante el mes de Ramadán los musulmanes deben guardar abstinencia completa desde la salida hasta la puesta del sol.

5. **El pilgrimaje**: si en todo posible, un musulmán debe hacer en su vida por lo menos un pilgrimaje (viaje religioso) a la ciudad sagrada de Meca.

■ **EL CORAN**. El Corán es el libro sagrado del islam. Los musulmanes creen que el Corán revela la palabra de Dios recibida por Mahoma. El Corán consiste en los pronunciamientos de Mahoma, escritos por sus discípulos después de su muerte.

LA DIVISION ENTRE LOS CHIITAS Y LOS SUNITAS

Después de la muerte de Mahoma, el mundo islámico se dividió en dos grupos principales: los **chiítas** y los **sunnitas** (o sunitas). Los chiítas constituyen una minoría dentro del islam. Creen que sólo los descendientes del yerno de Mahoma pueden dirigir el mundo islámico. Los iranios son el grupo chiíta principal en el presente, aunque hay grandes minorías chiítas en algunos países musulmanes, especialmente en el Líbano y en Iraq. Sin embargo, la mayoría de los musulmanes es sunnita.

PRINCIPIOS FUNDAMENTALES PARA RECORDAR

GENERALIZACIONES FUNDAMENTALES
* La gente forma muchos diferentes grupos y organizaciones para cumplir con sus necesidades sociales y políticas.
* El comercio es un medio importante de la difusión cultural.
* Las creencias religiosas y convicciones religiosas tienen un papel importante en la formación del carácter y de la identidad de un pueblo.

TERMINOS Y CONCEPTOS FUNDAMENTALES
Economía tradicional, socialismo árabe, kibutz, economía mixta, mezquita, movimiento panárabe, urbanización, judaísmo, monoteísmo, diez mandamientos (de la Ley de Dios), Tora, Nuevo Testamento, Biblia, cristianismo, islam, Alá, cinco puntales de fe, Corán.

PERSONAJES PRINCIPALES

GAMAL NASSER (1918-1970)

Nasser derribó el gobierno pro-británico y asumió el poder en 1953, haciendo de Egipto una de las naciones más fuertes en el Oriente Medio. Un fuerte partidario del **movimiento panárabe**, trató de unificar a todos los árabes. Nasser era el arquitecto del socialismo árabe, y en Egipto nacionalizó el Canal de Suez y todas las empresas de posesión extranjera.

El premier de Egipto Gamal Nasser con una delegación extranjera

ANWAR SADAT (1918-1981)

Sadat, como presidente de Egipto, era el primer jefe árabe que tomó medidas hacia la paz con Israel al visitar a Jerusalén en 1977. En 1978 compartió el premio Nóbel de Paz con el premier Begin por sus esfuerzos en establecer un tratado de paz entre Egipto e Israel. A causa de sus intenciones pacíficas hacia Israel y por haber permitido que el desterrado sha de Irán viviese en Egipto, Sadat se hizo poco popular con los fundamentalistas islámicos que lo asesinaron en 1981.

GOLDA MEIR (1898-1979)

Golda Meir era una jefa política que ayudó a Israel a convertirse en una poderosa nación del Oriente Medio. Participó en la resistencia judía al dominio británico en Palestina. En 1973, vino a ser la premier de Israel, la primera mujer a la cabeza del gobierno en una nación del Oriente Medio.

YASSIR ARAFAT (1929-PRESENTE)

En 1974 la "P.L.O." (**Organización Palestina de Liberación**) quedó reconocida por los países árabes y por las Naciones Unidas como la representante oficial del pueblo palestino. Su propósito principal es de establecer un estado palestino independiente. En 1988, Arafat reconoció a Israel, renunció el uso del terrorismo y declaró la Banda Occidental como estado independiente palestino.

AYATOLLAH KHOMEINI (1900-1989)

En 1979, Khomeini y sus partidarios derribaron al sha de Irán. Khomeini luego convirtió a Irán en una nación gobernada estricamente de acuerdo a su propia interpretación del Corán. Estaba en contra del Occidente, con un odio particular hacia los Estados Unidos e Israel. Durante el régimen de Khomeini, los oficiales de la embajada norteamericana quedaron en rehenes en Irán por 15 meses en claro quebrantamie la ley internacional. Khomeini también trató de llevar su revolución islámica a otros países de la región.

MUAMMAR QADDAFI (1942-PRESENTE)

En 1969, Qaddafi derribó al rey de Libia y se hizo dictador. Qaddafi volvió a Libia en un estado socialista islámico con fuerte antipatía hacia el Occidente. Apoya a los extremistas palestinos y otros grupos terroristas. Para vindicar su apoyo del terrorismo, los Estados Unidos bombardearon dos ciudades libias en abril de 1986.

SADDAM HUSSEIN (1937-PRESENTE)

Hussein era el gobernante de Iraq desde 1979. Cuando llegó al poder estableció una dictadura militar. En 1980 tomó tierras fronterizas de Irán, provocando una guerra de 8 años. Usó armas químicas y gas tóxico contra los iranios y también contra la minoría kurda dentro de Iraq. En 1990, invadió y anexó a Kuwait, lo que causó una crisis mundial en el Oriente Medio. Sus admiradores creen que Hussein está obrando en los mejores intereses de los árabes al tratar de unir el mundo árabe bajo su fuerte jefatura. Los críticos de Hussein, inclusive los E.E.U.U. y la mayoría de los jefes árabes, lo temen como dictador que debe ser contenido. Miran con horror su ejército grande, sus almacenes de armas químicas y biológicas y la emergente capacidad nuclear.

PRINCIPIOS FUNDAMENTALES PARA RECORDAR

GENERALIZACIONES FUNDAMENTALES
✻ Los grandes líderes tienen la capacidad de cambiar el curso de la historia.

TERMINOS Y CONCEPTOS FUNDAMENTALES
Organización Palestina de Liberación ("P.L.O.")

❖❖ UN CASO EJEMPLAR: SIRIA ❖❖

EL AMBIENTE FISICO

Siria consta de tres regiones topográficas principales: (1) una angosta franja costanera; (2) montañas que se encuentran al este de la franja costanera y en el sur a lo largo de las fronteras con el Líbano e Israel: y (3) estepas secas, conocidas como el desierto Sirio, al este de las montañas. Siria tiene dos sistemas fluviales principales: el **Orontes** y el **Eufrates.** La mayoría de la población del país está concentrada en el oeste y a lo largo de los ríos, donde hay una cantidad adecuada de agua.

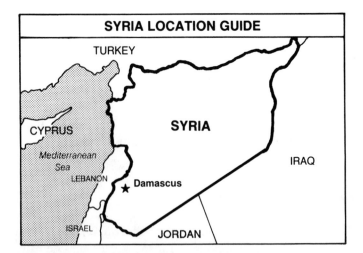

LOS SUCESOS HISTORICOS PRINCIPALES

La historia antigua

A causa de su situación crítica, en la antigüedad Siria se enriqueció con el comercio entre los pueblos de la región del Mediterráneo. Sin embargo, su situación también la hizo víctima de una sucesión de conquistadores: egipcios, hititas, asirios, babilonios, persas, griegos y romanos. En los siglos VII y VIII, con la emergencia y el esparcimiento del islam, Siria llegó a ser el centro del mundo musulmán. En 1517, Siria se convirtió en parte del Imperio Otomano.

La primera guerra mundial

Siria constituía una parte del Imperio Otomano hasta la caída de este en la Primera Guerra Mundial. Durante la guerra, los ingleses prometieron la independencia a los árabes a cambio de ayuda en combatir a sus regidores otomanos. Sin embargo, Gran Bretaña y Francia, en un pacto secreto, decidieron dividir entre sí el Imperio Otomano una vez ganada la guerra; Iraq y Palestina fueron a Gran Bretaña, y Siria y el Líbano a Francia. Después de la Primera Guerra Mundial, en 1919, los líderes árabes declararon su independencia, pero el ejército francés derribó el nuevo gobierno y trajo a Siria bajo el dominio francés.

La independencia

El gobierno de los franceses no era popular en Siria. Durante la Segunda Guerra Mundial, Siria era ocupada por los alemanes. Francia estaba seriamente debilitada por su participación en la guerra, y no era capaz de reestablecer su dominio sobre Siria después de la guerra; Siria logró su independencia. Los primeros gobiernos sirios se caracterizaron por inestabilidad política. Desde 1949 a 1954, los oficiales del ejército derribaron el gobierno cuatro veces.

Siria forma parte de la Republica Arabe Unida

En 1958, Siria se juntó con Egipto para formar la República Arabe Unida. Los sirios y los egipcios vieron esto como el primer paso hacia la creación de un poderoso estado panárabe, que uniría a todos los pueblos árabes. Pero los sirios se vieron tratados como inferiores por los egipcios, y en 1961 Siria salió de la República Arabe Unida.

La subida de Hafiz al-Assad

En 1967, Egipto y Siria hicieron guerra a Israel. Pronto quedaron derrotados por Israel en la Guerra de Seis Días. Israel se apoderó de las **alturas de Golan**, un territorio importante con vista del norte de Israel. Con la pérdida de las alturas de Golan, el prestigio del gobierno del momento se debilitó en alto grado. En 1970, el gobierno quedó derribado por las fuerzas militares, encabezadas por el general **Hafiz al-Assad**. En poco tiempo, Assad tomó el mando, haciéndose presidente.

Assad permaneció en su puesto desde 1979, gobernando a Siria por más tiempo que nadie. La prosperidad económica de los años 1970 y una política externa ambiciosa le proporcionaron una gran parte del apoyo popular. Sin embargo, Assad es miembro de una secta musulmana que está en la minoría y había indicaciones de la resistencia a su jefatura por parte de la mayoría religiosa. Se cree que Assad tiene vínculos con grupos terroristas. A pesar de la negativa de Siria, los Estados Unidos la nombran como patrocinadora de terrorismo.

EL PAPEL DE SIRIA EN EL MUNDO

A causa de su situación y de su poder militar, Siria tuvo in papel importante en los recientes conflictos del Oriente Medio. Tiene fronteras con Israel, Iraq y el Líbano y cada uno de estos países tuvo un papel importante en la política externa de Siria en los últimos tiempos.

Israel: Siria se oponía a la creación de Israel e hizo guerra contra ese estado en 1948, 1967 y 1973. En el presente Siria permanece como enemiga de Israel. Exige la devolución de los altos de Golan y la creación de un estado independiente para los árabes palestinos.

Iraq: Siria, al contrario de otros estados árabes, se opuso a Iraq en la Guerra del Golfo entre Iraq e Irán. Assad sospechaba que los jefes iraquis trataban de inquietar a los musulmanes sunitas en Siria. Finalmente, Irán, con pocos amigos en el mundo árabe, cooperó con Siria en el Líbano y proporcionaba petróleo gratis a Siria.

El Líbano: La región que preocupa más a Siria es el Líbano. El Líbano tiene fronteras con Siria y algunos sirios han apremiado la unificación de los dos países. En 1975, las diferencias religiosas en el Líbano resultaron en una guerra civil. Las tropas sirias entraron en el Líbano para restaurar el orden. En 1982, Israel invadió el país en un esfuerzo de echar a los refugiados palestinos y para destruir los proyectiles sirios colocados allí. La invasión israelí obligó a los palestinos a retirarse y transitoriamente apartó las tropas sirias de Beirut, la capital del Líbano. Pero después de una ocupación de tres años, el ejército israelí se retiró. Las fuerzas sirias, que nunca salieron del norte del Líbano, pronto regresaron a Beirut. Desde ese tiempo, la situación libanesa está fuera de control. Siria sigue manteniendo 40.000 soldados en el Líbano. La guerra civil libanesa es muy costosa para Siria y su fin no está a vista.

La Unión Soviética: Uno de los aliados principales de Siria es la Unión Soviética. Siria es el aliado soviético principal en el Oriente Medio y el principal recibidor de su ayuda militar.

SISTEMAS PRINCIPALES

El sistema político

Por muchos años después de su independencia, Siria era políticamente inestable y sujeta a frecuentes **golpes** militares. Pero desde 1963, está bajo el gobierno de Hafiz al-Assad. A pesar de las apariencias de democracia, el poder político está concentrado en las manos de Assad. El gobierno controla los medios de comunicaciones, y se aplasta cruelmente toda manifestación de inquietud popular.

El sistema económico

La mayoría de los sirios aún siguen empleados en la agricultura, pero la manufactura y el petróleo son también de gran importancia en la economía. La producción textil de algodón es la industria más grande.

Siria tiene sus propios yacimientos de petróleo en el noreste, y los oleoductos de Iraq corren a través de Siria llevando petróleo hacia el mar Mediterráneo. Sin embargo, la baja en los precios del petróleo, los gastos en la fuerza militar grande y el costo de la guerra en el Líbano llevaron a una seria crisis económica en Siria. Hay carestías de artículos de consumo y de electricidad. Siria depende de la ayuda económica de la Arabia Saudita, Libia, la Unión Soviética e Irán.

El sistema social

Siria tiene algo más de 11 millones de habitantes. La natalidad es alta, y la población de Siria llegó casi a doblarse en los últimos veinte años. Ha habido considerable migración a las ciudades, y aproximadamente la mitad de los habitantes vive en las ciudades o pueblos grandes. Una gran parte de los sirios son campesinos que viven en aldeas y trabajan en las tierras que pertenecen a los latifundistas. Pero las normas tradicionales están cambiando con rapidez, ya que la clase terrateniente quedó debilitada por la reforma agraria y por el socialismo árabe. La enseñanza pública, las fuerzas militares, el desarrollo de la industria y la vida de ciudad abrieron nuevas oportunidades para las clases bajas.

Siria se empeñó mucho en eliminar los problemas del analfabetismo. En 1976, se calculaba que un 35% de los hombres y un 75% de las mujeres del país eran analfabetas. En el presente hay un buen sistema de enseñanza y casi todos los niños asisten a la escuela elemental. Las divisiones sociales más importantes en Siria siguen siendo las étnicas y religiosas. La mayoría de los sirios son árabes y hablan árabe. Las minorías étnicas más grandes son los kurdos (o curdos) y los armenios.

El sistema religioso

Los más sirios son musulmanes sunnitas, pero hay otras minorías religiosas. En el Líbano, las diferencias religiosas llevaron a una guerra civil, sin embargo, en Siria no tuvieron el mismo efecto desconcertante.

```
┌──────────────────────────────────────┐
│                                        │
│       CUESTIONES PRINCIPALES           │
│                                        │
└──────────────────────────────────────┘
```

EL CHOQUE DE NACIONALISMOS: ISRAEL Y LOS PALESTINOS

FONDO

Hacia el fin del siglo XIX Teodoro Herzl fundó el **sionismo**, un movimiento que urgía a los judíos europeos a volver a la patria de sus antepasados en Israel. En 1917, los ingleses proclamaron la **Declaración de Balfour** que decía que se crearía una patria para los judíos en Palestina. La persecución de los judíos durante la Segunda Guerra Mundial llevó al aumento de la emigración judía a Palestina.

UNA SERIE DE GUERRAS ARABE-ISRAELIS

La Guerra por la Independencia de Israel. En 1948, las Naciones Unidas votaron en favor de crear el estado independiente de Israel. A los **árabes palestinos** se les otorgó la Banda Occidental y la banda de

Gaza. Esta división es una constante fuente de fricción entre Israel y sus vecinos. Las naciones árabes no reconocieron el nuevo estado de Israel y lanzaron un ataque saliendo derrotadas por Israel. Como resultado de la guerra, Jordania se apoderó de la Banda Occidental, Egipto tomó la banda de Gaza e Israel tomó porciones de cada uno de estos territorios.

■ **La crisis de Suez**. En 1956, Israel, Francia y Gran Bretaña invadieron a Egipto porque este se había negado a permitir barcos israelís en el Canal de Suez. Los Estados Unidos y la Unión Soviética obligaron que las potencias invasoras se retirasen y que se declarase una cesación de las hostilidades.

■ **La Guerra de Seis Días**. La guerra estalló otra vez en 1967 que se llegó a conocer como la "guerra de Seis Días". Como resultado de su victoria en esta guerra, Israel adquirió la región de Gaza y la península de Sinaí (de Egipto), la Banda Occidental (de Jordania) y los altos de Golan (de Siria). Estos se llegaron a conocer como los "territorios ocupados".

■ **La Guerra de Yom Kipur.** Las fuerzas egipcias y sirias lanzaron un ataque contra Israel el día de Yom Kipur (fiesta solemne y seria para los judíos) en 1973. Avanzaron al principio, pero Israel luego rechazó las fuerzas árabes y tomó parte de la península de Sinaí de Egipto.

LA PAZ ENTRE ISRAEL Y EGIPTO

En 1977, el presidente Sadat de Egipto fue a Israel y habló ante el parlamento israelí. En 1978, Sadat y Menachim Begin, el premier de Israel, visitaron al presidente Carter en Camp David. Llegaron al acuerdo de que Israel devolvería la parte de la península de Sinaí tomada de Egipto a cambio del establecimiento de relaciones normales entre los dos países. Los otros países árabes denunciaron el **Acuerdo de Camp David** y rompieron las relaciones diplomáticas con Egipto.

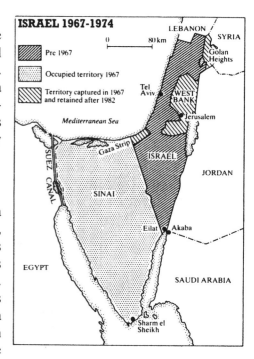

LA CUESTION PALESTINA

Durante la Guerra por la Independencia de Israel en 1948, la mayoría de los palestinos escapó a los países árabes vecinos, donde se volvieron en refugiados. Estos árabes palestinos siguen exigiendo una patria propia. En 1964, los palestinos formarom la Organización Palestina de Liberación ("P.L.O."). La P.L.O. se negó a reconocer a Israel y esperaba reganar los terrenos israelís. En 1974, los países árabes reconocieron la P.L.O. como el único representante del pueblo palestino. En 1987, los palestinos en la Banda Occidental y en la banda de Gaza comenzaron a tener manifestaciones y a resistir la ocupación israelí. Los manifestantes eran principalmente los palestinos más jóvenes que crecieron durante la ocupación israelí y que sufrieron a causa de la falta de oportunidades económicas. Israel impuso rigurosas medidas para contener las protestas y la inquietud, pero sin mucho éxito.

LA CUESTION NO RESUELTA

El problema aparece casi imposible de resolver a causa de los sentimientos amargos de los dos partidos:

■ **La posición israelí.** Los israelís se sienten inseguros porque sus 5 millones de población están rodeados de más de 100 millones de árabes. Algunos países árabes todavía se niegan a reconocer el derecho a la existencia de Israel. Muchos israelís creen que el control de la banda de Gaza, la Banda Occidental y los altos de Golan es necesario para proporcionar a Israel fronteras defendibles. Israel se niega a ceder a Jerusalén, la antigua capital del estado judío. Los más jefes israelís se niegan a negociar con el P.L.O. porque dicen que es una organización terrorista cuyo propósito es la destrucción de Israel. Quisieran negociar con los jefes árabes más moderados. Algunos israelís están inclinados a ofrecer a la Banda Occidental autonomía limitada, o hasta independencia, pero la mayoría no lo quiere.

■ **La posición palestina**. Hasta hace poco, la P.L.O. se negaba a reconocer la existencia de Israel y a renunciar el uso de actos de terrorismo. Sin embargo, en 1988 la P.L.O. ofreció su reconocimiento de Israel a cambio de la independencia de la Banda Occidental y Jerusalén. Más tarde este mismo año, la P.L.O. anunció la creación de un estado palestino en la Banda Occidental, pero Israel no lo reconoció. Los jefes árabes moderados insisten que Israel debe ceder los "territorios ocupados" y otorgar la independencia a los palestinos de la Banda Occidental y la banda de Gaza. Los jefes árabes radicales siguen negando el derecho a la existencia de Israel. Amenazan con oponerse a cualquier jefe árabe moderado que intente un compromiso con Israel. Por consecuencia la unidad árabe sigue siendo elusiva.

EL PETROLEO DEL ORIENTE MEDIO Y EL OCCIDENTE

El Oriente Medio contiene una gran parte de las reservas de petróleo del mundo. Este hecho está transformando radicalmente la economía de la región. La mayoría de los países productores del petróleo se encuentran alrededor del golfo Pérsico (Arabia Saudita, Irán, Iraq, Kuwait y los Emirados Arabes Unidos). La mayoría de los otros países del Oriente Medio no tiene los beneficios de esta fuente de riqueza.

"O.P.E.C." Y LA SUBIDA DE LOS PRECIOS DEL PETROLEO
Hasta los años 1970, los precios de petróleo eran controlados por las compañías petroleras occidentales. A principio de los años 1970, los países del Oriente Medio y otros productores de petróleo formaron la Organización de Países Exportadores de Petróleo conocida como " O.P.E.C.". O.P.E.C., un monopolio que controlaba los precios de exportación, empezó a alzar los precios del petróleo. En 1973, durante la Guerra de Yom Kipur, los miembros árabes del O.P.E.C. usaron el petróleo como "**arma política**" al rehusar su venta a los países en amistad con Israel. El boicoteo de petróleo elevó sus precios aún más.

EL IMPACTO DEL AUMENTO EN LOS PRECIOS DEL PETROLEO
Los precios altos trajeron el capital necesario al Oriente Medio, donde financió el desarrollo económico en los países productores del petróleo. La Europa Occidental, los Estados Unidos y los países del Tercer Mundo que no producen petróleo, sufrieron alta inflación y desempleo a través de los años 1970 a causa de los precios altos de este producto vital. Los países occidentales tomaron medidas para reducir su vulnerabilidad a los precios altos de O.P.E.C. La competición entre los productores ansiosos de vender también ayudó a reducir los precios.

EL IMPACTO DE LA INVASION DE KUWAIT POR IRAQ
Durante los años 1980 los precios del petróleo se mantuvieron relativamente estables. Sin embargo, las naciones industrializadas occidentales pronto volvieron a una mayor dependencia del petróleo importado. La invasión iraqui de Kuwait hizo que el precio del petróleo subiera vertiginosamente. La futura estabilidad de estos precios sigue dependiente de la situación política del Oriente Medio.

EL TERRORISMO COMO ARMA POLITICA

El terrorismo puede definirse como el uso de la violencia contra los civiles para llegar a fines políticos. Se usa como arma: (a) para atemorizar a los gobiernos a hacer concesiones; y (b) para atraer atención a los agravios de un grupo.

LA P.L.O. Y EL TERRORISMO

Desde 1949, una gran parte del terrorismo del Oriente Medio resultó de la cuestión palestina. En los años 1960 y los 1970, la P.L.O. usaba de buena gana el terrorismo como arma. Los palestinos se sentían justificados en recurrir al terrorismo porque los israelís ocuparon sus tierras y ellos, los palestinos, no tenían otro medio de resistencia.

EL TERRORISMO RESPALDADO POR GOBIERNOS

Se sabe que varios estados del Oriente Medio apoyan a los terroristas. Los gobiernos de Irán, Siria y Libia no sólo ayudan a los terroristas palestinos, sino que usan el terrorismo para callar a sus adversarios políticos.

LAS TACTICAS TERRORISTAS COMUNES

Las tácticas comunes de terrorismo incluyen:

■ **La toma de rehenes**. Este método se usó contra los atletas israelís en los Juegos Olímpicos de Munich en 1972. También se utilizó en tomar 52 rehenes norteamericanos en Irán y tenerlos cautivos por 15 meses. Con frecuencia, se han capturado aviones para tomar rehenes.

■ **Bombardeos**. Esta táctica se usó contra la infantería marina norteamericana en 1983, en Beirut, Líbano, cuando estallaron explosivos en sus cuarteles. Murieron centenares de personas.

■ **Asesinatos políticos**. Se usó este método para eliminar al presidente Sadat en 1981.

LAS REACCIONES AL TERRORISMO

El Occidente adoptó dos diferentes maneras de contender con el terrorismo.

■ **Negociaciones**. Generalmente, las naciones del Occidente piensan que no es correcto negociar con los terroristas porque esto los alienta a cometer más actos de terrorismo. Pero aún así, a veces se hicieron concesiones a los terroristas. Por ejemplo, los Estados Unidos dieron armas a Irán en secreto para obtener su ayuda en la liberación de los rehenes en manos de los terroristas en el Líbano.

■ **El uso de la fuerza**. Los gobiernos a menudo tienen fuerzas especialmente entrenadas para enfrentarse con las situaciones de terrorismo. En 1976, en Entebe, Uganda, los comandos israelís liberaron a los rehenes de un avión capturado. También, los gobiernos pueden responder atacando a los que apoyan el terrorismo. En 1986, los Estados Unidos bombardearon a Libia en represalia por actos de terrorismo. Sin embargo, a menudo es difícil usar la fuerza porque no siempre se puede localizar exactamente a los responsables.

LA REVOLUCION IRANIANA Y EL FUNDAMENTALISMO ISLAMICO

El fundamentalismo islámico es un atentado de volver a las "creencias fundamentales" y a las convicciones principales del islam. Es principalmente una reacción contra las prácticas y la cultura del Occidente. También hubo un rechazamiento del nuevo papel social otorgado a las mujeres. En Irán, el Sha Reza Pahlevi trató de adoptar elementos de la cultura y la tecnología occidental. Los jefes religiosos del país, rencorosos ante la formación por el sha de una sociedad moderna secular, se unieron para derribarlo en 1979.

LA NUEVA DIRECCION

Ayatollah Khomeini, un jefe religioso exilado, reemplazó al sha como el nuevo gobernante de Irán. Bajo Khomeini no había separación de religión y estado. Los jefes religiosos activamente dirigían el gobierno, tal como lo hacían una vez en los tiempos de Mahoma. Aunque muchos musulmanes sentían gran orgullo en la reinvindicación de las tradiciones islámicas sobre las del Oeste, algunos vieron con alarma el establecimiento de una dictadura religiosa y la rígida interpretación del islam. Antes de su muerte en 1989, Khomeini introdujo muchos cambios en Irán.

LA GUERRA DEL GOLFO PERSICO: 1980-1988

Iraq atacó a Irán en 1980. La guerra amenazaba con prevenir el transportes de petróleo que necesitaba la Europa del oeste y el Japón. Para resguardar el transporte neutral, los Estados Unidos empezaron a proteger los buques cisternas de Kuwait en 1987. La guerra duró 8 años antes que se accedió a la cesación de hostilidades en 1988. Hubo grandes pérdidas de ambos lados.

LA GUERRA CIVIL EN EL LIBANO

En 1975, la guerra civil estalló en el Líbano entre los cristianos libaneses, los musulmanes sunnitas y los musulmanes chiítas. En 1976, el ejército sirio invadió el país. En 1978 y otra vez en 1982, el ejército israelí entró en el Líbano para destruir los campamentos de la P.L.O. Israel ocupó al Líbano hasta 1985 antes de retroceder. Las fuerzas de la O.N.U. fueron enviadas para mantener el orden pero se retiraron después del bombardeo de los cuarteles norteamericanos y franceses. En el presente, el Líbano sigue en un estado de caos y de confusión. Los cristianos, los sunnitas y los chiítas siguen en una amarga guerra civil. La intervención de las potencias extranjeras aún empeoró la crisis.

LA INVASION IRAQUI DE KUWAIT

Kuwait es un pequeño país de menos de un millón de habitantes. A pesar de su pequeña superficie y población, posee grandes yacimientos de petróleo que lo hacen extremadamente rico. Iraq es un país de 18 millones de habitantes regido por el dictador Saddam Hussein. Después de la Guerra del Golfo contra Irán, Iraq estaba en bancarrota total. En agosto de 1990, Hussein invadió a Kuwait para apoderarse de su riqueza petrolera. Iraq tomó a los extranjeros como rehenes para prevenir represalias internacionales por su invasión de Kuwait. Al anexar a Kuwait, Hussein controla 20% del abastecimiento mundial de petróleo. Con esto, Hussein pudiera averse apoderado del Medio

Oriente. Los gobernantes a través del mundo temían que su paso siguiente podría ser un ataque contra la Arabia Saudita.

LA REACCION MUNDIAL

La O.N.U. pronto censuraron la invasión y exigieron una retirada iraquí inmediata. El presidente Bush inmovilizó todas las inversiones de Iraq y de Kuwait en los E.E.U.U. (para prevenir que los recursos de Kuwait cayeran en las manos de Iraq). Los E.E.U.U. enviaron buques de guerra al Golfo Pérsico para imponer en Iraq el embargo comercial de la O.N.U. Turquía y la Arabia Saudita cerraron los oleoductos iraquís. La Arabia Saudita invitó a las tropas norteamericanas a su tierra para que la defendiesen contra un ataque iraquí. Cuando fracasaron todos los pasos diplomáticos, la O.N.U. con presteza autorizó el uso de la fuerza si Iraq no se retiraba de Kuwait para el 15 de enero de 1991. El 16 de enero de 1991, una fuerza aérea multinacional encabezada por los E.E.U.U. atacó a Iraq para obligar a Iraq a cumplir con las resoluciones de la O.N.U.

LAS PERSPECTIVAS PARA EL FUTURO

La crisis iraquí es un ejemplo de la importancia de la cooperación internacional en la época que sigue la guerra fría. La pregunta fundamental es si la cooperación mundial puede contener los actos de agresión y el quebrantamiento de leyes internacionales de parte de estados menores pero potentes como Iraq.

PRINCIPIOS FUNDAMENTALES PARA RECORDAR

GENERALIZACIONES FUNDAMENTALES
* Las diferencias religiosas pueden llevar a la desconfianza y al conflicto.
* Las creencias religiosas pueden determinar los fines de una sociedad.
* El control de recursos valiosos puede usarse para obtener fines políticos específicos.
* Los grupos frustrados a veces recurren al terrorismo para lograr sus propósitos.

TERMINOS Y CONCEPTOS FUNDAMENTALES
Sionismo, Declaración de Balfour, árabes palestinos, Acuerdo de Camp David, Banda Occidental, terrorismo, fundamentalismo islámico.

RESUMEN DE TU COMPRENSION

Direcciones: para ver lo bien que entendiste lo leído sobre el Oriente Medio contesta a las preguntas que siguen.

TERMINOS Y CONCEPTOS FUNDAMENTALES

Completa las palabras y expresiones según las definiciones dadas:

M _ _ _ _ _ _ _ _ _   Tipo de religión que mantiene la existencia de un solo Dios.
T _ _ _   Libro sagrado de los judíos.
B _ _ _ _ _   Libro sagrado de los cristianos.
C _ _ _ _   Libro sagrado de los musulmanes.
S _ _ _ _ _ _ _   Sus partidarios mantienen que los judíos deben tener su patria en Israel.
F _ _ _ _ _ _ _ _ _ _ _ _ _ _ _   I _ _ _ _ _ _ _   Khomeini era su proponente más conocido.

C _ _ _ _ _ _ _ _ _ Escritura basada en cuñas.
J _ _ _ _ _ _ _ _ _ _ Escritura ideográfica.
C _ _ _ D _ _ _ _ Se hizo allí un acuerdo de paz entre Israel y Egipto.
N _ _ _ _ _ _ _ _ _ _ _ Sentimiento que promueve a los pueblos hacia la independencia y autonomía.

FACTORES GEOGRAFICOS

A menudo los factores geográficos y climáticos influyen profundamente en el desarrollo de una región. Resume tu comprensión de esta idea completando el cuadro dado.

FACTORES GEOGRAFICO-CLIMATICOS	EFECTOS EN LA VIDA DEL ORIENTE MEDIO
VALLES FLUVIALES	_____
PROXIMIDAD AL ECUADOR	_____
ESCASEZ DE AGUA	_____
SITUACION ESTRATEGICA	_____
RECURSOS NATURALES	_____

PERSONAJES IMPORTANTES

Los individuos a menudo influyen en la vida política, social y económica de su país. Imagínate que tienes que completar un certificado de reconocimiento para los individuos de la lista que sigue. Indica el nombre de cada uno y sus alcances en la vida de su país.

Individuos

Gamal Nasser
Menachim Begin
Anwar Sadat
Ayatollah Khomeini
Yassir Arafat

Se Otorga Este Certificado

a _____

por haber _____

_____

PROBLEMAS Y CUESTIONES

El Oriente Medio se encuentra frente a muchos problemas. Estos problemas tienen efectos de alcance mundial. Resume tu comprensión de estos problemas de la siguiente manera. Imagínate que vives en uno de los países de la región. Un estudiante de los Estados Unidos con quien tienes correspondencia te pide A) tu reacción a los problemas existentes y B) tus ideas de cómo resolverías los más importantes problemas de tu país. Escríbele una carta a tu amigo presentando tus opiniones y soluciones con respecto a los siguientes problemas:

El conflicto árabe-israelí
La escasez del agua
El terrorismo
El uso de los lucros de la venta del petróleo

LAS RELIGIONES DE LA REGION

La religión tiene un papel importante en la vida de la gente. Tres de las religiones principales del mundo se fundaron en el Oriente Medio. Resume tu comprensión de estas religiones completando el cuadro dado.

RELIGION	FUNDADORES	LIBROS	CREENCIAS PRINCIPALES
JUDAISMO	_____	_____	_____
			_____
CRISTIANISMO	_____	_____	_____
			_____
ISLAM	_____	_____	_____
			_____

COMPRUEBA TU COMPRENSION

Comprueba tu comprensión de esta unidad al contestar a las preguntas que siguen. Haz un círculo alrededor del número que precede la palabra o expresión que correctamente responde a la declaración o pregunta. Luego, dirígete a los ensayos.

DESARROLLO DE DESTREZAS: INTERPRETACION DE UN MAPA

Basa tus respuestas a las preguntas 1 a 3 en el mapa que sigue y tu conocimiento de los estudios sociales.

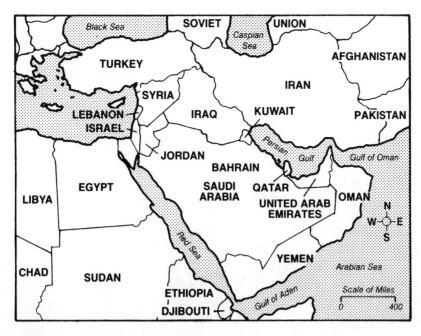

1 ¿En qué continente está situada Libia?

    1 Asia   3 Europa

    2 América del Sur   4 Africa

2 De acuerdo a la escala, ¿cuál es la distancia aproximada entre Egipto y Turquía?

    1 100 millas   3 300 millas

    2 200 millas   4 800 millas

3 ¿Cuál de los países del Oriente Medio está situado en el norte de Africa?

    1 Egipto   3 Iraq

    2 Turquía   4 Arabia Saudita

DESARROLLO DE DESTREZAS:
INTERPRETACION DE UNA CARICATURA POLITICA

Basa tus respuestas a las preguntas 4 y 5 sobre la caricatura política y en tu conocimiento de estudios sociales.

4 ¿Cuál grupo está representado por el estudiante?
  1 los sionistas europeos
  2 los miembros del P.L.O.
  3 los miembros de la O.E.A.
  4 los partidarios del apartheid

5 Basándote en los informes de la caricatura, ¿cuál es la situación que probablemente tendrá lugar?
  1 Seguirán las hostilidades en el Oriente Medio.
  2 Pronto se firmará un tratado de paz.
  3 Habrá una disminución en los actos de terrorismo.
  4 Se prohibirá el apartheid.

6 Malí, Mesopotamia y China son ejemplos de
  1 religiones prehistóricas
  2 ciudades capitales antiguas
  3 civilizaciones antiguas
  4 masas de tierra

7 ¿Cuál es el recurso natural más valioso en el Oriente Medio?
  1 el uranio
  2 las frutas cítricas
  3 el petróleo
  4 el oro

8 La creencia en sólo un Dios se llama
  1 animismo
  2 monoteísmo
  3 politeísmo
  4 naturalismo

9 ¿Cuál es una creencia principal de la religión islámica?
  1 Hay muchos dioses.
  2 Uno debe hacer un pilgrimaje a Meca.
  3 La vaca es un animal sagrado.
  4 Debe haber separación entre la iglesia y el estado.

10 El hecho de que la Iglesia Católica romana se estableció en casi todos los países del mundo comprueba el concepto de
  1 ventaja comparativa
  2 imperialismo
  3 difusión cultural
  4 mercantilismo

11 Cuneiforme y jeroglífica son ambos ejemplos de
  1 danza
  2 escultura
  3 arquitectura
  4 escritura

12 ¿Cuál de las situaciones es el mejor ejemplo del concepto del nacionalismo?
  1 La venta por México del petróleo crudo a los Estados Unidos
  2 La formación de la P.L.O. por los palestinos
  3 La incorporación de los Estados Unidos en la Corte Internacional de Justicia
  4 La construcción por Japón de una fábrica moderna en Iraq

13 ¿Cuál de los titulares de periódico está correctamente pareado con la persona asociada con el suceso?
  1 "Egipto Nacionaliza Canal de Suez" - Sha Reza Pahlevi
  2 "Libia Bombardeada por Aviones de E.E.U.U." - Ayatollah Khomeini
  3 "Egipto Firma un Tratado de Paz con Israel" - Anwar Sadat
  4 "Los Sionistas Exigen Patria Judía" - Kemal Ataturk

14 ¿Cuál de los siguientes era el último en ocurrir?
      1 El principio del islam
      2 Los cruzados invadieron la Tierra Santa
      3 La formación del estado de Israel
      4 El derrocamiento del sha de Irán

15 Un arqueólogo que estudia el Oriente Medio probablemente se interesaría más en
      1 la investigación de las sepulturas y las estatuas de Egipto
      2 el análisis de la estructura política de Jordania
      3 las pruebas de las armas militares en Israel
      4 las proyecciones de la futura producción de petróleo en Irán

16 ¿Cuál de los jefes del Oriente Medio probablemente favorecería un gobierno basado estrictamente en las ideas islámicas fundamentalistas?
      1 Kemal Ataturk   3 Anwar Sadat
      2 Ayatollah Khomeini   4 el Sha Reza Pahlevi

17 El judaísmo, el cristianismo y el islam se parecen porque cada uno
      1 se desarrolló en el Oriente Medio
      2 mantiene la existencia de muchos dioses.
      3 acepta a Jesucristo como verdadero profeta.
      4 prohibe comer carne de cerdo.

18 ¿Cuál es la mejor explicación de las razones para el asesinato de Anwar Sadat?
      1 Era un jefe radical de la P.L.O..
      2 Trató de prohibir ideas occidentales en Irán.
      3 Ayudó en la conclusión de un tratado de paz entre Israel y Egipto.
      4 Volvió a Turquía en una nación moderna secular.

19 El propósito principal de la O.P.E.C. es de
      1 limitar las armas atómicas
      2 reglamentar la producción de petróleo entre sus miembros
      3 salvar la selva húmeda de la América del Sur
      4 garantizar la libertad religiosa de las minorías

20 El propósito principal de Irán bajo la jefatura de Ayatollah Khomeini era de
      1 modernizar su economía decaída
      2 occidentalizar su sistema de enseñanza
      3 volver al dominio de la ortodoxia islámica
      4 establecer vínculos amistosos con Iraq

21 Un resultado directo del Acuerdo de Camp David era que
      1 todos los territorios conquistados por Egipto volverían a Israel
      2 Israel aceptaría la jefatura de Yassir Arafat
      3 los Estados Unidos reconocieron el gobierno de Qaddafi en Libia
      4 Israel y Egipto prometieron firmar un tratado de paz

22 ¿Cuál sería una fuente primaria de informes sobre la religión judía?

    1 Un texto universitario sobre las religiones principales del mundo

    2 Un drama sobre los jefes religiosos judíos

    3 La Tora

    4 El Corán

23 ¿Cuál de los siguientes es una aseveración de hecho más bien que de opinión?

    1 Anwar Sadat visitó a Israel en 1977 y habló ante el parlamento israelí.

    2 Los jefes del Oriente Medio debieran seguir el ejemplo de Anwar Sadat.

    3 Anwar Sadat era un gobernante de Egipto mucho mejor que Nasser.

    4 Anwar Sadat pensaba en los intereses de Egipto.

24 En un esquema, uno de los siguientes es el tema principal y los otros son secundarios. ¿Cuál es el tema principal?

    1 Los babilonios inventaron la escritura cuneiforme.

    2 Las contribuciones de las civilizaciones antiguas del Oriente Medio.

    3 Los fenicios formaron un alfabeto fonético.

    4 El código de Hammurabi pasó a las generaciones futuras.

25 ¿Con cuál de las declaraciones siguientes estaría más de acuerdo un musulmán?

    1 La mujer debe servir de guardiana y protectora de la familia.

    2 El dar limosnas a los pobres es una obligación religiosa.

    3 Debe haber estatuas en honor de los dioses.

    4 La Biblia es la palabra definitiva de Dios.

ENSAYOS

1 La religión influye en la formación de las tradiciones y de las creencias de una sociedad.

RELIGIONES

Animismo
Judaísmo
Cristianismo
Islam

Parte A

Escoge *una* de las religiones de la lista: _____

Apunta *dos* creencias principales de esa religión.

1. _____

2. _____

Escoge *otra* religión de la lista: _____

Apunta dos creencias principales de esa religión.

1. _____

2. _____

Parte B

Basa tu respuesta a la Parte B en la respuesta a la Parte A.

En una hoja aparte, escribe un ensayo mostrando cómo la religión contribuye a la formación de las tradiciones y de las creencias de cualquiera de las sociedades que estudiaste.

2 Las cuestiones explosivas de una parte del mundo a menudo afectan el resto del mundo.

CUESTIONES EXPLOSIVAS

El choque del nacionalismo entre Israel y los palestinos
La política del apartheid en Sudáfrica
El uso del terrorismo como arma política
El desafío presentado por el fundamentalismo islámico
La inquietud en la América Central

Escoge *tres* de las cuestiones explosivas de la lista dada. En el caso de cada una:

■ Discute la cuestión fundamental de la que se trata

■ Describe el punto de vista de los participantes principales

■ Explica cómo esta cuestión afecta el resto del mundo

3 Las características geográficas de una región a menudo tienen efecto en la culture y el modo de vivir de un pueblo.

RASGOS GEOGRAFICOS / REGION

La Cordillera de los Andes / La América del Sur
El desierto de Sahara / Africa
El río Nilo / El Oriente Medio

Parte A

En el caso de cada región, nombra el efecto del rasgo geográfico sobre la cultura y el modo de vivir de la pblocíón de la región.

REGION	EFECTO DEL RASGO GEOGRAFICO
Africa	
La América del Sur	
El Oriente Medio	

Parte B

Basa tu respuesta a la Parte B en tu respuesta a la Parte A.

Escribe un ensayo discutiendo el efecto que a menudo tienen los rasgos geográficos en la población de una región dada.

CAPITULO 7

ASIA DEL SUR Y DEL SUDESTE

EL AMBIENTE FISICO

DIMENSIONES Y SITUACION

—ASIA DEL SUR—

La mayor parte de Asia del Sur es un **subcontinente** (una gran porción de tierra pero más pequeña que un continente). El subcontinente de la India, que tiene aproximadamente la mitad del área de los Estados Unidos continentales, forma un triángulo grande que se proyecta en el océano Indico. India, Pakistán, Bangladesh, y los países más pequeños, Nepal, Bhutan, Sikkim y la isla de Sri Lanka componen esta región.

—ASIA DEL SUDESTE—

Es sureste de Asia consta de una península grande (tierra rodeada de agua por tres lados) del continente asiático y las naciones insulares al sur y al este de esta península. La península, también conocida como Indochina, incluye a Burma, Tailandia, Camboya (o Cambodia), Laos, Viet Nam y Singapur. Los países de las islas son Malaysia, Indonesia y las Filipinas. El sureste de Asia proporciona las rutas comerciales más cortas entre el océano Pacífico y el océano Indico. A causa de su situación, esta región fue profundamente influída tanto por la cultura india como la china.

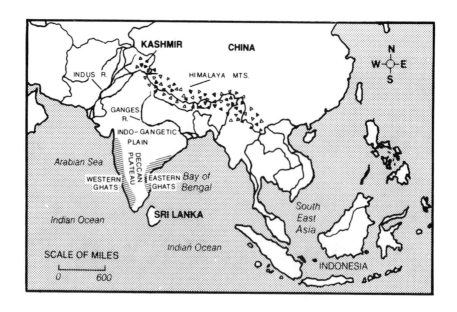

CARACTERISTICAS FISICAS

La diversidad es la clave a la geografía del sur y del sureste de Asia.

—ASIA DEL SUR—

El subcontinente Indio contiene montañas, valles fluviales, una meseta central y llanuras costaneras.

MONTAÑAS

Hacia el noreste se elevan los gigantes **Montes Himalaya**, los más altos del mundo. A su oeste se encuentra el macizo de Hindu-Kuch. Las dos formaciones separan el subcontinente Indio del resto de Asia.

RIOS Y VALLES FLUVIALES

Al sur de los Himalayas y del Hindu-Kuch se encuentran los grandes valles fluviales del **Indo** y del **Ganges**. Las tierras más fértiles de la India se encuentran en las llanuras creadas por estos dos valles fluviales, y casi la mitad de la población de la India vive allí. La población hindú considera el Ganges un río sagrado. Otro río importante de la India es el Brahmaputra.

LA MESETA CENTRAL Y LAS LLANURAS COSTANERAS

Al sur de los dos valles fluviales, en el centro mismo de la India, se encuentra la **meseta de Decán** (o Dekkan). Entre el mar y los montes que rodean la meseta de Decán hay llanuras costaneras angostas que contienen muchas ciudades principales de la India y tienen la población más densa.

—ASIA DEL SUDESTE—

Las montañas del norte separan la península más grande del sureste de Asia del resto del continente. Estas montañas se extienden lejos hacia el sur, creando tierras altas a su vez separadas por valles fluviales fértiles y densamente poblados. Los ríos del sureste de Asia, el Mekong, Menam, Salween e Irrawaddy, se encuentran entre los más largos del mundo.

EL CLIMA

En general, las regiones del sur y del sureste de Asia ambas tienen inviernos apacibles y veranos calurosos. Su característica climática principal son los **monzone**s. Estos vientos que soplan sobre la India y el sureste de Asia traen fuertes lluvias en el verano. Ya que hay temperaturas elevadas y abundantes lluvias en el sureste de Asia, una gran parte de la región está cubierta de selva tropical húmeda. La abundancia de lluvias de los monzones facilita el cultivo del arroz en la mayor parte de la región.

RECURSOS NATURALES

MINERALES
La India posee ricos yacimientos de muchos minerales necesarios en el mundo tecnológico de hoy. Su riqueza mineral, especialmente el hierro y el manganeso, proporcionan las materias primas necesarias para las industrias de hierro y de aluminio de la India.

ENERGIA
En la India y en la mayor parte de la región, no hay suficientes depósitos de petróleo y de gas para satisfacer los requisitos locales de energía. Indonesia tiene un poco de petróleo.

¿COMO LA GEOGRAFIA DEL SUR Y DEL SUDESTE DE ASIA INFLUYO EN SU HISTORIA Y EN SU CULTURA?

✓ Los Montes Himalaya sirvieron de barrera que separa el sur de Asia del resto del continente. Esto permitió que los habitantes de los dos lados de las montañas hayan desarrollado sus distintas lenguas, costumbres y culturas.

✓ Los monzones afectan la estructura de la vida en la región. Un ochenta por ciento de las precipitaciones ocurre durante la temporada de los monzones que son de beneficio ambiguo. Si los monzones traen demasiada lluvia, esto puede causar inundaciones, daños de la propiedad y muerte. Si la lluvia es escasa, perecen las cosechas y llegan los tiempos difíciles y el sufrimiento.

✓ La mayoría de la población está concentrada en los valles fluviales y en los llanos costeros a causa de su sus condiciones geográficas favorables.

✓ Las civilizaciones más antiguas se desarrollaron a lo largo de las tierras fértiles de los valles fluviales.

✓ Por su situación entre la India y China, el sureste de Asia ha sido profundamente influído por estos países vecinos.

✓ Ya que esta región tradicionalmente era una fuente rica de especias, té, arroz, aceite de palma y maderas tropicales, atraía a los conquistadores y a las naciones interesadas en colonizarla.

PRINCIPIOS FUNDAMENTALES PARA RECORDAR

GENERALIZACIONES FUNDAMENTALES
✳ La geografía es un factor importante en la formación de la historia y de la cultura de una región.

TERMINOS Y CONCEPTOS FUNDAMENTALES
Subcontinente Indio, monzones, río Ganges, Montes Himalaya, meseta de Decán.

SUCESOS HISTORICOS PRINCIPALES

—ASIA DEL SUR—

UN ANTIGUO CENTRO DE CIVILIZACION
El valle del río Indo era una de los centros más antiguos de la civilización, hace más de 5000 años.

UNA TIERRA DE INVASORES EXTRANJEROS
A pesar de la protección provista por los Montes Himalaya en el norte, las riquezas de la India atraían a una sucesión de invasores. De hecho, la historia de la India puede verse como una serie de conquistas extranjeras.

■ **LOS INVASORES ARIOS**. Acerca del año 1000 a. de C., los arios del este de Europa y de Asia central invadieron a la India. Surgió una nueva cultura que fundió la cultura aria con las existentes tradiciones indias. Las dos evoluciones notables de este tiempo eran la emergencia del hinduísmo y el principio del sistema de castas.

■ **LOS INVASORES PERSAS, GRIEGOS Y ASIATICOS (567 a. de C.-500)**. Mil años después de la invasión aria, la India fue invadida por los persas. En 326 a. de C., **Alejandro el Grande** llevó sus tropas a la India occidental. La presencia de los griegos era sólo pasajera, pero se establecieron vínculos importantes entre la India y el mundo del Mediterráneo. En los subsiguientes ochocientos años, la India estaba unificada bajo los imperios de los maurya y de los guptas. Esta era la época clásica de la civilización hindú, cuando florecieron las artes, las ciencias y la literatura. En este tiempo los indios eran los primeros en desarrollar el sistema decimal y

El Taj Mahal—un monumento muestra la influencia mughal en la arquitectura de la India

el concepto del cero. Sin embargo, en el año 500, la invasión de los hunos desde Asia causó la fragmentación de la India en muchos reinos pequeños.

■ **LOS INVASORES MUSULMANES (1200-1760).** Un nuevo grupo de invasores, los musulmanes, gradualmente estableció su dominio sobre la India. En los años 1550, la India quedó unida por un grupo de soberanos conocidos como los **mughales**, descendientes de los invasores mongoles. Bajo los mughales, otra vez florecieron la cultura, la erudición y las artes de la India. El **Taj Mahal**, un monumento famoso en todo el mundo por su belleza fue construido durante este tiempo. El dominio mughal duró trescientos años. Los últimos soberanos mughales no eran jefes capacitados, y para 1700 el emperador mughal perdió la mayor parte de su autoridad. La India volvió a dividirse en varios estados más pequeños, unos hindús y otros musulmanes.

LA INDIA BAJO LA DOMINACION BRITANICA (1760-1947)

Ya en los años 1500, los europeos mostraron interés en los comestibles y tejidos indios.

LA COMPAÑIA DE LAS INDIAS

A principios de los años 1700, la Compañía (británica) de las Indias estableció factorías (centros comerciales) en la India. De estas factorías, la compañía extendió su influencia y con el tiempo, logró en echar afuera a los franceses, su rival principal. La Compañía de las Indias usó la táctica de "**dividir y conquistar**" (usando la fuerza sólo contra unos pocos estados pequeños a la vez) para dominar los estados indios más pequeños.

LA REBELION CIPAYA

Los ingleses pudieron dominar a los indios porque estos estaban divididos y no ofrecieron resistencia unificada. Además, los ingleses tenían mejores armas y usaban soldados indios nativos, entrenados por ellos, conocidos como "cipayas". Cuando un motín de los cipayas estalló contra sus oficiales ingleses en 1857, el gobierno británico intervino, y tomó control oficial de la India. Como resultado, se abolió la Compañía de las Indias y la India se convirtió en una posesión de Gran Bretaña.

LOS CAMBIOS BAJO LA DOMINACION BRITANICA

Muchos aspectos de la vida en la India cambiaron durante dos siglos de dominación británica.

■ **EL GOBIERNO.** Los ingleses introdujeron un solo sistema de leyes y de gobierno para toda la India. Esto unificó el país y proporcionó empleo para los indios en el ejército y en el servicio civil británico.

■ **LA ECONOMIA.** Los ingleses desarrollaron un sistema moderno de transporte y de comunicaciones. Construyeron canales, carreteras, puentes, puertos, ferrocarriles, y establecieron el sistema de telégrafos. Sin embargo, las industrias caseras (productos manufacturados por los indios en su propia casa) del país quedaron destruidas por la competición con los productos fabricados británicos.

■ **LA SALUD.** Las nuevas medidas sanitarias redujeron las enfermedades mortales. Los ingleses construyeron hospitales, introdujeron medicinas nuevas y proporcionaron asistencia en la carestía. Desgraciadamente, los adelantos en la sanidad llevaron a un tremendo aumento de la población sin el correspondiente adelanto en oportunidades económicas.

■ **LA EDUCACION.** Los ingleses aumentaron las oportunidades de educación e introdujeron el inglés como una sola lengua que unificaba a todos los indios educados.

■ **LA SOCIEDAD.** Los indios eran tratados como inferiores a los residentes britanos. La cultura india se consideraba inferior a la europea. Los obreros indios proveían a los ingleses con mano de obra barata, trabajando largas horas en pésimas condiciones.

EL MOVIMIENTO POR LA INDEPENDENCIA DE LA INDIA (1900-1947)

Los cambios económicos y políticos introducidos por los ingleses unificaron a la India más que antes, alentando el sentimiento del **nacionalismo**. Para el fin del siglo XIX, muchos jefes nativos empezaron a aspirar a la independencia del dominio británico.

EL MOVIMIENTO NACIONALISTA INDIO

El **Congreso Nacionalista Indio** surgió como la organización principal dedicada a lograr la independencia de la India. **Mahatma Gandhi** llegó a ser el jefe de esta organización. Gandhi, dándose cuenta de que la India era militarmente demasiado débil para obtener su independencia a la fuerza, trató de resistir a los ingleses al usar un método pacífico para mostrarles la futilidad de negar la libertad a la India.

■ **LA RESISTENCIA PASIVA.** Gandhi formó la práctica de la resistencia pasiva, no violenta. Aconsejaba a los indios a sufrir tranquilamente las palizas y la violencia de los britanos. Gandhi se negaba a usar la fuerza contra los oficiales británicos. En cambio, sus partidarios ayunaban, boicoteaban los productos británicos y se negaban a trabajar para los britanos. Como resultado, se arrestaban números crecientes de indios.

■ **LA DESOBEDIENCIA CIVIL.** Gandhi alentaba a los indios a desobedecer las leyes británicas injustas. En 1930, Gandhi encabezó un grupo de sus partidarios en una pacífica **"marcha de la sal"** hacia el mar, para protestar el impuesto del gobierno británico sobre la sal. Esto sirvió para llamar la atención al uso por Gandhi de la desobediencia civil como protesta contra las leyes injustas.

■ **LAS INDUSTRIAS CASERAS.** Gandhi alentó a los indios a **boicotear** (rehusar la compra) los productos de algodón de fabricación británica, y comprar sólo los tejidos y otros productos de algodón producidos en la India. Gandhi esperaba que este paso reedificaría las industrias caseras del país.

LA INDIA Y LA SEGUNDA GUERRA MUNDIAL

La crisis india llegó a su cumbre en el momento de estallar la Segunda Guerra Mundial. Gandhi se negó a apoyar a Gran Bretaña en la guerra, pero muchos soldados indios lucharon del lado británico contra Alemania y el Japón. Después de los daños sufridos por el Imperio Británico en la Segunda Guerra Mundial, Gran Bretaña estaba demasiado débil para resistir las demandas de los indios. Después de la guerra, los ingleses accedieron a la independencia del subcontinente.

LA SEPARACION DE LA INDIA Y DE PAKISTAN (1947)

Las disputas religiosas y los motines entre los habitantes hindúes y musulmanes de la India, hicieron que los jefes del gobierno británico temiesen que la independencia acarrearía una sangrienta guerra civil. Los jefes musulmanes, encabezados por Mohamed Alí Jinnah, dijeron a Gran Bretaña que querían tener su propio estado musulmán. Por lo tanto, cuando le otorgaron la independencia a la India en 1947, los ingleses dividieron el país en dos naciones separadas: la India y Pakistán. La India se hizo una nación hindú mientras que Pakistán se formó como un país de población islámica. Millones de hindúes y musulmanes tenían que mudarse y miles de personas murieron en los motines en el tiempo de estas migraciones.

ASIA DEL SUR DESDE SU INDEPENDENCIA

LA INDIA
A pesar de problemas económicos, inquietudes étnicas y un grado de inestabilidad política, la India surgió como la principal entre las naciones neutrales ("no-alineadas") del mundo. La India está a la cabeza de un grupo de naciones que se niegan a tomar partido del Occidente o del mundo comunista. Las relaciones entre la India y Pakistán nunca fueron amistosas.

PAKISTAN
Cuando Pakistán fue formado en 1947, consistía en dos partes: una al oeste y la otra al este de la India, separadas por unas 1000 millas. Se hizo evidente la dificultad de tener dos partes de un país separadas por tal distancia. Surgieron diferencias entre la población de Punjab (o Pendjab) en el Pakistán Occidental y la población de Bengala en el Pakistán Oriental. En 1971, el Pakistán Oriental se separó del Pakistán Occidental y se constituyó en República de Bangladesh. Los gobernantes del Pakistán Occidental enviaron un ejército para aplastar el nuevo estado. Miles de personas quedaron muertas y la muerte por el hambre amenazaba a millones. Finalmente, la India intervino, enviando tropas al Pakistán Occidental para asegurar la independencia de Bangladesh.

BANGLADESH
Desde su independencia en 1971, Bangladesh sufrió a causa de las inundaciones y del exceso de población. Es el país de población más densa del mundo, con 120 millones de habitantes atestados en un territorio del tamaño del estado de Nueva York. Cada año, las nieves que se derriten en los Himalayas producen caudales de agua que inundan la mitad del país, y en los años malos, unas tres cuartas partes de las tierras están bajo agua. Estas inundaciones causan la destrucción de cosechas, pérdidas en la propiedad y muerte. A causa de las enfermedades (que se eliminaron en el Occidente) casi una tercera parte de los niños se muere antes de cumplir los cinco años. Sin embargo, con un ingreso medio anual de $160 por cabeza, la mayoría de la población es demasiado pobre para permitirse hasta el más fundamental cuidado de la salud. El gobierno carece de los fondos necesarios para proporcionar servicios médicos gratuitos y las donaciones de otros países proveen sólo un poco de asistencia.

—ASIA DEL SUDESTE—

HISTORIA ANTIGUA

Hace miles de años, los pueblos del Sureste de Asia establecieron reinos separados en los valles fluviales. Ya entonces, como en el presente, los estados principales eran Viet Nam, Camboya, Tailandia, Birmania y Laos. Estos reinos antiguos estaban bajo una fuerte influencia tanto de la cultura india como de la china. De la India tomaron su escritura y el budismo. En el sur, la Península Malaya y las islas de la presente Malaysia e Indonesia estaban bajo la influencia india e islámica. Los comerciantes árabes trajeron el islamismo a Indonesia, donde se esparció con rapidez.

LA COLONIZACION EUROPEA

Empezando con el siglo XVI, el Sureste de Asia vino gradualmente bajo el dominio europeo. Las especias de las islas de la región eran un gran atractivo para los europeos. España colonizó las Filipinas y Holanda colonizó a Indonesia hacia el fin del siglo XVI. En el siglo XIX, Gran Bretaña tomó a Birmania y la península Malaya, Francia se apoderó de Laos, Camboya y Viet Nam. Las Filipinas pasaron de España a Los Estados Unidos. Sólo Tailandia pudo mantener su independencia.

LA INDEPENDENCIA Y LA GUERRA

Tal como en la India y en Africa, a principios del siglo XX las ideas nacionalistas se esparcieron en el Sureste de Asia. Durante la Segunda Guerra Mundial, el Japón ocupó toda la región echando de allí a las potencias europeas. Después de la guerra, los jefes nacionalistas esperaban lograr la independencia completa. Gran Bretaña otorgó la independencia a Birmania y a Malasia en 1948. Los líderes de la Indonesia declararon la independencia en 1945, pero tenían que luchar contra las tropas holandesas hasta 1949, cuando finalmente Holanda reconoció la independencia de ese país.

VIET NAM

A lo contrario de Gran Bretaña, Francia trató de reestablecer su dominio sobre sus colonias en el Sureste de Asia. Los nacionalistas vietnameses, encabezados por el jefe comunista **Ho Chi-Minh**, guerrillearon contra los franceses. Después de su derrota en 1954, los franceses se retiraron.

■ **LA DIVISION DE VIET NAM**. En 1954 en una conferencia internacional en Ginebra (Suiza), Viet Nam quedó dividido en dos partes: (1) en el norte, un estado comunista, encabezado por Ho Chi-Minh; y (2) en el sur, un estado pro-Occidental que cayó bajo el control del caudillo, Ngo Dinh Diem.

■ **LA GUERRA DE VIET NAM**. Nunca llegaron a tener lugar las elecciones prometidas para una posible reunificación. Los comunistas vietnameses del norte comenzaron una guerrilla contra el gobierno del Viet Nam del Sur. En 1963, Diem fue asesinado. Al mismo tiempo, los Estados Unidos asumieron una creciente responsabilidad por el esfuerzo militar del Viet Nam del Sur. En 1964, se enviaron las primeras tropas norteamericanas a Viet Nam. Aunque los Estados Unidos aplicaron bombardeo extenso, tecnología avanzada y medio millón de tropas, nunca pudieron repeler a los comunistas vietnameses (**Viet Cong**). En 1973, las tropas norteamericanas se retiraron de Viet Nam según un acuerdo alcanzado en París. En 1975, el Viet Nam del Sur cayó ante las fuerzas comunistas y el país quedó reunificado bajo el dominio comunista.

El presidente Lyndon Johnson, en un viaje a Viet Nam en 1966, saluda a soldados norteamericanos.

CAMBOYA

La retirada de las fuerzas norteamericanas de Viet Nam también llevó a la caída del gobierno en la lindante Camboya. En 1975, el **Khmer Rouge** comunista se apoderó de Camboya, cambiando su nombre a Kampuchea. El Khmer Rouge usó métodos brutales para alcanzar sus propósitos. El **genocidio** (matanzas en gran escala) se llevó a cabo por **Pol Pot**, el nuevo jefe, contra todos a los que se sospechaba no ser partidarios de la causa comunista. Se calcula que el Khmer Rouge mató más de cuatro millones de camboyanos entre 1975 y 1978. En 1978, viet Nam invadió a Camboya y echó a Pol Pot del poder. Desde aquel tiempo, los partidarios de Pol Pot y los camboyanos no comunistas están guerrilleando contra el gobierno impuesto por los vietnameses en 1979. En 1989, Viet Nam retiró sus tropas de Camboya. El futuro de este país es incierto, y muchos temen que si Pol Pot llegase otra vez al poder, habrá más matanzas.

LAS FILIPINAS

Las Filipinas, una colonia de los Estados Unidos, se hizo independiente en 1946. **Fernando Marcos** fue elegido presidente en 1965, y gobernó el país hasta 1986. Marcos era un jefe corrupto que usó los fondos del país para enriquecerse a sí mismo y a sus amigos, mientras que los más de los filipinos vivían en la pobreza. En 1986, Marcos, en elecciones democráticas, fue derrotado por **Corazón Aquino**. El éxito de Aquino previno una guerra civil y se vio como una victoria importante para la democracia. Sin embargo, se encuentra ella frente a problemas importantes: pobreza extensa, creciente desempleo, una paz inquieta con los comunistas y el incierto apoyo del ejército. Hacia el fin de 1989, Aquino tenía que aplastar unas sublevaciones militares contra su gobierno.

PRINCIPIOS FUNDAMENTALES PARA RECORDAR

GENERALIZACIONES FUNDAMENTALES

✳ Los invasores a menudo traen nuevos productos, costumbres y tecnologías.
✳ La independencia frecuentemente está acompañada de inquietud, conflicto y trastorno.

TERMINOS Y CONCEPTOS FUNDAMENTALES

Mughales, Taj Mahal, Compañía de las Indias, "dividir y conquistar", Rebelión cipaya, industrias caseras, Congreso Nacional de la India, resistencia pasiva, marcha de la sal, Bangladesh, Guerra de Viet Nam, Viet Cong, Khmer Rouge, genocidio.

SISTEMAS PRINCIPALES

EL SISTEMA POLITICO

LA INDIA

La India mantuvo una forma democrática de gobierno desde su independencia en 1947. Con una población de casi 800 millones, es la nación democrática más grande del mundo. Para facilitar el trato de las diferencias locales, la India, igual que los Estados Unidos, divide el poder entre el gobierno federal y varios gobiernos estatales. El gobierno federal indio consiste en el parlamento, que promulga leyes, el primer ministro que las pone en práctica y la corte suprema que juzga dichas leyes.

PAKISTAN Y BANGLADESH

En 1971, con la ayuda de la India, el Pakistán Oriental se hizo independiente y cambió su nombre a Bangladesh. Por un tiempo después de la independencia de Bangladesh, Pakistán estaba bajo una dictadura militar. En el presente, tanto Pakistán como Bangladesh gozan de gobierno democrático.

EL SURESTE DE ASIA

En el Sureste de Asia existe una variedad de tipos de gobierno: (1) países democráticos, como Tailandia, Singapur y las Filipinas; (2) países comunistas, como Viet Nam, Laos y Camboya; y (3) dictaduras militares como Birmania. La mayoría de estos gobiernos padecen de inestabilidad política.

EL SISTEMA ECONOMICO

LA INDIA

En el presente, la India tiene una economía mixta, donde tanto las empresas privadas como el gobierno tienen un papel importante.

■ **LA INDUSTRIA**. La India proyectó planes quinquenales que establecen objetivos para varios sectores de su economía. A pesar de estos programas, la India sigue dependiente de la ayuda e inversiones extranjeras para su bienestar económico.

■ **LA AGRICULTURA**. Tres cuartas partes de la población de la India son agricultores y viven en pequeñas aldeas. La mayoría de ellos sigue haciendo el trabajo a mano o con la ayuda de algunos animales domésticos. En los años 1960 y los 1970, el gobierno trató de mejorar la producción agrícola al aplicar la ciencia y la tecnología moderna. Algunos campesinos triplicaron el rendimiento, creando lo que se llamó la **revolución verde**. Sin embargo, la revolución verde no se extendió porque la mayoría de los campesinos es simplemente demasiado pobre para hacer uso de las nuevas simientes, abonos y equipo.

ASIA DEL SUR Y DEL SURESTE

En estas regiones hay una variedad de sistemas ecnonómicos. En todas partes hay necesidad de adelantar la agricultura y de desarrollar la industria. A causa de serios problemas, el gobierno tiene una participación activa en la economía de los más de estos países. En los países comunistas como Viet Nam y en los países socialistas como Birmania, el gobierno controla la economía completamente. Sin embargo, en Tailandia, Malaysia y Singapur, las empresas privadas tienen un papel más importante.

EL SISTEMA SOCIAL

LA INDIA

En la India tradicional, la sociedad estaba organizada en clases sociales hereditarias, conocidas como castas. Bajo el **sistema de castas**, se cree que cada persona nace en esa clase social según su conducta en una vida previa. La pertenencia a una casta depende del nacimiento y dura la vida entera.

■ **LA ORGANIZACION DE LAS CASTAS.** Las castas están organizadas en cuatro grupos principales: los brahmines, que forman la élite sacerdotal; los guerreros y gobernantes; los campesinos y mercaderes; y los obreros y sirvientes. Dentro de estas agrupaciones principales hay miles de castas menores, cada una con su propia ocupación y ritos especiales. Por debajo de las castas están los **intocables** (parias), considerados tan inferiores como para estar fuera del sistema de castas. A los intocables se les daban las tareas que nadie más quería hacer. Ya que el sistema de castas estaba basado en la herencia, la movilidad social en la India tradicional estaba severamente limitada. La movilidad social es la capacidad de pasar de una clase social a otra.

■ **EL SISTEMA DE CASTAS EN EL PRESENTE.** Ahora, el gobierno trata de eliminar los prejuicios basados en la distinción de casta. Se prohibe la discriminación por casta y se proporciona programas especiales para los intocables. Estos atentados de terminar con la discriminación de castas son logrados sólo en parte.

ASIA DEL SUR Y DEL SURESTE

A través del subcontinente de la India y del Sureste de Asia, la mayoría de los habitantes vive en aldeas pequeñas.

■ **LA UNIDAD FAMILIAR.** En su mayoría las familias son extensas con varias generaciones que viven juntas o cerca una de la otra y generalmente el varón de más edad está a la cabeza. Las mujeres y los niños tienen pocos derechos, y los matrimonios se arreglan por la familia. Los muchos hijos sirven para ayudar en los trabajos de campo.

■ **CAMBIOS IMPORTANTES.** La mayoría de los habitantes de la región sigue la vida tradicional. Pero el desarrollo de las ciudades, los adelantos en la tecnología, la introducción de la radio y televisión y los programas gubernamentales dirigidos hacia la modernización económica van haciendo incursiones en la vida tradicional de aldea. El movimiento de la gente a las ciudades debilitó las prácticas tales como el sistema de castas. Cambian los modelos tradicionales de la vida tales como el papel limitado de la mujer.

EL SISTEMA RELIGIOSO

EL HINDUISMO

El hinduismo es una forma de vivir tan bien como religión. Ya que un 80% de la población de la India es hindú, las creencias fundamentales de su religión influyen en la vida de los más indios. Algunas de estas creencias principales son:

■ **LOS DIOSES**. Los hindús creen que el mundo tiene una unidad y que esta unidad se llama Brahmán. Brahmán es el Ser Supremo. Otros dioses importantes son Shiva y Vishnu, y hay muchos dioses menores. Todos los dioses y todas los seres vivos son sólo manifestaciones diferentes de la unidad del mundo.

■ **LA REENCARNACION**. El alma de una persona es inmortal. En la muerte, el alma sale del cuerpo para renacer en otro ser vivo. Todos los seres vivos existen en una escala de formas, de la más baja hasta la más alta. El alma lucha para lograr el estado final de la salvación, en el cual queda liberada del ciclo de vida y se une con Brahmán.

■ **EL KARMA Y EL DHARMA**. Karma se refiere a la conducta en la vida de una persona y determina qué forma tomará en su próxima vida. Dharma se refiere a las obligaciones de uno en la vida. Si una persona cumple con sus obligaciones, tendrá un karma positivo y obtendrá un nivel más alto en la vida siguiente. El sistema de castas se basa en estas creencias religiosas.

Los peregrinos bañándose en el río sagrado Ganges

■ **LOS OBJETOS SAGRADOS**. La vaca se considera como animal sagrado y por lo tanto, los hindús no comen su carne y muchos tampoco consumen carne de otros animales. También el río Ganges es sagrado y tiene el poder de borrar el pecado y la maldad. Cuando muere un hindú, su cadáver queda incinerado.

■ **LOS LIBROS SAGRADOS**. Los **Upanishads** y **Bhagavad-Gita** son dos libros sagrados del hinduismo y contienen los principios de la religión.

LOS SIKHS

La mayoría de los 15 millones de sikhs (o sijs) vive en Punjab, la región noroeste de la India. Creen en un solo Dios; no se dividen en castas pero creen en la reencarnación. No se cortan el pelo y los hombres generalmente llevan un turbante. Además, los sikhs no fuman ni toman alcohol.

OTRAS RELIGIONES

Hay tres otras religiones que se practican en esta región del mundo.

■ **EL ISLAM**. El islam es la religión principal de Pakistán, Bangladesh e Indonesia y también la fe de muchos malayos y algunos indios. Una descripción completa puede encontrarse en la sección de Sistemas Principales del capítulo sobre el Oriente Medio.

■ **EL BUDISMO**. El budismo se originó en la India. En el presente, es más común en China, el Japón y el Sureste de Asia. Una descripción completa del budismo se encuentra en la sección de Sistemas Principales en el capítulo sobre China.

■ **EL CRISTIANISMO**. Los misioneros europeos trajeron el cristianismo al Sureste de Asia. En el presente, hay grandes números de católicos en Malaysia e Indochina, y el catolicismo es la religión principal de las Filipinas. Una descripción completa del cristianismo se encuentra en la sección de Sistemas Principales del capítulo sobre el Oriente Medio.

PRINCIPIOS FUNDAMENTALES PARA RECORDAR

GENERALIZACIONES FUNDAMENTALES

✱ Urbanización, modernización e industrialización son factores importantes de cambios sociales.

✱ Los cambios tecnológicos a menudo traen tanto promesa como problemas a una región.

TERMINOS Y CONCEPTOS FUNDAMENTALES

Economía mixta, revolución verde, sistema de castas, movilidad social, intocables, familia extensa, hinduismo, Brahmán, reencarnación, Bhagavad-Gita, sikhs.

PERSONAJES PRINCIPALES

MAHATMA GANDHI (1869-1948)

Basándose en las antiguas enseñanzas hindús, Gandhi desarrolló el concepto de la **resistencia pasiva**. Aplicó este método pacífico para ayudar a la India a ganar su independencia de Gran Bretaña. Se lo considera el "padre" de la India moderna, aunque nunca ejerció un puesto de oficial público. Fue asesinado por un fanático hindú en 1948, que pensaba que Gandhi estaba demasiado amistoso con los musulmanes. Las ideas de resistencia pacífica de Gandhi fueron adaptadas en los Estados Unidos por Martin Luther King, Jr. durante el movimiento por los derechos civiles en los años 1960.

JAWAHARLAL NEHRU (1889-1964)

Nehru fue el primer premier de la India. Con éxito guió a su nación a través de los primeros años como estado. Sacudido por la extensa pobreza de la India, fue atraído al socialismo. Trató de introducir un grado de propiedad de estado en las industrias en la economía del país, y desarrolló sus primeros planes económicos quinquenales. En la política externa, Nehru adoptó la posición de **neutralismo** porque temía quedar intrincado en la lucha entre los Estados Unidos y la Unión Soviética.

MOHAMED ALI JINNAH (1876-1948)

Jinnah era un musulmán que temía que sus correligionarios siempre serían excedidos en números y vivirían como ciudadanos de segunda clase entre los hindús de la India independiente. Insistía en que la India fuese dividida en estados hindú y musulmán separados. En gran parte a causa de sus esfuerzos, en 1947, la India británica quedó dividida en dos países, la India y Pakistán. A Jinnah se lo considera ser el "padre" de Pakistán.

INDIRA GANDHI (1917-1984)

Indira Gandhi, la hija de Nehru, llegó a ser la premier de la India en 1966. Esto era un gran triunfo en un país donde las mujeres tradicionalmente tenían un papel inferior. Como primer ministro, tomó pasos para introducir rápidos cambios económicos y sociales. Fomentó métodos de limitación de la natalidad. Algunos aspectos de su política no eran populares y en 1977, a fuerza de votos, perdió el poder. Sin embargo, en 1981 volvió a su puesto anterior. Fue asesinada por los terroristas sikhs en 1984. Su hijo Rajiv Gandhi le siguió como el premier de la India.

BENAZIR BHUTTO (1953-PRESENTE)

El padre de Benazir Bhutto era preseidente de Pakistán desde 1971 hasta 1977, hasta que las fuerzas militares tomaron el poder en un golpe de estado. Después de la muerte de su padre, la hija asumió la jefatura de su partido. En 1988 el dictador militar de Pakistán murió en un accidente aéreo. En las elecciones nacionales en noviembre de 1988, Benazir Bhutto ganó el puesto de primer ministro de Pakistán, haciéndola la primera mujer a cargo del gobierno de un estado islámico moderno. No logró introducir legislación de importancia durante sus 20 meses de su ministerio. En agosto de 1990, fue apartada de su cargo a causa de alegaciones de corrupción.

FERNANDO MARCOS Y CORAZON AQUINO

Aunque Fernando Marcos era presidente elegido de las Filipinas, pronto se convirtió en dictador. Mientras que la mayoría de los filipinos vivía en la pobreza, Marcos convirtió los recursos de la nación en su caudal personal. En 1983, fue asesinado Benigno Aquino, un adversario político de Marcos. Esto hizo que su viuda, Corazón Aquino, tomase la jefatura de la oposición a Marcos. El apremio de los Estados Unidos obligó a Marcos a tener nuevas elecciones en 1986, en las cuales Aquino tuvo una rotunda victoria, haciéndola la primera mujer gobernante de las Filipinas. Al principio, Marcos se negó a aceptar la elección de Aquino, pero las manifestaciones de las masas y la presión de los Estados Unidos obligaron a Marcos a huir del país. El éxito de Aquino se ve como un triunfo para la democracia, sin embargo se encuentra ella frente a severos problemas; tiene que mejorar la economía, elevar el nivel de vida e introducir reformas significantes.

HO CHI-MINH (1890-1969)

Ho Chi-Minh era un importante jefe nacionalista y comunista vietnamés. Después de la Segunda Guerra Mundial declaró la independencia de Viet Nam. Francia se negó a reconocer su independencia y estalló la guerra que duró hasta 1954. Cuando los franceses salieron de Viet Nam, Ho organizó un estado comunista en el Viet Nam del Norte, pero el sur de Viet Nam se hizo un estado separado, no comunista. Ho comenzó a guerrillear contra Viet Nam del Sur. Se le oponían los E.E.U.U., que enviaban provisiones y tropas para apoyar a Viet Nam del Sur. El sueño de Ho se hizo realidad sólo después de su muerte, cuando los Estados Unidos se retiraron y Viet Nam se unió bajo un gobierno comunista.

PRINCIPIOS FUNDAMENTALES PARA RECORDAR

GENERALIZACIONES FUNDAMENTALES
* A menudo un individuo importante es capaz de unir una nación en su lucha por la independencia.
* Con frecuencia un jefe da dirección al desarrollo de su país.

TERMINOS Y CONCEPTOS FUNDAMENTALES
Resistencia pasiva, neutralismo (no-alíneo), golpe de estado.

CUESTIONES PRINCIPALES

EL AUMENTO DE LA POBLACION

Especialmente en la India, en Bangladesh y en Pakistán, la razón del aumento de la población está entre las más altas del mundo. La población de la India le sigue sólo a China. El constante crecimiento de la población puede explicarse con las mejoras en la sanidad, y con el hecho de que los padres tradicionalmente tienen grandes números de hijos para tener ayuda en las faenas de campo y para cuidarlos en la vejez.

EL PROBLEMA
El constante aumento de la población simplemente agota los aumentos en la producción de comestibles y los adelantos en la producción industrial, ganados a duras penas. El aumento de la población también lleva a un flujo continuo de migración de las aldeas a las ciudades de la India. La gente sale de sus aldeas en busca de empleo, creando barrios bajos miserables y atestamiento urbano.

LAS SOLUCIONES ATENTADAS
Los jefes de la India trataron de introducir métodos modernos de limitación de natalidad, pero esto no fue bien recibido por la gente. Los programas que promovían esterilización voluntaria se encontraron con extensa hostilidad. La gente ve esto como una amenaza a su cultura. En el presente, el gobierno ofrece beneficios a las familias que se limitan a sólo dos hijos.

EL DESARROLLO ECONOMICO

La eliminación de la pobreza y el fomento del desarrollo económico rural están en lo alto de las prioridades para el gobierno de la India. Entre estas también se encuentra el desarrollo de las industrias de tecnología avanzada, como la electrónica y las telecomunicaciones.

LOS PROBLEMAS

La India se encuentra frente a serios problemas:

■ **LA NECESIDAD DE INVERSIONES**. El progreso tecnológico a menudo requiere la importación del extranjero de maquinaria cara. La India carece de capital suficiente para las inversiones y tiene que depender de las inversiones y la ayuda del extranjero.

■ **LA INEFICACIA DEL GOBIERNO**. Las industrias bajo control del gobierno han sido criticadas como ineficaces. Entretanto, los impuestos sobre la industria privada son altos.

■ **LA DESFAVORABLE BALANZA DE COMERCIO**. La India importa más de lo que exporta, lo que resulta en una balanza de comercio desfavorable.

■ **EL AUMENTO DE LA POBLACION**. Todo adelanto en la producción queda agotado por las necesidades crecientes de la población en aumento.

■ **LA FUERZA TRABAJADORA SIN DESTREZAS**. Más de la mitad de la mano de obra en la India es analfabeta.

■ **LOS PROBLEMAS DEL MEDIO AMBIENTE**. El rápido desarrollo económico creó serios problemas ambientales. Por ejemplo, en 1984, en la ciudad de **Bhopal**, una fábrica de insecticidas de propiedad norteamericana, accidentalmente emitió substancias químicas tóxicas al aire, matando y lastimando a millares de personas.

LAS SOLUCIONES ATENTADAS

Aunque el desarrollo económico de la India quedó fomentado por un aumento en el capital de inversión, los problemas persisten. La India está tratando de desarrollar una fuerza de trabajo más adiestrada al extender sus facilidades de enseñanza. Para prevenir otro desastre al estilo de Bhopal, los oficiales del gobierno promulgaron leyes estrictas referentes a los resguardos en las industrias y la contaminación ambiental.

LA DIVERSIDAD DE CULTURAS

La India es un país caracterizado por la diversidad cultural. Las personas de religión u origen étnico diferente no tienen completa confianza entre sí. Además, el hecho de que hay 16 diferentes lenguas oficiales en la India intensifica estas diferencias.

LOS PROBLEMAS

Las antiguas diferencias religiosas y étnicas hacen que Asia del Sur siga siendo uno de los "centros de violencia" del mundo.

■ **LOS HINDUS Y LOS MUSULMANES**. Las diferencias religiosas entre los hindús y los musulmanes produjeron conflictos en la región. Millares de personas murieron durante las migraciones que acompañaron la separación de la India y Pakistán. La rivalidad entre estos dos grupos religiosos es fuente de fricciones desde 1947.

■ **LOS SIKHS**. En 1984, un grupo de extremistas sikhs, que querían formar una nación independiente, se apoderó del Templo de Oro, un lugar sagrado de los sikhs. Indira Gandhi, la premier, ordenó que el ejército indio tomara el templo y los extremistas quedaron derrotados. Los sikhs moderados se sintieron ultrajados. En 1984, dos sikhs asesinaron a Indira Gandhi, llevando a sangrientos motines contra los sikhs a través de todo el país. Para mitigar la situación el nuevo premier hizo concesiones a los sikhs, pero la tirantez persiste.

■ **LOS TAMILES EN SRI LANKA.** Sri Lanka (antes Ceylán) es un país situado en una isla grande al sureste de la India. Ultimamente fue la escena de violencia y derrame de sangre a causa de la tirantez entre la minoría de los tamiles y la mayoría de los cingaleses. Muchos tamiles quieren formar un estado aparte.

LAS CUESTIONES DE LA POLITICA EXTERIOR

LA INDIA Y PAKISTAN

Amargos sentimientos acompañaron la separación de la India y Pakistán en 1947. Después de la independencia, las rivalidades entre los hindús y los musulmanes se concentraron en las relaciones entre los dos países nuevos:

■ **LA DISPUTA SOBRE CACHEMIRA**. En el tiempo de la separación de la India y de Pakistán, el gobernante de Cachemira, la provincia más septentrional de la India, era hindú, aunque la mayoría de su población era musulmana. Cuando decidió hacer Cachemira parte de la India, esto le pareció injusto a Pakistán que envió tropas a la región. Las Naciones Unidas arreglaron una cesación de hostilidades en 1949 y prometieron elecciones locales, que nunca llegaron a tener lugar. La mayor parte de Cachemira se hizo parte de la India en 1957; el resto sigue en posesión de Pakistán. La India y Pakistán accedieron a esta división en 1972. La Cachemira india sigue al borde de revuelta y podría ser la causa de una futura guerra entre la India y Pakistán.

■ **BANGLADESH**. En 1971, la India ayudó al Pakistán Oriental a ganar su independencia del Pakistán Occidental. La nueva nación musulmana se constituyó en República de Bangladesh.

■ **LOS ARMAMENTOS NUCLEARES**. Pakistán expresó su creciente preocupación con el hecho de que la India posee armas atómicas.

LA INDIA Y EL NEUTRALISMO

Al obtener su independencia, la India estableció una política de neutralidad en sus relaciones con la Unión Soviética y los Estados Unidos. Esto quería decir que los jefes indios querían conservar su independencia en la política externa, sin tomar partes en la guerra fría. Siguen recibiendo ayuda tanto de los Estados Unidos como de la Unión Soviética.

LOS PROBLEMAS EN EL SURESTE DE ASIA

La mayor parte del Sureste de Asia estaba bajo control europeo hasta que estas naciones obtuvieron su independencia después de la Segunda Guerra Mundial.

LOS PROBLEMAS

Desde su independencia, algunos de los países del Sureste de Asia se encuentran frente a severos problemas:

■ **LA FALTA DE TRADICION DEMOCRATICA.** Cuando los europeos se retiraron de la región y vino la independencia, pocos países tenían tradiciones democráticas en que basarse. Esto permitió la emergencia de gobiernos militares y de un solo individuo.

■ **LA FALTA DE PERICIA Y DE TECNOLOGIA.** Pocos individuos tenían la pericia tecnológica o directoral necesaria para operar una economía moderna basada en la industria, no en la agricultura.

■ **LAS SUBLEVACIONES COMUNISTAS.** La extensa pobreza fomentó la expansión del comunismo. China, la Unión Soviética y los países comunistas cercanos, como Laos del Norte y el Viet Nam del Norte alentaban sublevaciones a través del Sureste de Asia. Esto llevó a más de cuarenta años de guerra en la Indochina desde el fin de la Segunda Guerra Mundial. Las luchas siguieron aún después de la retirada de los Estados Unidos de Viet Nam, cuando las tropas vietnamesas invadieron a Camboya para reemplazar una forma de dictadura comunista con otra. En 1989, los vietnameses finalmente salieron de Camboya, pero la incertidumbre continúa en la región.

■ **LOS EFECTOS DE LA GUERRA.** Los años de guerra en Viet Nam y en Camboya arruinaron estos países. Los caminos, los sistemas de comunicaciones y la economía están en escombros. Muchas personas escapan de estos países, algunas poniéndose en riesgo de muerte, al escapar por el mar. Los tan llamados "**refugiados de botes,**" llevan consigo mucha de la pericia y de los conocimientos necesarios para la reconstrucción de los países deshechos por la guerra.

LAS SOLUCIONES ATENTADAS

Aunque la región aún sufre de severos problemas, se hacen pruebas de elevar el nivel de vida fomentando las inversiones extranjeras, reconstruyendo el sistema de enseñanza y usando los recursos naturales locales. Sin embargo, el progreso es lento, y la recuperación económica tomará algún tiempo. Algunos sugirieron que los Estados Unidos debieran proporcionar ayuda económica a Viet Nam una vez que las relaciones entre los dos países lleguen finalmente a normalizarse.

PRINCIPIOS FUNDAMENTALES PARA RECORDAR

GENERALIZACIONES FUNDAMENTALES
✳ Las diferencias étnicas y religiosas de una sociedad a menudo causan conflictos.
✳ La independencia puede traer problemas políticos, económicos y sociales.

TERMINOS Y CONCEPTOS FUNDAMENTALES
Bhopal, diversidad cultural, disputa sobre Cachemira, "refugiados de botes".

RESUMEN DE TU COMPRENSION

Direcciones: ¿Entendiste bien lo leído sobre el Sur y el Sudeste de Asia? Comprueba tus resultados al responder a las siguientes preguntas:

TERMINOS Y CONCEPTOS FUNDAMENTALES

Completa las siguientes palabras y expresiones según las definiciones dadas.

M _ _ _ _ _ _ _ Vientos del mar que traen abundantes lluvias.

N _ _ _ _ _ _ _ _ _ _ Política externa de la India con respecto a las superpotencias.

C _ _ _ _ Clase social rígida y heredada.

I _ _ _ _ _ _ _ _ _ Los parias.

R _ _ _ _ _ _ _ _ _ _ _ _ Lo que sucede con el alma inmortal después de la muerte del individuo.

S _ _ _ _ Minoría religiosa concentrada en Punjab (la India).

D _ _ _ _ _ _ _ _ _ _ _ c _ _ _ _ Uno de los métodos de protesta usados por Gandhi contra los ingleses.

R _ _ _ _ _ _ _ _ _ v _ _ _ _ Uso de métodos adelantados en la agricultura.

H _ _ _ _ _ _ _ _ Religión cuyo río sagrado es el Ganges.

D _ _ _ _ _ _ y c _ _ _ _ _ _ _ _ _ Método usado por los ingleses para dominar el subcontinente de la India.

FACTORES GEOGRAFICOS

El desarrollo de una región a menudo está influido por factores geográficos y climáticos. Resume tu comprensión de esto al completar el cuadro que sigue.

FACTORES GEOGRAFICO-CLIMATICOS	EFECTOS EN EL DESARROLLO REGIONAL
MONZONES	_____
MONTES HIMALAYA	_____
VALLES FLUVIALES	_____
MESETA DE DECAN	_____
CLIMA	_____

PERSONAJES IMPORTANTES

Ciertos individuos influyen en la vida política, social y económica de su país. Imagínate que estás a cargo de preparar un certificado de reconocimiento a los individuos que contribuyeron a inducir cambios significantes en su país o región. Indica el nombre de cada uno de la lista dada y cómo se distinguieron.

Individuos

Mahatma Gandhi
Mohamed Alí Jinnah
Indira Gandhi
Ho Chi-Minh

Se Otorga Este Certificado

a _____

por haber _____

_____

PROBLEMAS Y CUESTIONES

El sur y el sudeste de Asia están frente a muchos problemas que a menudo tienen alcance mundial. Resume tu comprensión de estos problemas completando el cuadro dado.

PROBLEMA	SOLUCIONES POSIBLES
ALTA NATALIDAD	_____
ECONOMIA EN DESARROLLO	_____
GOBIERNOS INESTABLES	_____
ALZAMIENTOS COMUNISTAS	_____
DIFERENCIAS ETNICAS Y RELIGIOSAS	_____

COMPRUEBA TU COMPRENSION

Direcciones: Comprueba tu comprensión de esta unidad al responder a las siguientes preguntas. Haz un círculo alrededor del número que precede la palabra o expresión que responde correctamente a la pregunta o la declaración. Después de las preguntas de respuestas breves dirígete a los ensayos.

DESARROLLO DE DESTREZAS: INTERPRETACION DE UN MAPA

Basa tus respuestas a las preguntas 1 a 3 en el mapa que sigue y en tu conocimiento de estudios sociales.

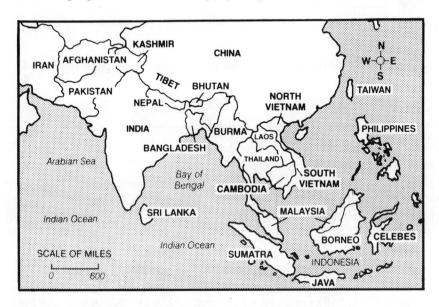

1 El mapa del Sur y del Sureste de Asia muestra sus

    1 características topográficas   3 los recursos naturales

    2 las ciudades importantes   4 las divisiones políticas

2 Este mapa muestra la región del Sur y Sureste de Asia en el período

    1 anterior a 1900   3 entre 1920 y 1945

    2 entre 1900 y 1919   4 entre 1954 y 1975

3 De acuerdo al mapa, ¿cuál es la aseveración más exacta?

    1 Bangladesh está al este de la India.

    2 Pakistán es parte del Sureste de Asia.

    3 Bangladesh es más grande que Pakistán.

    4 Viet Nam es parte del subcontinente Indio.

DESARROLLO DE DESTREZAS:
INTERPRETACION DE UNA GRAFICA LINEAL

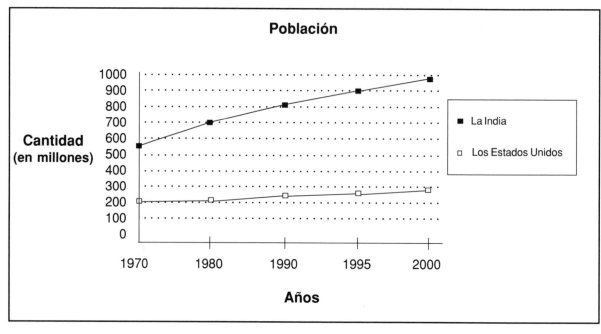

4 En 1995 la población de la India será aproximadamente de
    1 275 millones de habitantes
    2 570 millones de habitantes
    3 700 millones de habitantes
    4 900 millones de habitantes

5 ¿Cuál es la aseveración mejor apoyada por los datos de la gráfica?
    1 Para el año 2000, la India tendrá la población más grande del mundo.
    2 Desde 1970 hasta 2000 la población de la India se triplicará.
    3 Para el año 2000, la India tendrá un aumento de población más grande que los Estados Unidos.
    4 Para el año 2000, los Estados Unidos tendrán una población más grande que la India.

6 Los informes de la gráfica podrían usarse con más ventaja para argumentar que la India debiera
    1 extender sus programas de limitación de la natalidad
    2 mejorar su sistema de enseñanza
    3 aumentar el impuesto sobre ingresos personales
    4 disminuir sus gastos en las fuerzas armadas

7 ¿Qué expresión describe con más acierto las ideas de Mahatma Gandhi?
    1 dividir y conquistar   3 resistencia sin violencia
    2 imperialismo   4 colonialismo

8 Una característica importante del hinduismo es la creencia en
    1 la reencarnación   3 el monoteísmo
    2 el machismo   4 la neutralidad

9 El sistema de castas en la India se parece más al
        1 animismo   3 apartheid
        2 mercantilismo   4 machismo

10 El hecho de que la invención india del "cero" se usa a través del mundo proporciona un ejemplo de
        1 nacionalismo   3 machismo
        2 difusión cultural   4 ventaja comparativa

11 ¿Cuál es la política que probablemente seguirá una nación que trata de evitar tomar partido entre las superpotencias?
        1 dividir y conquistar   3 mercantilismo
        2 imperialismo   4 neutralismo

12 El concepto de la casta se basa en asumir que
        1 el dinero es la raíz de todo mal
        2 todas las personas se crearon iguales
        3 la clase social se basa en la conducta en la vida previa
        4 uno no debe comer carne

13 ¿Cuál de las siguientes aseveraciones es la más acertada con respecto a los monzones?
        1 Son montañas que separan a la India del resto de Asia.
        2 Son los vientos que traen mucha lluvia al Sur de Asia.
        3 Forman una meseta que ocupa la mayor parte de la Península India.
        4 Forman una extensión de tierra más pequeña que un continente.

14 ¿Cuál río está correctamente pareado con la región en la cual se encuentra?
        1 el río Nilo - la América Latina   3 el río Ganges - el sur de Asia
        2 el río Amazonas - Africa   4 el río Níger - el Oriente Medio

15 ¿Cuál religión está correctamente pareada con su libro sagrado?
        1 el cristianismo - la Tora   3 el hinduismo - la Biblia
        2 el islam - el Corán   4 el judaísmo - el Bhagavad-Gita

16 ¿Cuál aseveración sobre la India es la más acertada?
        1 Sri Lanka es su ciudad más grande.
        2 La India es el país democrático más grande del mundo.
        3 La mayoría de los indios vive en los centros urbanos principales.
        4 Los sikhs constituyen la casta más alta en la India.

17 ¿Cuál suceso tuvo lugar antes de la Segunda Guerra Mundial?
        1 Los ingleses tomaron control de la India.
        2 Corazón Aquino fue elegida presidente de las Filipinas.
        3 Los franceses fueron echados de Viet Nam.
        4 Mahatma Gandhi fue asesinado en la India.

18 La "revolución verde" concentró sus esfuerzos principalmente en
        1 ganar derechos civiles para los intocables
        2 aumentar la producción de comestibles
        3 proteger el medio ambiente
        4 reducir los armamentos atómicos

19 ¿Cuál es la mejor explicación para el crecimiento tan rápido de la población de la India?
  1 La India llegó a tener tremendas ganancias económicas.
  2 La cultura y las costumbres fomentan la idea de que es bueno tener familia grande.
  3 Los médicos en la India están mejor entrenados y educados.
  4 En la India son prohibidos los programas de limitación de la natalidad.

20 ¿Cuál titular de periódico está correctamente pareado con la persona vinculada al suceso?
  1 "Estados Unidos Otorgan Independencia Filipina" - Alí Jinnah
  2 "Franceses Derrotados en Viet Nam" - Ho Chi-Minh
  3 "India Dividida en Dos Estados" - Desmond Tutu
  4 "Ingleses Salen de India" - Corazón Aquino

21 ¿Cuál de los siguientes puede considerarse como fuente secundaria de informes sobre la guerra en Viet Nam?
  1 Un texto universitario sobre la guerra en Viet Nam
  2 Una foto de los soldados norteamericanos llegando a Viet Nam
  3 Mapas militares norteamericanos de la guerra en Viet Nam
  4 Las memorias (diario) de Ho Chi-Minh

22 El esquema que sigue representa con más acierto el concepto de

>->->-> Productos manufacturados ->->->->
MADRE PATRIA   COLONIA
<-<-<-<- Recursos naturales <-<-<-<-

  1 nacionalismo
  2 mercantilismo
  3 difusión cultural
  4 tribalismo

23 ¿Cuál conjunto de condiciones sería el más característico de una nación en desarrollo?
  1 altos ingresos por cabeza y baja natalidad
  2 gran uso de energía y bajo número de hospitales
  3 bajos ingresos por cabeza y alta mortalidad infantil
  4 poco uso de energía y altos ingresos por cabeza

24 En un esquema, uno de los siguientes es el tema principal, y los otros son secundarios. ¿Cuál es el tema principal?
  1 La religión hindú   3 Creencias del hinduismo
  2 La reencarnación   4 El Bhagavad-Gita

25 "La búsqueda de la verdad no admite que se aplique violencia contra el adversario, sino debe apartárselo del error con paciencia y compasión."

Las ideas expresadas en esta cita probablemente serían las de

  1 Ho Chi-Minh   3 Nelson Mandela
  2 Mahatma Gandhi   4 Yassir Arafat

ENSAYOS

1 Te acaban de elegir el premier de la India. La población del país va creciendo con más rapidez que la economía.

Parte A

Enumera *dos* problemas ante los cuales se encuentra tu nación como resultado de tan rápido aumento de la población.

1. _____

2. _____

Enumera *dos* recomendaciones tuyas para ayudar a resolver este problema.

1. _____

2. _____

Parte B

Basa tu respuesta a la Parte B en la respuesta en la Parte A.

En una hoja aparte, escribe un ensayo explicando cómo tus recomendaciones harían más lento el aumento de la población en tu país.

2 Las diferencias étnicas y religiosas dentro de un país pueden tener una influencia importante en la vida nacional de ese país.

Grupos étnicos y religiosos / País

Hindús y musulmanes / la India
Sikhs y musulmanes / la India
Arabes y judíos / Israel
Tamiles y cingaleses / Sri Lanka

Escoge *dos* grupos de la lista. Para cada uno escogido:

Describe las diferencias étnicas y/o religiosas entre los grupos.

Explica cómo estas diferencias étnicas y/o religiosas afectan el país mencionado.

3 Las personas sobresalientes de una nación a menudo tienen influencia importante en su pueblo y su país.

Jefes /Naciones

Mahatma Gandhi / La India
Anwar Sadat / Egipto
Corazón Aquino / Las Filipinas
Ayatollah Khomeini / Irán
Saddam Hussein / Iraq
Fidel Castro / Cuba
Nelson Mandela / Sudáfrica
Ho Chi-Minh / Viet Nam

Escoge a *tres* individuos de la lista dada.

1. _____

2. _____

3. _____

En el caso de *cada uno* discute una forma en la que ese individuo influyó notablemente en su nación.

CAPITULO 8

EL ORIENTE LEJANO/CHINA

EL AMBIENTE FISICO

DIMENSIONES Y SITUACION

China es el tercer país del mundo en cuanto a su dimensión: sólo la Unión Soviética y el Canadá son más grandes. Situada en **Asia del Este**, China tiene fronteras con la Unión Soviética al norte, este y oeste. Al este se encuentra el océano Pacífico.

CARACTERISTICAS FISICAS

El ambiente físico de China se compone de montañas, ríos, desiertos y mesetas. Estas características históricamente aislaron a China de sus vecinos.

MONTAÑAS PRINCIPALES
Las fronteras del sur y del oeste de China están bordeadas de las montañas más rugosas del mundo. Los **Montes Himalaya** (los más altos del mundo), los Tien Shan y los Kuen Lun históricamente protegían a China de los forasteros.

RIOS PRINCIPALES
Hay tres sistemas fluviales importantes en China. El Hohang Ho (o el río Amarillo) cruza el norte del país. El río Yang Tse (o Azul) recorre la región central. El Si Kiang (o río del Oeste) está en el sur de China. La civilización china surgió primero en los valles de estos ríos.

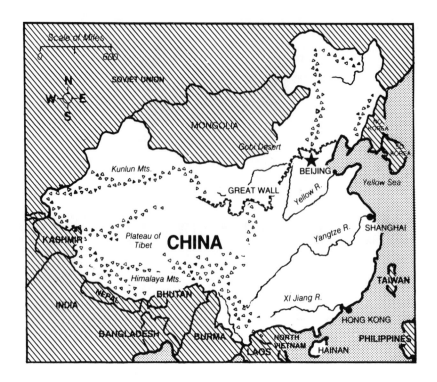

DESIERTOS PRINCIPALES

El **desierto de Gobi**, situado en el norte de China y en Mongolia, el país vecino, cubre casi medio millón de acres. En el oeste de China se encuentra el desierto Takla Makan.

MESETAS PRINCIPALES

La meseta de Tibet es un altiplano elevadísimo bordeado por montañas, situado en el sudoeste de China. La meseta de Mongolia se encuentra en el norte del país.

ISLAS

Taiwan, antes llamada Formosa, es una gran isla cerca de la costa oriental de China.

EL CLIMA

A causa de su gran extensión, China tiene una gran variedad de climas: desde el tropical en el suroeste hasta las regiones de inviernos fríos y veranos cálidos en el noreste. El sureste recibe lluvias abundantes de los monzones.

RECURSOS NATURALES

MINERALES

China tiene yacimientos de hulla, petróleo, hierro, uranio y otros recursos minerales. El extenso sistema fluvial provee energía hidroeléctrica para el desarrollo industrial.

AGRICULTURA

China es una nación agrícola, con la mayoría de la población empleada en el cultivo de la tierra. El arroz es la cosecha principal del país.

PESCA

Aparte de un excelente sistema fluvial, China tiene una larga litoral marina. Por consiguiente, los chinos dependen mucho de la pesca para ganarse la vida.

¿COMO LA GEOGRAFIA DE CHINA AFECTO SU HISTORIA Y SU CULTURA?

✓ A través de una gran parte de su historia, China estaba aislada de otras civilizaciones lo que le permitió desarrollar una cultura independiente. Este aislamiento también fomentó un cierto grado de etnocentrismo—la convicción de que China era superior a otros lugares y culturas.

✓ Las montañas, los desiertos y los mares dificultaron la invasión de China, permitiendo el desarrollo sin amenaza constante de invasión extranjera. Este factor, combinado con la falta de barreras interiores en el este de China facilitó la unificación del país.

✓ La abundancia de lluvias y el clima cálido del sureste fomentó el cultivo de arroz como cosecha principal. Esto permitió el rápido aumento de la población china.

✓ Los ríos de China proporcionaban agua de irrigación y servían de vías de transporte fluvial en el interior. Por consecuencia, la mayoría de la población del país vive en los valles fluviales, que se encuentran en el este y ocupan una tercera parte de China.

PRINCIPIOS FUNDAMENTALES PARA RECORDAR

GENERALIZACIONES FUNDAMENTALES

✱ Las civilizaciones más antiguas se desarrollaron a lo largo de los valles fluviales.

TERMINOS Y CONCEPTOS FUNDAMENTALES

Asia del Este, Montes Himalaya, desierto de Gobi, etnocentrismo

---

SUCESOS HISTORICOS PRINCIPALES

LA CIVILIZACION CHINA (3000 antes de C.-1912)

LAS ANTIGUAS CIVILIZACIONES CHINAS

Igual que en la India y en Egipto, las primeras civilizaciones de China tuvieron su origen en sus valles fluviales. Estos valles proporcionaban a la gente con un clima benigno, suelo fértil, protección contra los invasores y rutas de transporte a otras partes de la región.

LAS DINASTIAS IMPERIALES (2000 antes de C.-1912)

Desde cerca de 2000 a.de C. China estaba bajo el dominio de los todopoderosos emperadores en una serie de **dinastías** (sucesión de soberanos de la misma familia). La historia de China puede dividirse en épocas que coinciden con el dominio de estas diferentes dinastías. De estas, algunas de las principales eran:

■ **LA DINASTIA DE LOS HAN (207 a.de C.-220 d.de C.).** La dinastía de los Han señala una de las épocas más gloriosas de China. Los soberanos Han expandieron el territorio de China e introdujeron un sistema de exámenes para el servicio civil. Sin embargo, las guerras civiles por el control del imperio con el tiempo llevaron a su destrucción.

■ **LA DINASTIA DE LOS MONGOLES (YUAN) (1279-1368).** Bajo el soberano **Kublai Khan**, por primera vez China fue gobernada por un grupo de individuos que no eran chinos. Era en este tiempo que Marco Polo visitó a China, esimulando el interés de los europeos en este país.

■ **LA DINASTIA DE LOS MANCHU (1644-1912).** La última de las grandes familias dinásticas de China, los Manchú trataron de conservar la cultura china. Aunque veían a los extranjeros como "bárbaros", no pudieron prevenir que algunas naciones europeas ganasen intereses económicos y políticos en China.

LAS CONTRIBUCIONES DE LA CHINA IMPERIAL A LA CIVILIZACION DEL MUNDO

Durante casi toda su historia, China era la civilización más avanzada del mundo. Los chinos inventaron el papel, la brújula, la imprenta, la seda, la porcelana y la pólvora. Con el tiempo, estas invenciones se llevaron a Europa. Los chinos veían a otra gente como "bárbaros" menos civilizados. Los gobernantes chinos construyeron la **Gran Muralla** para separar su país del resto de Asia.

La Gran Muralla de China se construyó para aislarla del resto del mundo

CHINA Y EL IMPERIALISMO OCCIDENTAL

Las naciones occidentales mostraron interés en China porque su enorme población ofrecía un mercado para productos manufacturados y porque el país tenía materias primas y recursos naturales valiosos. China, aislada del mundo por demasiado tiempo, carecía la tecnología militar para poner frente al **imperialismo** (el dominio político y económico de un país) occidental.

■ **LA GUERRA DEL OPIO (1839-1842).** Gran Bretaña vendía opio a China para obtener fondos para comprar té chino. Cuando el gobierno chino trató de poner fin a esta práctica, los ingleses declararon guerra. China quedó derrotada y obligada a permitir la continuación de la venta del opio. Además, los ingleses establecieron varias esferas de influencia - regiones de China que cayeron bajo el control económico británico. Otras naciones europeas siguieron el ejemplo británico, exigiendo sus propias **esferas de influencia**. Por consiguiente, los soberanos Manchú se encontraron frente a grandes sublevaciones de sus sujetos, las que aplastaron de la forma más brutal.

■ **LA GUERRA SINO-JAPONESA (1894-1895).** El Japón entró en guerra con China, y la derrotó con facilidad. Como resultado, el Japón anexó una parte del territorio chino y creó su propia esfera de influencia.

■ **LA POLITICA DE LIBRE ACCESO.** En 1899, John Hay, el secretario de estado de los E.E.U.U., temiendo que su país que dara sin entrada en el lucrativo comercio con China, propuso que todas las naciones tuviesen iguales derechos en el comercio con ese país. Cuando la Rebelión de los Boxers comenzó unos pocos meses más tarde, Hay anunció que los Estados Unidos trataban de mantener a China como país independiente. Esta política previno el desmembramiento total de China por las potencias extranjeras, y sirvió para que China se mantuviese "abierta" al comercio con todas las naciones.

■ **LA REBELION DE LOS BOXERS (1899-1900).** Un grupo chino, llamado Boxers, se levantó en rebelión contra la influencia de las ideas occidentales y contra los forasteros en China. Una fuerza internacional de las potencias imperialistas y de los Estados Unidos derrotó a los Boxers.

■ **LA GUERRA RUSO-JAPONESA (1904-1905).** Esta guerra tuvo lugar entre Rusia y el Japón por la dominación de la provincia china de Manchuria. La victoria del Japón mostró al mundo lo débil e ineficaz que se ha vuelto China, que no pudo prevenir que las potencias extranjeras lucharan por el control de su territorio.

LA EPOCA NACIONALISTA (1911-1949)

EL ORIGEN DE LA REPUBLICA CHINA

Muchos chinos se organizaron contra las prácticas atrasadas del gobierno Manchú. Su jefe era el Dr. **Sun Yat-sen**, que quería crear una China moderna democrática. En 1911, estalló una sublevación que pronto se esparció a las ciudades principales de China. Al emperador, un niño de cinco años, se le obligó a abdicar (ceder) su poder, y China se constituyó en república a principios de 1912. Sun Yat-sen se encontraba en los Estados Unidos, pero volvió a China de prisa para ser su primer presidente. Su control del país no era completo, y después de sólo dos meses, renunció su cargo para prevenir una guerra civil. En 1916, Sun volvió al poder y formó un nuevo partido político, el **Kuo Ming Tang** o partido nacional. Sun nunca pudo obtener el control de toda la China porque en muchas partes del país era demasiado grande el poder de los jefes guerreros. Sun murió en 1925.

CHINA BAJO CHIANG KAI-CHEK

El sucesor de Sun, **Chiang Kai-Chek,** derrotó a los jefes guerreros y unió la mayor parte de China en 1926.

■ Chiang temía la creciente influencia del comunismo en China. En 1927, se volvió contra Mao Tse-Tung y los comunistas. Estos, temiendo la persecución por el gobierno de Chiang, movieron sus fuerzas al noroeste de China, a una distancia de 6000 millas, en lo que llegó a conocerse como la **marcha larga**.

■ En 1937, cuando el Japón invadió a China, las fuerzas nacionalistas y las comunistas hicieron tregua para librar a China de los odiados japoneses. Después de la derrota del Japón en la Segunda Guerra Mundial, resumieron las luchas entre los nacionalistas y los comunistas. Para 1949, los comunistas echaron a Chiang y a sus partidarios de la China continental. Taiwan, una isla cerca de la costa, se convirtió en la única plaza fuerte de Chiang. Esto creó "**dos Chinas**": la comunista de Mao en la China continental y la nacionalista de Chiang en la isla de Taiwan.

CHINA BAJO MAO TSE-TUNG (1949-1976)

Cuando Mao Tse-Tung tomó el control de China, todos los aspectos de la vida se pusieron bajo el control directo del partido comunista chino. Al principio, la **revolución comunista** recibió el apoyo de los campesinos porque se les prometió una reforma agraria.

LOS CAMBIOS BAJO MAO

En 1949, Mao empezó a poner en práctica su filosofía comunista.

■ La ideología comunista llegó a ser asignatura obligatoria en las escuelas y en las universidades. Se formaron grupos de debate político en las fábricas y en las aldeas. Se prohibieron reuniones sin el permiso de las autoridades.

■ A los que se oponían al comunismo se les obligaba a confesar sus antiguos "errores" y hacer declaración pública de su apoyo para el nuevo gobierno. Los adversarios del comunismo quedaban encarcelados o ejecutados.

■ La nueva política era que todo lo escrito o publicado en China tenía que fomentar el comunismo. Los periódicos y los libros se pusieron bajo el control del gobierno. Hasta el arte y la música vinieron bajo la supervisión directa del estado.

LOS CAMBIOS EN LAS TRADICIONES

Los cambios introducidos por Mao cambiaron dramáticamente la vida tradicional en China.

■ **LA FAMILIA.** Ya que se abolió la propiedad privada, el jefe de la familia ya no podía dejar su propiedad a sus hijos. La autoridad de la familia quedó reemplazada por la autoridad del partido comunista. Esto iba de acuerdo a la filosofía de Mao de poner el bien del grupo por encima del bien del individuo.

■ **EL CULTO DE LOS ANTEPASADOS**. Se prohibió el culto de los antepasados. Ya que este tenía que ver con ritos llevados a cabo por el jefe de la familia, esta proscripción también llegó a debilitar el papel tradicional del padre como cabeza de la familia.

EL CULTO DE MAO

Mao se volvió en personaje semidivino, parecido a los emperadores de la antigua China. Sus retratos y estatuas se exhibían prominentemente a través de toda China. Sus dichos se publicaron en el "**librito rojo**", titulado "Las Citas del Presidente Mao". Se esperaba que los miembros del partido comunista y los estudiantes se las aprendiesen de memoria.

LOS PLANES QUINQUENALES

Una vez establecido el régimen comunista, Mao pasó los siguientes 15 años en tratar de crear una sociedad y economía comunista. Una presentación detallada de los planes quinquenales se encuentra en la sección de Sistemas Principales de este capítulo.

LA REVOLUCION CULTURAL (1966-1969)

Para 1966, Mao empezó a preocuparse por la pérdida del entusiasmo con las ideas comunistas y el desarrollo de una nueva clase de burócratas del partido. Estos eran los expertos y profesionales que perdieron su fe en las ideas comunistas y miraban con desprecio a los campesinos y a los obreros. Mao decidió hacer un atentado más para empujar a China hacia la sociedad ideal de comunismo puro.

■ **LA GUARDIA ROJA.** En 1966, Mao cerró las universidades y las escuelas e invitó a once millones de jóvenes y estudiantes a reunirse en Pekín como "guardia roja". Esta gente joven creció bajo el comunismo, y Mao esperaba usarla para crear una sociedad comunista más justa.

■ **LA REVOLUCION SE EXPANDE.** La guardia roja fue a través de China, atacando a los escritores, científicos, médicos, profesores, directores de fábricas y oficiales del partido. A los que dudaban la ideología del partido se les humillaba en público y se los enviaba a hacer trabajo manual en los campos. Los adversarios de Mao dentro del partido eran apartados y castigados. Los "comités revolucionarios" se apoderaron de la administración de las fábricas, gobiernos municipales y servicios públicos.

■ **TERMINA LA REVOLUCION CULTURAL.** Con el tiempo, la sociedad china quedó tan desorganizada por estos sucesos que Mao tuvo que usar el ejército para controlar a la guardia roja. La revolución cultural llevó a la carestía de comestibles y otros productos en 1968. En 1969, Mao puso fin a la revolución cultural y mandó a la guardia roja al campo para ayudar en las faenas.

CHINA BAJO DENG XIAOPING (1976-PRESENTE)

Con la muerte de Mao, Deng Xiaoping surgió como el nuevo jefe de China. A pesar de que Deng era comunista, también era un hombre práctico y estaba inclinado a usar casi cualquier política, con tal de que rindiera buenos resultados para China. El propósito de Deng era de "modernizar" a China, y prometía que para el año 2000 esta sería un país moderno.

EL JUICIO DE LA BANDA DE CUATRO

Bajo la jefatura de Deng, China puso en juicio a la viuda de Mao y tres otras personas, conocidos como la "banda de cuatro". Se los culpó por todo el terror de la revolución cultural. Uno de los propósitos de los moderados, que estaban ahora en control del gobierno, era de mostrar que no todas las prácticas de Mao habían sido perfectas.

MAS LIBERTAD INDIVIDUAL Y DE PENSAMIENTO

Deng permitió más libertad de pensamiento, más críticas de los abusos del poder por los oficiales del partido y más contacto con el exterior del país. Se introdujeron variaciones en la ropa, en vez de los monótonos uniformes de China bajo Mao. Se enviaban estudiantes al extranjero. En 1980, se puso en efecto un nuevo código legal y una nueva constitución, otorgándoles a los chinos derechos adicionales y más libertad. Este aumento de libertad estaba vinculado a las reformas económicas de Deng. Sin embargo, el gobierno seguía arrestando a los críticos principales del comunimo y se negaba a cambiar el sistema.

LAS PROTESTAS EN LA PLAZA TIANANMEN

En 1989, en la plaza Tiananmen en Pekín, tuvo lugar una manifestación pacífica de los estudiantes universitarios, que demandaban más libertad individual y democracia en China. Con el tiempo, se trajeron soldados y tanques. Para despejar la plaza, los soldados chinos hicieron fuego contra los manifestantes pacíficos, matando a centenares. Los cabecillas de los estudiantes fueron arrestados y algunos quedaron ejecutados. Aunque se lo consideraba ser moderado, Deng mostró que puede ser despiadado cuando cree que corre riesgo el sistema comunista en China. Muchos creen que las medidas brutales de la plaza Tiananmen ponen en duda los alcances de las reformas anteriores de Deng.

PRINCIPIOS FUNDAMENTALES PARA RECORDAR

GENERALIZACIONES FUNDAMENTALES

✱ Las más antiguas civilizaciones de la humanidad generalmente se desarrollaron en los llanos fluviales.

✱ Los gobiernos a menudo promulgan reglas que fomentan los intereses de los individuos a cargo del poder.

✱ La naturaleza y la estructura del gobierno a menudo cambia a través del tiempo.

TERMINOS Y CONCEPTOS FUNDAMENTALES

Civilizaciones de valles fluviales, dinastía, imperialismo, Guerra del Opio, "dos Chinas", esfera de influencia, rebelión de los Boxers, política de libre acceso, Kuo Ming Tang, marcha larga, Taiwan, librito rojo, Revolución del 1949, guardia roja, revolución cultural, banda de cuatro, manifestaciones de la plaza Tiananmen.

SISTEMAS PRINCIPALES

EL SISTEMA POLITICO

En la segunda mitad de este siglo, China era gobernada por un solo jefe, el jefe del partido comunista; y por un solo conjunto de creencias, las del **comunismo**. Algunas de las ideas más importantes del comunismo son las siguientes:

LA LUCHA ENTRE CLASES EN LAS SOCIEDADES NO COMUNISTAS

Los comunistas creen que las sociedades no comunistas consisten de grupos económicos desiguales, conocidos como clases. Un grupo, los capitalistas o los propietarios, usa su control de la tierra y de los recursos para aprovecharse de los otros grupos, tales como los campesinos u obreros de fábricas.

LA DICTADURA DE LOS OBREROS

Se espera un sangriento conflicto. Los comunistas pronostican que un día los trabajadores se organizarán y derribarán a los ricos propietarios en una revolución violenta. Después de la revolución, los jefes comunistas establecerán una dictadura de obreros para educar a la gente en las ideas del comunismo.

EL NUEVO ESTADO COMUNISTA

Con el tiempo, surgirá una nueva sociedad, sin propiedad privada. Todos los recursos de la sociedad serán de propiedad común; todas las personas trabajarán para el bien de la sociedad, y todos recibirán beneficios iguales. Para más detalles sobre las ideas del comunismo, véase el capítulo sobre la Unión Soviética.

EL SISTEMA ECONOMICO

Ya que el comunismo es un sistema económico tanto como político, al tomar el control de China en 1949, los comunistas introdujeron cambios radicales en la vida económica y social de China.

LA ECONOMIA BAJO MAO

Mao, al encontrarse con los problemas de la población grande, limitadas tierras fértiles y una tecnología atrasada, introdujo los siguientes cambios:

■ **LOS PRIMEROS CAMBIOS (1949-1952).** Los terratenientes ricos perdieron el control de sus fincas. En las ciudades, los bancos, las industrias y los negocios se pusieron bajo el control del estado. Se interrumpió el comercio con Europa y los Estados Unidos porque Mao quería reestablecer la autosuficiencia china y acabar con décadas de intervención extranjera.

■ **EL PRIMER PLAN QUINQUENAL (1953-1958).** Mao compuso un plan para desarrollar en cinco años las industrias pesadas de China. Con la ayuda de de la Unión Soviética, los chinos construyeron fábricas, diques y caminos, y produjeron más acero y hormigón que nunca antes. El primer plan quinquenal era un gran éxito.

■ **LOS CAMBIOS EN LA AGRICULTURA.** En 1956, Mao obligó a los campesinos a formar cooperativas agrícolas en las cuales las familias compartían el trabajo y dividían entre sí las cosechas. Luego, muchas de las cooperativas se fundieron en **fincas colectivas**; y finalmente, estas fincas colectivas se combinaron en **comunas** grandes. Mao pensaba que esto permitiría el uso más eficaz de trabajo y de herramientas. Los campesinos de la comuna vivían y trabajaban juntos, comiendo en salas comedores grandes y colocando a sus niños en jardines de la infancia mantenidos y administrados por el estado.

■ **EL GRAN SALTO HACIA ADELANTE.** El propósito del segundo plan quinquenal de Mao (el gran salto hacia adelante) era de convertir a China en una potencia industrial. La gran población del país se usó para construir diques, puentes, caminos y fábricas. A la gente se le obligaba a trabajar largas horas con muy poca comida. A menudo se asignaba trabajo contra la voluntad de las personas. El gran salto hacia adelante, que algunos llamaron el "gran salto hacia atrás", era un desastre económico, que llevó a una severa crisis económica y política en China. Había varias razones para su fracaso:

1. **Falta del apoyo de los campesinos.** Los campesinos estaban resentidos de haber perdido sus tierras y tenían poco motivo para trabajar más duro. La vida de la familia era difícil en las comunas. Además, a los obreros y a los labradores no les sentaban bien las largas horas de trabajo y no estaban satisfechos con sus raciones de comida.

2. **Mala planificación**. Los objetivos de la producción industrial eran demasiado altos y mal planeados. Las fábricas producían artículos incorrectos y a veces los enviaban a lugares no debidos.

3. **Suspensión del apoyo soviético**. En el medio del segundo plan quinquenal, la Unión Soviética retiró toda su ayuda a causa de una disputa entre los jefes soviéticos y los chinos.

LA ECONOMIA BAJO DEN XIAOPING

Deng se encontró frente a muchos problemas económicos. China carecía de capital de inversión y trabajadores con pericia, como ingenieros. China también padecía de una tecnología atrasada. Estos problemas se componen por el problema chino más persistente - una población en aumento. A menos que la razón de ese aumento llega a disminuirse, la población va a sobrepasar todo adelanto económico. Desde 1978, Deng alentó la empresa privada e iniciativa individual en un atentado de aumentar la productividad en China.

■ **LA REFORMA AGRARIA.** A las familias campesinas se les permitió arrendar tierras comunales. Esto dio a los campesinos el motivo para trabajar con más ahinco y resultó en gran rendimiento agrícola. Los ingresos de los campesinos llegaron a más del doble en los diez años desde la introducción de este sistema.

■ **LOS ARTICULOS DE CONSUMO.** China comenzó a producir más artículos para el consumidor, especialmente radios y televisores. En turno, estos medios de comunicación produjeron más cambios. Bajo Mao, la gente tenía poco surtido de productos de consumo. En el presente, pueden hacer su propia selección de estos.

■ **EL CAPITALISMO LIMITADO.** China va adoptando muchas de las características de la empresa libre o sistema capitalista. A los individuos ambiciosos se les permite ser dueños de sus propios negocios pequeños, tales como barberías y restaurantes. Al dueño hasta se le permite contratar un número limitado de empleados.

■ **LA PLANIFICACION CENTRAL.** El control de las fábricas quedó apartado de los planificadores centrales y otorgado a los directores locales. A estos gerentes se les permitió decidir cuánto debe producirse. Ahora parte de los ingresos va al gobierno y el resto de la producción puede venderse con lucro a los compradores privados.

■ **LOS BONOS PARA LOS TRABAJADORES.** Los directores de las fábricas pueden usar los lucros para ofrecer bonos a los trabajadores más productivos. Estos bonos proveen el estímulo para que los empleados trabajen con más energía.

■ **EL COMERCIO**. Deng amplió el comercio con los países extranjeros, terminando con el aislamiento económico de China. También permitió un cierto grado de inversiones extranjeras en China. Se establecieron **zonas económicas especiales** donde a las compañías extranjeras se les permite construir sus fábricas. Además, Deng envió a miles de estudiantes chinos a estudiar en el extranjero. De esta manera, China espera ponerse al tanto de la tecnología moderna.

Las reformas económicas de Deng fueron muy logradas, pero sus alcances pueden estar en peligro. Después de las brutales medidas en la plaza Tiananmen, los países occidentales limitaron sus préstamos a China, y el gobierno del país mandó la reducción general de pagos de muchos trabajadores.

EL SISTEMA RELIGIOSO

En China, las filosofías religiosas se concentraban en cómo conducir la vida de uno en la sociedad, más bien que en la naturaleza de Dios. Tanto el confucianismo como el taoismo y el budismo tuvieron un papel importante en el desarrollo de la civilización china.

EL CONFUCIANISMO

El confucianismo, al que se le llamó así por el nombre de su fundador **Confucio** (551-479 a.J.C.), tenía una influencia duradera en la cultura China.

■ **LAS IDEAS FUNDAMENTALES.** Las ideas centrales del confucianismo son las siguientes:

1. Hay un orden natural en el universo y en las relaciones humanas. Cada persona tiene un papel en la sociedad y en la familia, lo cual acarrea ciertas obligaciones. Si cada persona cumple con sus obligaciones, la sociedad estará en armonía y cada individuo estará contento y en paz.

2. El gobernante debe regir para el bien del pueblo, proporcionándole suficiente comida y protección. A su vez, la gente debe obedecer a su soberano.

3. El gobernante debe escoger a las personas más capaces de entre todas las clases sociales para que sirvan como sus oficiales. La educación es esencial para en entrenamiento de los oficiales del gobierno, para que puedan gobernar para el bien del pueblo.

■ **LA INFLUENCIA DEL CONFUCIANISMO EN CHINA.** Por miles de años, el confucianismo era el credo oficial del imperio chino. Los oficiales del gobierno tenían que pasar una prueba exigente, basada en las ideas de Confucio, para ser puestos al servicio del emperador. El confucianismo también fortaleció la importancia de la familia en la vida china, poniendo énfasis en las obligaciones y en seguir una forma civilizada de vida.

■ **MENCIO Y EL MANDATO DEL CIELO.** Mencio (Meng Tse) era un seguidor y nieto de Confucio, que amplió las ideas de su maestro. Enseñaba que el emperador rige con el mandato del cielo, o sea el favor y el apoyo de los cielos. Si el emperador gobierna injustamente, perderá el **mandato del cielo**, y el pueblo tiene el derecho de rebelarse.

EL TAOISMO

Los taoístas creen que la naturaleza tiene un "orden" en su manera de moverse, y que la gente debe aceptar pasivamente el orden de la naturaleza, más bien que resistirlo. Los taoístas tienen un profundo respeto por la naturaleza y aceptan las cosas como son, en vez de tratar de cambiarlas.

EL BUDISMO

El budismo se basa en la filosofía de abnegación y meditación; no tiene un Bien Supremo (Dios), libros sagrados ni oraciones especiales como la mayoría de las religiones importantes del mundo. El budismo se introdujo en China de la India, donde se originó como una rama del hinduísmo.

■ **LOS ORIGENES.** Gotama Siddharta (567-487 a.J.C.), su fundador, también conocido como **Buda**, vino a darse cuenta de que la vida no sólo estaba llena de felicidad y placer, sino que contenía mucho dolor y sufrimiento. Renunciando sus riquezas y alta posición social, emprendió la búsqueda del verdadero significado de la vida.

■ **LAS CREENCIAS FUNDAMENTALES.** Las creencias fundamentales y la ideología se copilaron en libros llamados **sutras**. Las creencias del budismo consisten en:

1. **Las cuatro Nobles Verdades.** El sentido de la vida se contiene en las cuatro Nobles Verdades. La vida está llena de dolor y de sufrimiento, causados por el deseo del hombre de una vida mejor y más materialista. Al poner fin a estos deseos, uno puede terminar con su pena y sufrimiento. El modo de acabar con los deseos humanos se encuentra al seguir el sendero óctuplo (de ocho partes).

2. **El Sendero Octuple.** Las personas deben renunciar las cosas materiales, comportarse de una manera digna, decir la verdad, vivir una vida recta, respetar todos los seres vivientes y aprender a meditar.

3. **El Nirvana.** Sólo al seguir el sendero óctuplo puede el individuo esperar lograr la paz completa, y escapar el ciclo infinito de la reencarnación. Buda creía que al seguir este camino, el individuo podría con el tiempo llegar a un estado de perfección o bienaventuranza, conocido como **nirvana**.

EL COMUNISMO Y LA RELIGION

El comunismo desprecia las creencias religiosas, considerándolas meras supersticiones y los comunistas tratan de reprimir las prácticas religiosas. En 1966, Mao Tse-Tung lanzó la revolución cultural, y como resultado, se destruyeron muchos lugares sagrados, templos y estatuas. En el presente, sin embargo, el gobierno chino es más tolerante con respecto a la religión. La religión sigue floreciendo en China a pesar de los esfuerzos comunistas de destruirla.

EL SISTEMA SOCIAL

LA CHINA TRADICIONAL

En el pasado, la mayoría de los habitantes del país eran campesinos que vivían en aldeas, cultivando pequeñas porciones de tierra. Vivían en **familias extensas**, las cuales eran el centro de la vida tradicional.

La familia en China tendía a ser un **patriarcado**—el varón de más edad era el jefe de la familia y hacía todas las decisiones pertinentes. El matrimonio era arreglado por las familias. La mujer no tenía derechos y tenía que obedecer a su esposo y a la familia de él.

LA CHINA COMUNISTA

Cuando los comunistas tomaron el control de China, introdujeron muchos cambios revolucionarios. Su ideología estaba en oposición a la de la China tradicional. Entre los cambios introducidos se encuentran los siguientes:

■ A menudo se mató a los ricos terratenientes y propietarios de fábricas. Se quitaron las tierras a los latifundistas; al principio, estas tierras se entregaron a los campesinos, pero luego se volvieron en propiedad del estado.

■ Los negociantes adinerados de las ciudades perdieron sus empresas, que fueron reemplazadas por empresas de propiedad estatal.

■ Ahora el individuo trabajaba para el beneficio de la sociedad y del estado, más bien que para el bien de su familia. A la gente se le enseñaba a poner los intereses del estado en primer lugar, y a dar informes sobre los que eran desleales al partido comunista.

■ Se redujo la influencia de la familia, al perder sus jefes los poderes tradicionales. A las mujeres, se les otorgó derechos iguales a los de otros miembros de la familia; a los niños, se les enseñaba a obedecer al estado, y no a su familia o a los mayores.

■ Se construyeron nuevos centros médicos, de recreación y de enseñanza. El partido comunista estableció nuevas organizaciones entre los jóvenes y los adultos para esparcir su ideología. Toda la enseñanza, periódicos, artes y literatura se dedicaron a la diseminación de las ideas comunistas.

LA CHINA DEL PRESENTE

En el presente, se permite más libertad de pensamiento e intercambio de ideas que en los años anteriores a los 1980. El gobierno va alentando más libertad de empresa individual y debates sobre la política del gobierno. Sin embargo, los sucesos como las represalias contra las manifestaciones estudiantiles en la plaza Tiananmen ponen en duda el grado de reforma social y política.

PRINCIPIOS FUNDAMENTALES PARA RECORDAR

GENERALIZACIONES FUNDAMENTALES

✳ El sistema político y/o económico de una nación debe responder a las necesidades de la sociedad si espera regir con éxito.

✳ Algunas creencias son tan fuertes que influyen en la vida entera de una sociedad.

TERMINOS Y CONCEPTOS FUNDAMENTALES

Comunismo, clases, capitalista, sistema de comunidades, gran salto hacia adelante, colectivización, confucianismo, mandato del cielo, taoísmo, budismo, nirvana.

PERSONAJES PRINCIPALES

CONFUCIO (551-479 a.J.C.)

Confucio era el más famoso maestro, filósofo y teorizante político de China. Las ideas de Confucio influyeron directamente en China y en gran parte de Asia Oriental por más de 2000 años. Sirvieron como la base de erudición, como fuente de tradiciones morales y como código de conducta. Confucio ponía énfasis en la familia, la obediencia, la conducta apropiada y el respeto por el pasado de uno.

SUN YAT-SEN (1866-1925)

Sun Yat-sen se dedicó a derribar el gobierno Manchú y a establecer una democracia en China. Tenía la visión de una república china en la cual los gobernantes serían elegidos por el pueblo. Para llegar a esto, fundó el **Kuo Ming Tang**. La filosofía de Sun Yat Sen inspiró la revolución de China, dándole dirección. Sus objetivos para China se resumen en sus **tres principios**: nacionalismo, democracia y mejor vida para el pueblo. Estos objetos sirvieron de chispa para la Revolución China. A Sun se lo considera el "padre de la China moderna".

Sun Yat-Sen quería convertir a China en una democracia moderna

CHIANG KAI-CHEK (1887-1975)

En 1926, Chang Kai-Chek se puso a la cabeza de China. Consolidó su control aplastando a todos los que se le oponían, luchando contra los poderosos jefes guerreros y haciendo campaña contra los comunistas. Hacia el fin de la Segunda Guerra Mundial, su gobierno quedó desafiado por las fuerzas comunistas de Mao Tse-Tung. En 1949, después de una amarga lucha contra los comunistas, quedó desplazado a la isla de Taiwan.

MAO TSE-TUNG (1893-1976)

En 1949, las fuerzas de Mao derrotaron las de Chiang Kai-Chek, y se instauró la República Popular China comunista. Como jefe de China por más de 25 años, de 1949-1975, Mao introdujo muchos cambios revolucionarios para alcanzar más productividad, fábricas modernas de gran escala y una forma comunitaria en la agricultura. Por medio de la jefatura de Mao, China se convirtió en el país comunista de población más grande del mundo.

DENG XIAO-PING (1904-PRESENTE)

Deng Xiao-Ping surgió como el individuo que reemplazó a Mao Tse-Tung como el jefe de China. Deng introdujo cambios dramáticos en la economía, en el gobierno y en la sociedad del país. Apartó a China de la rígida planificación central para convertirla en una nación moderna del siglo XX, de capitalismo limitado. Deng está menos dedicado al comunismo estricto, y más interesado en modernizar el país; sin embargo, está inclinado a usar la fuerza cuando la jefatura comunista está amenazada por grupos externos, tales como los estudiantes de la plaza Tiananmen.

PRINCIPIOS FUNDAMENTALES PARA RECORDAR

GENERALIZACIONES FUNDAMENTALES
✻ Los jefes pueden cambiar la dirección política, económica o social de una nación.

TERMINOS Y CONCEPTOS FUNDAMENTALES
Kuo Ming Tang, los tres principios de Sun Yat-sen.

CUESTIONES PRINCIPALES

LAS RELACIONES ENTRE CHINA Y LOS ESTADOS UNIDOS

—LOS AÑOS DE HOSTILIDAD (1949-1973)—

Los años que siguieron al apoderamiento de China por los comunistas se notaban por la hostilidad y desconfianza entre la China comunista y los Estados Unidos.

LA REVOLUCION COMUNISTA (1949)
Los Estados Unidos proporcionaron fondos y abastecimiento al Kuo Ming Tang, mientras que la Unión Soviética ayudaba a los comunistas. La derrota del Kuo Ming Tang era por lo tanto una derrota para la política externa de los Estados Unidos en China.

LOS ESTADOS UNIDOS SE NIEGAN A RECONOCER A LA "CHINA ROJA"
Los jefes y los ejércitos escaparon de la China continental a la isla de Taiwan. El gobierno de los Estados Unidos se negó a extender reconocimiento diplomático a los gobernantes de la China continental hasta 1973. Hasta entonces, los Estados Unidos aceptaban el gobierno nacionalista de Taiwan como el gobierno oficial de China.

CHINA Y LAS NACIONES UNIDAS
Los Estados Unidos usaron su posición en el Consejo de Seguridad de la O.N.U. para prevenir que el gobierno de la China continental representara a China en la Asamblea General de la O.N.U. o en el Consejo de Seguridad. El gobierno chino en Taiwan seguía como el representante oficial de China en la O.N.U.

LA GUERRA DE COREA
En 1950, la Corea del Norte comunista invadió a Corea del Sur. Los Estados Unidos intervinieron, y empujaron a los coreanos comunistas a Corea del Norte. China apoyaba a Corea del Norte con soldados y materiales. Las tropas chinas y norteamericanas se encontraron en guerra. En 1953, un compromiso puso fin a la guerra, dejando a las dos Coreas divididas exactamente tal como estaban antes. Las relaciones hostiles entre Corea del Norte y del Sur existen desde ese tiempo.

—RELAJACION DE TENSION (1973-PRESENTE)—

A principios de los años 1970 hubo una mudanza en las relaciones entre China y los Estados Unidos. Era un tiempo caracterizado por un nuevo espíritu de **relajación de tensión** ("detente"), un atentado de parte de las naciones adversarias a mitigar la tirantez y la desconfianza, reemplazando la hostilidad con un espíritu de cooperación y de negociaciones.

LA DIVISION SINO-SOVIETICA

En los años 1960, los jefes chinos y soviéticos se volvieron progresivamente hostiles. La jefatura china se oponía a algunos cambios políticos que ocurrían en la Unión Soviética. También había desacuerdos entre los dos países acerca del control de terrenos a lo largo de su frontera común. Pero lo más importante era que los dos países tenían su propia clase de comunismo y se encontraban en competición por el primer puesto en el mundo comunista. La división sino-soviética ("sino" significa chino) de los años 1960 abrió el camino a la "detente" entre los Estados Unidos y China en los años 1970.

LA CHINA COMUNISTA ASENTADA EN LA O.N.U.

En 1971, los Estados Unidos cambiaron su política de negarse a reconocer oficialmente a la China comunista. El presidente Nixon accedió a retirar las objeciones de los Estados Unidos a que el gobierno comunista representara a China en las Naciones Unidas. En un voto de la asamblea general de la O.N.U., Taiwan perdió su puesto.

NIXON VISITA A CHINA

En 1972, el presidente Nixon visitó a China, poniendo fin al largo período de hostilidades entre los dos países. Hubo un acuerdo de ensanchar el comercio y los contactos culturales. En 1973, se abrió la misión norteamericana en Pekín, y la china en Washington, D.C..

EL RECONOCIMIENTO DE LA CHINA COMUNISTA POR LOS E.E.U.U.

En 1979, los Estados Unidos otorgaron a China reconocimiento diplomático completo y se abrieron embajadas en ambos países. Después de la invasión soviética de Afganistán en 1979, el gobierno de los E.E.U.U. autorizó a las compañías norteamericanas a vender a China algún equipo militar.

TAIWAN EN EL PRESENTE

Taiwan sigue siendo un punto delicado entre los Estados Unidos y la China comunista. Los jefes chinos comunistas están aún empeñados en ganar el control de Taiwan, mientras que los norteamericanos están comprometidos a defender la independencia del gobierno chino nacionalista de la isla.

LAS MANIFESTACIONES DE LA PLAZA TIANANMEN

En 1989, en Pekín estallaron las manifestaciones por obtener más sufragio en el gobierno chino. Las manifestaciones quedaron brutalmente aplastadas por el gobierno, lo que llevó a fuertes protestas por los Estados Unidos y un enfriamiento de las relaciones entre las dos potencias. Algunos norteamericanos exigieron que el gobierno de su país tomara pasos aún más decisivos.

EL AUMENTO DE LA POBLACION

China tiene la población más grande del mundo. Con más de un billón de habitantes, casi una de cada cuatro personas en el mundo es china. Si la población de China sigue aumentando a la razón presente, para el año 2005 el país tendrá un billón y medio de habitantes.

EL PROBLEMA

Ese tremendo desarrollo de la población hace imposible que China produzca suficientes cosechas para alimentar a su pueblo o para mejorar el nivel de vida. Todo adelanto en la productividad agrícola o industrial simplemente se usaría para alimentar a las personas adicionales.

LAS SOLUCIONES ATENTADAS

Para limitar el aumento de la población, la jefatura china adoptó la **política de un solo hijo**. Cada familia debe limitarse a tener *solamente* un hijo. Los jefes comunistas locales tratan de persuadir a la gente de las ciudades y del campo de la importancia de la política de un solo hijo. A las parejas que tienen solamente un hijo se les ofrece cuidado médico gratuito y bonos en efectivo. Se les da preferencia en obtener empleo y viviendas provistas por el gobierno. Sin embargo, hay mucha resistencia a esta política. Las familias campesinas tradicionalmente contaban con tener muchos hijos para las faenas del campo. Además, los chinos también esperan que los hijos varones perpetúen el nombre de la familia, y esto no sucedería si tuviesen una hija. El gobierno modificó su mandato al permitir dos hijos si nace primero una niña.

PRINCIPIOS FUNDAMENTALES PARA RECORDAR

GENERALIZACIONES FUNDAMENTALES

✽ La política interna de un país puede determinar su política externa.

✽ Una población en rápido aumento hace difícil el progreso porque los habitantes adicionales usan una gran cantidad de recursos para subsistir.

TERMINOS Y CONCEPTOS FUNDAMENTALES

La guerra de Corea, "detente", política de un solo hijo.

RESUMEN DE TU COMPRENSION

Direcciones: ¿Entendiste bien lo que has leído sobre China? Comprueba tu comprensión al contestar a las siguientes preguntas.

DEFINICIONES Y CONCEPTOS

Completa las palabras y expresiones según las definiciones dadas:

D _ _ _ _ _ _ _ _ Familias de soberanos que siguen unos a otros.

L _ _ _ _ a _ _ _ _ _ Política que abrió a China al comercio con el Occidente.

B _ _ _ _ _ Se rebelaron contra las influencias occidentales.

K _ _ - M _ _ _ - T _ _ _ Partido nacionalista de Chiang Kai-Chek.

T _ _ _ _ _ _ _ _ Plaza en la que hubo manifestaciones estudiantiles en 1989.

C _ _ _ _ _ _ _ _ Sistema político-económico acarreado por la Revolución de 1949.

C _ _ _ _ _ _ _ _ _ _ _ Religión que se originó en China y que tuvo gran influencia en la cultura del país.

G _ _ _ _ _ _ _ r _ _ _ _ Los "soldados" de la revolución cultural.

B _ _ _ _ _ _ Religión establecida por Gotama Siddharta.

D _ _ _ _ _ _ c _ _ _ _ _ _ _ Resulta en el intercambio de costumbres, productos, conocimientos, etc.

FACTORES GEOGRAFICOS

El desarrollo de una región a menudo depende en alto grado de los factores geográficos y climáticos. Resume tu comprensión de esta idea al completar el cuadro dado.

FACTORES GEOGRAFICO-CLIMATICOS	EFECTOS EN CHINA
MONTAÑAS Y DESIERTOS	_____
RIOS	_____
PROXIMIDAD A LOS MARES	_____
FALTA DE TIERRAS FERTILES EN EL OESTE	_____

PERSONAJES IMPORTANTES

Un individuo a menudo influye en la vida política, social y económica de su país. Imagínate que estás a cargo de completar un certificado de reconocimiento para los individuos en la lista que sigue. Indica el nombre de cada uno y cómo se distinguió en su campo de acción.

Individuos

Confucio
Sun Yat-sen
Chiang Kai-Chek
Mao Tse-Tung
Deng Xiaoping

Se Otorga Este Certificado

a _____

por haber _____

_____

CUESTIONES Y PROBLEMAS ANTE CHINA

1. China está pasando por cambios rápidos. Al tratar de definir cómo debe funcionar una sociedad, se pone en duda el compromiso de China con el comunismo. Para resumir tu comprensión de este asunto, en una hoja aparte:

- Describe la economía tradicional de China.
- Describe el sistema económico de China bajo el régimen comunista. No te olvides de incluir la descripción de la ideología fundamental del comunismo.
- Debate los cambios económicos introducidos por Deng Xiaoping.

2. Las relaciones entre los Estados Unidos y China han pasado por varias etapas en los últimos cincuenta años. Resume tu comprensión de estas relaciones dando una breve descripción histórica de lo siguiente:

- Las relaciones entre los E.E.U.U. y China en los tiempos anteriores a la toma del gobierno por los comunistas en 1949
- La relaciones entre los E.E.U.U. y China durante el gobierno de Mao (1949-1972)
- Las relaciones entre los E.E.U.U. y China después de Mao (desde 1972)

COMPRUEBA TU COMPRENSION

Direcciones: comprueba tu comprensión de esta unidad al contestar a las preguntas que siguen. Haz un círculo alrededor del número que precede la palabra o expresión que responde correctamente a la pregunta o declaración. Luego dirígete a los ensayos.

DESARROLLO DE DESTREZAS: INTERPRETACION DE UN MAPA

Basa tus respuestas a las preguntas 1 a 3 en el mapa dado y en tus conocimientos de los estudios sociales.

1 ¿Cuál es la capital nacional de China?
    1 Kashi   3 Shanghai
    2 Macao   4 Pekín

2 ¿Cuál es la distancia de Hong Kong a Shanghai?
    1 200 millas   3 600 millas
    2 400 millas   4 800 millas

3 ¿Cuál de las ciudades te ofrecería una ventaja geográfica si estuvieras exportando productos a las Filipinas?
    1 Lanzhou   3 Lhassa
    2 Shanghai   4 Hong Kong

DESARROLLO DE DESTREZAS:
ANALISIS DE UNA CARICATURA POLITICA

Basa tus respuestas a las preguntas 4 a 6 en la caricatura que sigue y en tu conocimiento de estudios sociales.

4 ¿Cuál aseveración resume la idea principal de la caricatura?

    1 Los jefes chinos perdieron interés en la modernización.

    2 Hay muchos obstáculos en el camino de la modernización de China.

    3 El problema principal de China es la falta de artículos de consumo.

    4 China no puede modernizarse sin la ayuda del Occidente.

5 Según los informes de la caricatura, ¿qué sucederá probablemente en China?

    1 China progresará rápidamente.

    2 China tendrá gran dificultad con la modernización.

    3 Los jefes chinos alentarán el aumento de la población.

    4 Pronto, China será un exportador principal de artículos de consumo.

6 ¿Qué medio sería el más eficaz en mejorar la situación mostrada en la caricatura?

    1 Inversiones y apoyo tecnológico occidental en China.

    2 La vuelta a una economía planificada con más rigidez.

    3 Un aumento en el desarrollo de la población de China.

    4 El compromiso militar chino en Asia del Sureste.

---

7 El hecho de que la comida china es tan popular en los Estados Unidos es un ejemplo de

    1 nacionalismo   3 mercantilismo

    2 difusión cultural   4 ventaja comparativa

8 Una creencia importante del comunismo es

    1 la libertad de religión   3 cambios sociales pacíficos

    2 la posesión estatal de la propiedad   4 el motivo del lucro

9 ¿Cuál agrupación de ideas es la más típica del comunismo?

    1 revolución violenta, abolición de propiedad privada y sociedad sin clases

    2 propiedad privada, sistema de lucro y libertad de religión

    3 cambio social pacífico, comunas y libertad de prensa

    4 clases sociales, sistema de mercado libre y control de la prensa

10 Una creencia importante del budismo es que

    1 hay un solo Dios

    2 uno debe desear la armonía con la naturaleza

    3 el sufrimiento es causado por el deseo

    4 uno debe honrar y respetar a los otros

11 Una creencia importante del taoísmo es que

    1 hay un solo Dios

    2 uno debe desear armonía con la naturaleza

    3 el sufrimiento es causado por el deseo

    4 uno debe honrar y respetar a otros

12 El confucianismo se preocupa principalmente con

    1 el conocimiento de Dios

    2 la búsqueda de paz y de armonía con la naturaleza

    3 el sufrimiento causado por el deseo

    4 respetar y honrar a otros

13 ¿Cuál término describe de la mejor forma las relaciones de China con el mundo desde 1700 hasta 1850?

    1 aislacionista   3 militarista

    2 imperialista   4 expansionista

14 Un resultado importante de la política de libre acceso era que

    1 aumentó la inmigración china a los Estados Unidos

    2 se previno el desmembramiento de China

    3 el Japón invadió a Manchuria

    4 se estableció la dinastía Manchú

15 ¿Cuál de las formas geográficas está correctamente pareada con su situación?

    1 el desierto del Sahara/China

    2 el desierto Gobi/el Oriente Medio

    3 el río Amazonas/la América Latina

    4 el río Nilo/la India

16 ¿Cuál aseveración acerca de la geografía de China es la más acertada?

    1 Sus fronteras le permitieron desarrollar una cultura independiente.

    2 La civilización china se desarrolló primero en Manchuria.

    3 Las mejores tierras de cultivo se encuentran en el oeste de China.

    4 Los recursos abundantes hicieron de China un gigante industrial.

17 La rebelión de los Boxers en China y la rebelión cipaya en la India se parecían porque ambos
    1 mostraban oposición al imperialismo europeo
    2 tenían que ver con ataques contra el Japón
    3 eran alzamientos contra los jefes guerreros chinos
    4 tenían que ver con conflictos de fronteras con la India

18 Un kibutz israelí y una comuna china se parecen en que los dos son
    1 bases militares usadas para proteger una colonia fronteriza
    2 comunidades colectivas agrícolas donde se comparte el trabajo
    3 fábricas de propiedad privada operadas para producir ingresos
    4 escuelas religiosas donde se enseña la ideología comunista

19 Un economista, interesado en China, con más probabilidad examinaría
    1 la estructura del gobierno del período dinástico
    2 la administración de la política de un solo hijo en China
    3 las ceremonias religiosas de los monjes budistas
    4 el valor de su importación y exportación

20 ¿Cuál suceso tuvo lugar durante el gobierno de Mao Tse-Tung?
    1 la rebelión de los Boxers   3 la Guerra del Opio
    2 la revolución cultural   4 la Primera Guerra Mundial

21 ¿Cuál fue un propósito importante para Deng Xiaoping?
    1 modernizar e industrializar la economía china
    2 hacer de China una nación democrática
    3 extender las comunas agrícolas
    4 limitar el trato y el comercio con otras naciones

22 En un esquema, uno de los siguientes es el tema principal y los otros tres son secundarios. ¿Cuál es el tema principal?
    1 La revuelta contra la dinastía de los Manchú tiene éxito
    2 El experimento chino con la república
    3 El papel de Sun Yat-sen
    4 La emergencia de Chiang Kai-Chek

23 ¿Qué titulares de periódico podrían haber aparecido durante la revolución cultural en China?
    1 "Guardia Roja Ataca a Escritores y Hombres de Ciencia"
    2 "Chiang Kai-Chek Huye a Taiwan"
    3 "Adoptado el Primer Plan Quinquenal"
    4 "E.E.U.U. Comienzan Intercambio Cultural con China"

24 ¿En qué orden ocurriría una revolución comunista lograda?
    1 revolución violenta --> posesión estatal de propiedades --> una sociedad sin clases
    2 diferencias religiosas --> reforma --> independencia económica
    3 trastorno social --> discusión --> compromiso
    4 colonias --> importación de recursos naturales -->exportación de productos fabricados

25 "El poder político viene del cañón de un arma."
   La idea expresada en esta cita con más probabilidad representa la ideología de
   1 Confucio   3 Mahatma Gandhi
   2 Mao Tse-Tung   4 Sun Yat-sen

1 Las ideas comunistas influyeron en la vida política, económica y social de China.

Parte A

Enumera *dos* creencias de los comunistas de China.

1. _____

2. _____

Parte B

Basa tu respuesta a la Parte B en la respuesta a la Parte A.

En una hoja aparte, escribe un ensayo explicando cómo las ideas del comunismo influyeron en la vida política, económica y social de China.

2 Las ideas de los jefes nacionales a menudo determinan los cambios que ocurren en la sociedad en la que viven.

Jefes nacionales

Anwar Sadat
Mao Tse-Tung
Deng Xiaoping
Mahatma Gandhi
Ho Chi Minh

Escoge a *dos* jefes nacionales de la lista. En el caso de cada uno:

■ Describe una creencia política principal de ese jefe.

■ Discute un cambio que ese jefe introdujo en su sociedad.

CAPITULO 9

EL ORIENTE LEJANO/EL JAPON

EL AMBIENTE FISICO

DIMENSIONES Y SITUACION

El Japón es un **archipiélago**, o grupo de islas. Las cuatro principales se llaman Honshu, Hokkaido, Kiushiu y Shikoku. El Japón se extiende por 1500 millas desde la punta septentrional de Hokkaido hasta la punta meridional de Kiushiu. El archipiélago se encuentra al este de la masa continental de Asia. El Japón está separado de Corea y de la Unión Soviética por el mar del Japón, y al este tiene el océano Pacífico.

CARACTERISTICAS FISICAS

MONTAÑAS

Cerca de un 85% de la superficie del Japón son montañas, apreciadas por su belleza. Ya que las montañas hacen que muchos terrenos no se presten a la agricultura, la mayoría de los japoneses vive en los planos costeros.

VOLCANES Y TERREMOTOS

Cada año, el Japón está frente a desastres naturales. Tiene muchos volcanes activos, y los terremotos no son raros. Por ejemplo, se espera que Tokio tendrá un terremoto grande dentro de unas décadas.

RIOS

Los ríos principales del Japón son cortos y no muy navegables. Sin embargo, su abundancia proporciona copiosa agua para la irrigación y también para la energía hidroeléctrica (generada por la corriente de agua).

LINEA DEL LITORAL

El Japón tiene una costa larga con muchos puertos naturales excelentes. Por consiguiente, algunos japoneses dependen de la pesca para ganarse la vida y el pescado es una parte importante de la dieta japonesa.

EL CLIMA

La mayor parte del Japón tiene veranos cálidos e inviernos frescos parecidos a los del noreste de los Estados Unidos. Los monzones, que traen abundantes lluvias a la parte central y al sur del Japón, facilitan el cultivo del arroz, el ingrediente más importante en la dieta japonesa.

RECURSOS NATURALES

MINERALES

Ya que el Japón carece de muchos minerales necesarios en la industria moderna, para obtener materias primas en alto grado depende del trato con otros países.

ENERGIA
El Japón tiene un poco de hulla pero esta, en su mayor parte, es de calidad inferior. Casi no hay petróleo en el Japón, lo que obliga a a los japoneses a depender mucho de su importación.

OTROS RECURSOS
Los recursos principales disponibles en el Japón son el pescado y la madera. Sin embargo, su recurso más importante es el pueblo diligente.

¿COMO LA GEOGRAFIA DEL JAPON AFECTO SU HISTORIA Y SU CULTURA?

✓ A través de su historia, el Japón era aislado y protegido del exterior por el mar. Esto permitió que el Japón haya desarrollado independencia política, cultura y una identidad propia sin igual.

✓ Las fronteras seguras del Japón y la proximidad de sus islas a la masa continental de Asia, les permitieron a los japoneses a observar y escoger lo que tomaban de otras culturas sin ser dominados por ellas.

✓ Los japoneses están en alto grado bajo la influencia de la belleza de su ambiente natural. El respeto por la naturaleza formó la base de sus creencias religiosas más antiguas, como se ve en el sintoísmo.

✓ Aunque el Japón es reducido en superficie, tiene una población relativamente grande; tiene una superficie de la dimensión de California, pero cinco veces más habitantes. Esta densidad de población llevó a una intimidad social y a la capacidad de los japoneses a vivir y a trabajar en grupos.

✓ El Japón carece de muchos recursos naturales. Este hecho obligó al país a importar los materiales necesarios y a exportar productos manufacturados.

✓ Después de la industrialización del país, la falta de recursos naturales hizo que el Japón los buscara en otras naciones, sea por trato o por conquista.

PRINCIPIOS FUNDAMENTALES PARA RECORDAR

GENERALIZACIONES FUNDAMENTALES
✽ Las barreras geográficas pueden llevar al aislamiento político de una nación.
✽ El aislamiento geográfico puede fomentar un sentido de unidad cultural.

TERMINOS Y CONCEPTOS FUNDAMENTALES
Archipiélago, monzones.

SUCESOS HISTORICOS PRINCIPALES

LA HISTORIA ANTIGUA DEL JAPON (660 a.J.C.-1185 d.J.C.)

Son escasos los informes acerca de la historia antigua del Japón. Se cree que los primeros habitantes de las islas emigraron de otras partes de Asia - probablemente del sur de China, Corea y varias islas del sur del océano Pacífico.

LA EPOCA IMPERIAL

En el Japón antiguo, la sociedad se basaba en los clanes. Un **clan** era un grupo de familias que rendía culto a los mismos antepasados, tenía un mismo dios y también un adalid o jefe común. Con el tiempo, llegó a dominar un solo clan, encabezado por un emperador. El emperador decía ser el descendiente directo de la diosa del sol. Este clan estableció el tipo de gobierno que iba a regir sobre el Japón por siglos enteros.

LA INFLUENCIA DE CHINA SOBRE EL JAPON

La situación del Japón tan cerca de China llevó a una extensa **difusión cultural**. El budismo y el confucianismo, la escritura ideográfica, el calendario, el té y la seda todos quedaron importados al Japón desde China.

LA EPOCA FEUDAL (1185-1600)

Durante ese tiempo se desarrolló el feudalismo (un sistema político, económico y social). Su característica principal era que los poderes del gobierno eran dominados por los terratenientes (conocidos como daimyos).

■ **EL SHOGUNADO.** Las luchas constantes entre los jefes guerreros llevaron al declive del poder del emperador. Con el tiempo, una familia llegó a ser la más poderosa y estableció a su jefe como el **shogún** (general o gobernador militar) del Japón. El shogún permitió al emperador a quedarse en la ciudad capital, pero lo despojó de casi todo su poder. En los mil años subsiguientes, los shogun regían el Japón con el apoyo de los daimio.

■ **LOS DAIMIO Y LOS SAMURAI.** Para proporcionar protección militar para sus tierras, los terratenientes reclutaban a guerreros conocidos como samurai. Cada samurai hacía un juramento de lealtad al emperador y a su daimio (señor), y prometía seguir un estricto código de honor llamado **bushido**. A su vez, el daimyo proporcionaba al samurai con prestigio social y apoyo económico. Los daimio también ofrecían protección a los campesinos a cambio de trabajo en sus tierras.

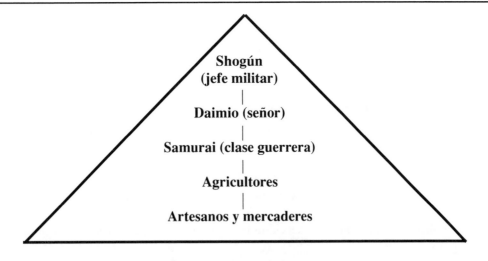

Shogún
(jefe militar)
|
Daimio (señor)
|
Samurai (clase guerrera)
|
Agricultores
|
Artesanos y mercaderes

LA ABERTURA DEL JAPON (1854)

Los japoneses tenían antiguas experiencias con los mercaderes y los misioneros europeos en los siglos XVI y XVII. Temiendo las influencias extranjeras, los japoneses se apartaron del comercio con Europa en 1639, volviéndose casi totalmente aislados. Se les prohibía viajar a otros países, y se prohibía la entrada de los forasteros en el Japón. Para los años 1850, cuando los europeos comenzaron a extender su influencia a través del sureste de Asia, el Japón era una nación apartada de la tecnología occidental y del progreso económico, haciéndolo vulnerable a los objetivos de las potencias occidentales.

LOS ESTADOS UNIDOS ABREN EL JAPON

En 1853, el gobierno de los E.E.U.U. envió al Japón una escuadra naval bajo el mando del comodoro **Matthew Perry**. Su misión era motivada en primer lugar por el mal trato de los marineros norteamericanos naufragados en el Japón. Además de un mejor trato para sus marineros, los Estados Unidos trataron de desarrollar nuevos mercados y de establecer un puerto donde los barcos norteamericanos, rumbo a China, pudieran hacer escala para obtener provisiones.

LA REACCION DEL JAPON

Temiendo el poder militar de los Estados Unidos, el Japón se vio obligado a abrir sus puertas al comercio y la influencia norteamericana. Dentro de unos pocos años, los ingleses, los rusos y los

La escuadra naval del Comodoro Perry desembarca en el Japón en 1853

holandeses también llegaron a semejantes tratados favorables. La abertura de los puertos japoneses en 1854 tuvo un profundo efecto en el desarrollo del Japón—poniendo fin a más de 200 años de aislamiento e introduciendo las influencias occidentales.

LA RESTAURACION DE MEIJI (1868-1912)

Los samurai y los daimio atacaron al shogún por haber abierto el país al occidente. Como resultado, el shogunado se vino abajo. El emperador, que por más de mil años era un mero monigote, de repente quedó "restaurado" al poder. El Emperador Meiji, el nuevo soberano, estaba convencido de que el Japón tendría que adoptar un sistema de vida occidental si quería evitar la dominación por las potencias occidentales, como sucedió en China. Bajo la dirección de Meiji, el Japón fue el primer país no-occidental que con éxito imitó y adaptó las costumbres occidentales. Se instituyeron muchos cambios:

■ Se abolió el feudalismo y la servidumbre. Los samurai perdieron su extraordinario prestigio social.

■ Se fomentó el desarrollo de la industria, basado en la tecnología occidental; se construyeron ferrocariles y fábricas.

■ Se enviaron estudiantes al extranjero para estudiar las prácticas económicas, la política y las innovaciones tecnológicas occidentales.

■ Se introdujo la enseñanza obligatoria para todos.

■ Se creó un ejército y una marina al estilo occidental.

■ El Japón recibió una constitución escrita, aunque el emperador retuvo poder completo.

EL JAPON COMO POTENCIA MUNDIAL (1894-1941)

La industrialización del Japón a fines del siglo XIX era notablemente lograda. A principio del siglo XX, el Japón se lanzó en una serie de aventuras imperialistas para obtener materias primas y mercados para sus nuevas industrias. Estas guerras transformaron al Japón de una nación aislada y atrasada en una potencia mundial importante.

LA GUERRA SINO-JAPONESA (1894-1895)
La guerra entre China y el Japón estalló por razones de control sobre Corea. El Japón derrotó a China, alertando al mundo de la nueva fuerza militar del Japón.

LA GUERRA RUSO-JAPONESA (1904-1905)
El Japón vio como amenaza las actividades rusas en el Lejano Oriente. Para limitar la influencia rusa, el Japón entró en guerra con Rusia. La victoria de los japoneses sobre los rusos sobresaltó al mundo. Muchos se sorprendieron de ver un país asiático, que se creía ser militarmente débil, derrotar una potencia europea importante.

LA PRIMERA GUERRA MUNDIAL (1914-1918)
El Japón se unió a los Aliados hacia el fin de la Primera Guerra Mundial. Su premio por el apoyo a los Aliados eran varias posesiones coloniales alemanas en el Pacífico.

LA SEGUNDA GUERRA SINO-JAPONESA (1931-1939)

El Japón invadió a Manchuria, una provincia septentrional de China, en 1931. Después de derrotar a los chinos, los japoneses establecieron un gobierno instrumental en Manchuria. Cuando el mundo reaccionó con poco más que una protesta, el Japón se sintió alentado a ocupar más territorio chino, y en 1937 invadió el resto del país.

EL JAPON EN LA SEGUNDA GUERRA MUNDIAL (1941-1945)

EL NUEVO PLAN DEL JAPON

En los años 1930, el Japón surgió como una nación empeñada en dominar el entero Oriente Lejano y la región del Pacífico del Sur. El Japón vio a Asia como el mercado ideal para sus productos, como fuente de materias primas y como el lugar para la inversión de su capital. Los logros militares japoneses dieron al ejército japonés una voz dominante en el gobierno. Sin embargo, los jefes japoneses temían que los Estados Unidos podrían oponerse a sus planes. Cuando los E.E.U.U. amenazaron con el bloqueo del abastecimiento de petróleo, a menos que el Japón se retirara de algunos territorios conquistados, sus jefes se decidieron por la guerra.

PEARL HARBOR (1941)

Los japoneses querían dar un golpe irresistible a las fuerzas norteamericanas del Pacífico, creyendo que esto pondría al Japón en una posición de fuerza. Luego, después de una corta guerra, esperaban negociar un tratado de paz que daría al Japón el dominio completo de Asia Oriental. Para llevar a cabo esta estrategia, los aviones japoneses atacaron de sorpresa, el 7 de diciembre de 1941, la flota norteamericana del Pacífico anclada en Pearl Harbor, Hawaii.

LA GUERRA EN ASIA Y EN EL PACIFICO (1941-1945)

La guerra rápida que esperaban los japoneses se prolongó a cuatro años. Al principio, el Japón tuvo amplias victorias en Asia continental y en el Pacífico. Sin embargo, en los años siguientes, los ejércitos japoneses se vieron obligados a retirarse a las islas de su país. Una vez derrotada Alemania en 1945, los Estados Unidos dirigieron toda su fuerza contra el Japón.

TERMINA LA GUERRA (1945)

El 6 de agosto de 1945, comenzó la "edad atómica" cuando una **bomba atómica** norteamericana cayó en la ciudad japonesa de **Hiroshima**. Tres días después, la segunda bomba atómica cayó en la ciudad de **Nagasaki**. Murieron miles de civiles japoneses. Temiendo más ataques contra la población civil, los jefes del Japón se rindieron.

A la derecha: Un fragmento de un templo sintóista es todo lo que queda en pie en la ciudad de Nagasaki después del bombardeo atómico por los E.E.U.U. en 1945.

LA OCUPACION NORTEAMERICANA DEL JAPON (1945-1952)

El general norteamericano, **Douglas MacArthur**, quedó encargado de la reconstrucción y reforma del Japón de postguerra. Bajo su dirección, los japoneses no quedaron castigados por haber comenzado la guerra, pero se impusieron importantes cambios para hacer que el Japón fuese menos imperialista y menos agresivo:

■ Los jefes militares que cometieron atrocidades quedaron sometidos a juicio y fueron castigados.

■ El Japón quedó despojado de su imperio de ultramar, quedándose sólo con sus islas originales.

■ Se eliminó casi completamente la capacidad del Japón a hacer guerra. Se le prohibió tener un ejército o una marina, a excepción de una reducida fuerza de "defensa propia". El Japón también renunció el uso de armas nucleares.

■ En mayo de 1947 entró en vigencia una nueva constitución, haciendo del Japón una de las naciones más democráticas del mundo. Todo poder político fue apartado del emperador y puesto en las manos del pueblo japonés. La nueva constitución renunciaba guerras.

PRINCIPIOS FUNDAMENTALES PARA RECORDAR

GENERALIZACIONES FUNDAMENTALES

✱ La falta de recursos importantes de un país puede influir en la formación de los objetivos de su política exterior.

✱ Al aprender a adoptar los métodos de otros pueblos, una nación puede enriquecer su propia cultura y acelerar su desarrollo económico.

TERMINOS Y CONCEPTOS FUNDAMENTALES

Clan, difusión cultural, feudalismo, samurai, bushido, shogún, restauración de Meiji, Pearl Harbor, bomba atómica, Hiroshima, Nagasaki.

SISTEMAS PRINCIPALES

EL SISTEMA POLITICO

El Japón ofrece un excelente ejemplo de una sociedad que se transformó con éxito de un estado imperialista y militarista en una democracia estable moderna.

LA TRADICION POLITICA

Durante la restauración de Meiji, el emperador dio al pueblo japonés una constitución escrita. Esta declaraba la divinidad del emperador, pero también creó una legislatura elegida, llamada **dieta**. En realidad, el Japón estaba bajo la dirección de un pequeño grupo de personas ricas y poderosas. En los años 1930, el poder se mudó a los jefes militares que controlaban los nombramientos políticos. Los militares usaron su posición para promover la expansión y la agresión, llevando al Japón a la Segunda Guerra Mundial. Después de la guerra, el Japón estaba ocupado por las tropas norteamericanas e interinamente gobernado por el general MacArthur.

LA CONSTITUCION DE 1947

Una nueva constitución quedó en efecto en 1947, dando al Japón un sistema democrático de gobierno. Esta nueva constitución fundió las características del sistema japonés antiguo con los rasgos democráticos, parecidos a las de los Estados unidos. La constitución fue muy lograda; sus disposiciones principales incluyen las siguientes:

■ **EL PAPEL DEL EMPERADOR**. El emperador permanece en el trono, pero ya no se lo considera divino. En cambio, el emperador sirve de mero "símbolo" del Japón y de su pueblo, sin verdadera potestad.

■ **LAS CARACTERISTICAS DEMOCRATICAS**. El gobierno se basa en el principio de la **soberanía popula**r (el poder esencial viene del pueblo) ejercida a través de los representantes elegidos. Se les permite votar a todos los ciudadanos, de ambos sexos, una vez que cumplan los 20 años.

■ **LA ESTRUCTURA DEL GOBIERNO**. El cuerpo principal del gobierno nacional es la **dieta** (legislatura). Hay un primer ministro que se elige del partido de la mayoría en la dieta, y una corte nacional que examina las leyes.

■ **LA IGUALDAD DE DERECHOS**. Todas las personas son iguales ante la ley y se les garantiza derechos civiles fundamentales. Es ilegal la discriminación basada en la raza, sexo, nacionalidad, riqueza o clase social.

PRESUPUESTO MILITAR REDUCIDO

La constitución japonesa prohibe altos gastos militares, dejando más fondos para inversiones, investigación y desarrollo no-militar.Con reducidos gastos militares, los impuestos son más bajos y las empresas obtienen ganancias con más facilidad y rapidez que si pagasen impuestos más altos. Para su defensa, en gran parte, el Japón depende de los gastos de su rival económico principal, los Estados Unidos.

LA POLITICA JAPONESA DEL PRESENTE

Las cuestiones principales de la política japonesa tienen que ver con asegurar el continuo éxito económico del país, las prácticas de trato, las relaciones con otros países (especialmente los Estados Unidos y los países de Asia) y la extensión de sus fuerzas militares. Algunos nacionalistas japoneses desean aumentar las fuerzas armadas del Japón para reducir la dependencia en los Estados Unidos en cuestiones de defensa del país.

EL SISTEMA ECONOMICO

Una presentación del sistema económico del Japón se encuentra en la sección de Cuestiones Fundamentales de este capítulo.

EL SISTEMA SOCIAL

TRADICIONAL

El Japón es una tierra rica en tradiciones. Como resultado de su aislamiento del resto del mundo, su sistema de vida tradicional permaneció relativamente sin cambios hasta los fines del siglo XIX.

HOMOGENEIDAD ETNICA

En contraste a los Estados Unidos, el Japón tiene una sociedad relativamente homogénea, ya que los japoneses comparten la misma identidad racial y étnica. Hay muy pocas minorías; hay cerca de un millón (menos que 1% de la población) de coreanos y chinos en el Japón.

LA ESTRUCTURA SOCIAL

Antes de la restauración de Meiji, el Japón estba dividido en cuatro clases: los samurai (guerreros), los campesinos, los artesanos y mercaderes. En 1871, quedaron abolidas estas divisiones formales de clase. Sin embargo, el Japón seguía bajo el control de un pequeño grupo de los antiguos samurai y familias adineradas de comerciantes.

LA FAMILIA TRADICIONAL

El Japón estaba bajo la influencia del confucianismo chino, que predicaba que el padre era la autoridad absoluta del hogar. A las mujeres se las trataba como inferiores por creer que eran de carácter más débil. Los matrimonios eran arreglados por las familias. Cada familia cuidaba a todos sus miembros.

LAS ARTES TRADICIONALES

La cultura tradicional japonesa ponía énfasis en el valor de la simplicidad, armonía, orden y la hermosura de la naturaleza. Estas formas de arte se practican aún hoy en el Japón:

■ **La ceremonia del té** se lleva a cabo lenta y reposadamente para favorecer la meditación.

■ **El arreglo de flores** pone énfasis en el simbolismo de la belleza natural.

■ **Origami** es el arte de doblar papel en formas extraordinarias y de animales.

■ **El teatro kabuki** se representa por un cuerpo de varones que usan máscaras y vestuario primoroso.

■ **La poesía hai kai (haiku)** consiste de poemas sencillos y elegantes que reflexionan en lo bello de la naturaleza y de la vida.

■ **Las artes marciales** incluyen el judo, el karate, la lucha sumo y kendo (esgrima con varas de bambú). Estas reflejan la antigua influencia de los guerreros samurai.

LA TRANSICION A UNA SOCIEDAD MODERNA

El Japón fue el primer país no-occidental que se industrializó y modernizó con éxito. La ocupación norteameriana aceleró aún más la transición de la sociedad japonesa. Por consiguiente, desde la Segunda Guerra Mundial el Japón pasó por una transformación notable:

■ **LA URBANIZACION**. En el presente más de tres cuartos de los japoneses viven en las ciudades. A causa de la población densa del país, las ciudades son grandes y atestadas, y a menudo se encuentran ante problemas de contaminación del ambiente. Hay falta de viviendas, y estas tienden a ser pequeñas y costosas.

■ **LA EDUCACION**. El Japón da gran importancia a producir una población bien instruída. Los estudiantes asisten a la escuela seis días por semana, tienen sólo breves vacaciones de verano y toman exámenes de competición para entrar en los mejores colegios e universidades. Como resultado, más de un 99% de la población sabe leer y escribir.

■ **EL TRABAJO**. Los trabajadores dan gran importancia al esfuerzo del grupo. Tienden a identificarse con sus patronos y generalmente trabajan para la misma empresa a través de su carrera. La gerencia a menudo consulta a sus empleados para obtener sus ideas en cómo mejorar el establecimiento. Los individuos son muy leales al grupo.

■ **LA POSICION DE LAS MUJERES**. Desde 1947, las mujeres tienen derechos iguales ante la ley. Sin embargo, generalmente ganan mucho menos que los hombres que tienen el mismo trabajo. Hay algunas mujeres en las profesiones como el magisterio y medicina, pero pocas en la dirección de empresas. Las mujeres casadas aún a menudo permanecen en casa para dirigir la educación de sus hijos.

EL SISTEMA RELIGIOSO

En el Japón actual hay separación de religión y estado, como en los Estados Unidos. Se toleran y se dan derechos iguales a todas las religiones. Las religiones principales en el Japón son el sintoísmo y el budismo. También hay un pequeño número de cristianos.

EL SINTOISMO

El sintoísmo es una religión original del Japón. El sintoísmo era la religión indígena en la antigüedad, que surgió del culto de la naturaleza. Predicaba que los **kami** (espíritus o dioses) se encontraban a través de la naturaleza - en las montañas, ríos, rocas y hasta en los vientos y tormentas. El sintoísmo no tiene libros sagrados ni reglas específicas de creencias. Quedó influido por la introducción del budismo desde China, y dio principio al culto de dioses y de los antepasados. Los emperadores japoneses decían ser descendientes de la diosa del sol y a la vez jefes de la religión. Hacia el fin del siglo XIX, los emperadores introdujeron el culto del emperador e hicieron del sintoísmo la religión oficial del estado.

EL BUDISMO

El budismo, la otra religión importante del Japón, se hizo popular primero entre los nobles, y luego gradualmente se esparció entre la gente común. Las ideas budistas y sintoístas existieron lado a lado. En el presente, los japoneses practican los ritos budistas en los templos y en los lugares sagrados, especialmente en los entierros y en recuerdo de los muertos. (Una presentación completa del budismo puede encontrarse en la sección de Sistemas Principales en el capítulo sobre China.)

EL CRISTIANISMO

El cristianismo quedó introducido en el Japón por los misioneros españoles y portugueses en el siglo XVI. Se esparció con rapidez pero quedó prohibido en el siglo XVII cuando el Japón puso fin a sus contactos con Europa. El cristianismo volvió a tolerarse en el siglo XIX. En el presente, quizás uno de cada cien japoneses practica esa religión. (Una presentación detallada de las creencias del cristianismo se encuentra en la sección de Sistemas Principales en el capítulo sobre el Oriente Medio.)

La estatua de Buda. La proximidad del Japón a China facilitó la difusión cultural

PRINCIPIOS FUNDAMENTALES PARA RECORDAR

GENERALIZACIONES FUNDAMENTALES
*La derrota militar acarrea muchos cambios políticos, económicos y sociales.

TERMINOS Y CONCEPTOS FUNDAMENTALES
Restauración de Meiji, Constitución de 1947, soberanía popular, dieta, sintoísmo.

PERSONAJES PRINCIPALES

MATTHEW PERRY (1794-1858)

En 1853, Perry, a mando de una flota de buques de guerra norteamericanos, llevó una carta del presidente Fillmore al emperador del Japón. El mensaje pedía trato humano de los marineros norteamericanos naufragados, que habían sido maltratados y encarcelados por los japoneses. Además, la carta pedía el derecho de comprar hulla en los puertos japoneses para los barcos norteamericanos, y la abertura de uno o más puertos para el trato con los Estados Unidos. El emperador, temiendo la potencia militar superior del Occidente, accedió a los pedidos norteamericanos. Esto acabó con más de 200 años del aislamiento japonés, abriendo al Japón al comercio extranjero y la influencia occidental.

EL EMPERADOR MEIJI (1852-1912)

Como un joven de 16 años, Meiji abolió el shogunado y restauró el poder completo al emperador. Puso fin al feudalismo y fomentó la modernización del Japón, adoptando la tecnología y el trato occidental para hacer del Japón la potencia militar más fuerte en Asia.

DOUGLAS MacARTHUR (1880-1964)

Douglas MacArthur, como comandante de todas las fuerzas armadas norteamericanas en el Pacífico, formalmente aceptó la rendición de los japoneses el 2 de septiembre de 1945. Se lo puso a cargo de la **desmovilización** (cambio de estado militar a estado de paz) del poder militar del Japón. Introdujo amplias reformas en casi cada aspecto del Japón de postguerra. Contribuyó a la redacción de una nueva constitución democrática del país. También reconstruyó la destrozada economía japonesa, redistribuyendo tierras de una manera más justa. Introdujo reformas en educación, trabajo y cuidado de salud, y expandió los derechos de la mujer.

EL EMPERADOR HIROHITO (1901-1989)

En 1926, Hirohito se volvió emperador. Era el emperador del Japón durante la Segunda Guerra Mundial. Después de la derrota del Japón, Hirohito quedó obligado a renunciar su título de soberano divino. Era un jefe popular y respetado. Su reino de 63 años representaba la continuación de una línea real que siguió sin interrupción desde los tiempos antiguos. Para el pueblo japonés, representaba el espíritu del nacionalismo. Siguió rigiendo como símbolo de la unidad nacional hasta su muerte de cáncer en 1989. Le sucede su hijo, el emperador **Akihito**.

PRINCIPIOS FUNDAMENTALES PARA RECORDAR

GENERALIZACIONES FUNDAMENTALES
* Los gobernantes hereditarios a menudo tienen un papel decisivo en el desarrollo de un país.
* Los forasteros pueden cambiar el curso de la historia de un país.

TERMINOS Y CONCEPTOS FUNDAMENTALES
Desmovilizar, feudalismo, shogunado.

CUESTIONES FUNDAMENTALES

LA MANUTENCION DEL MILAGRO ECONOMICO

Al fin de la Segunda Guerra Mundial, muchas de las industrias y de las ciudades del Japón quedaron destruidas. Sin embargo, dentro de 40 cortos años, el Japón reconstruyó su economía y se volvió en una de las potencias económicas más grandes del mundo. Esto fue logrado a pesar del hecho de que el Japón carece recursos naturales importantes, tiene poca tierra fértil y tiene una alta densidad de población. Las razones para este éxito económico incluyen las siguientes:

FACTORES HISTORICOS
El Japón se acostumbró a copiar y a adoptar de los forasteros a lo largo de su larga historia. En los tiempos antiguos, los japoneses copiaron de los chinos; en los tiempos más modernos, copiaron del Occidente. En ambos casos, adaptaron (modificaron) lo copiado para acomodarlo a sus propias necesidades y su cultura.

LA OCUPACION MILITAR NORTEAMERICANA
Después de la guerra, los Estados Unidos proporcionaron fondos para ayudar en la reconstrucción de la economía japonesa. Además, los norteamericanos querían tener un aliado fuerte en Asia Oriental para resistir la creciente amenaza del comunismo. Por consiguiente, los Estados Unidos vertieron mucho dinero en el Japón para fomentar las industrias del país.

LA IMPORTANCIA DE LAS ZAIBATSU
Hacia el fin del siglo XIX, unas cuantas familias establecieron empresas de gran escala en el Japón. Estos conglomerados, conocidos como zaibatsu, contribuyeron a la industrialización del país. Después de la Segunda Guerra Mundial, los ocupantes norteamericanos fraccionaron estos monopolios grandes en varias empresas más pequeñas. Pero desde 1960, las empresas zaibatsu reaparecieron, aunque ya ninguna está bajo el control de una sola familia.

LA FUERZA TRABAJADORA
La fuerza de trabajo en el Japón es bien instruida, educada y muy diestra. Los trabajadores japoneses suelen trabajar más horas que sus correspondientes colegas en el Occidente. También, están en el empleo de la misma compañía o patrono a través de su carrera. Cuando los negocios se atrasan, en general no se despide a los trabajadores; la compañía más bien los entrena para una nueva función. Por lo tanto, los trabajadores tienen una profunda lealtad hacia su empresa. Los sindicatos obreros japoneses aceptan sin resistencia los cambios y la introducción de la mecanización avanzada. En el Japón hay menos huelgas que en los Estados Unidos o Europa.

LA DIRECCION EFICAZ
Después de la Segunda Guerra Mundial, el Japón copió y trató de mejorar las técnicas norteamericanas de dirección moderna de empresas:

■ INNOVACION. Los gerentes tienden a ser altamente innovativos y creativos. Se guían por un objetivo fundamental: producción de la más alta calidad a precios lo más bajos posibles.

■ **PRODUCTOS DE CALIDAD**. Los directores japoneses copiaron los métodos norteamericanos de control de calidad y los mejoraron, produciendo artículos ampliamente reconocidos por su calidad. A menudo los gerentes trabajan juntos con sus empleados en grupos conocidos como **círculos de control de calidad**. En estos círculos, los directores se vuelven a los trabajadores para sus sugestiones de cómo mejorar las técnicas de producción.

■ **RELACIONES POSITIVAS ENTRE EL PATRONO Y EL EMPLEADO**. Los directores toman interés personal en la vida de sus empleados, lo que fortalece la lealtad a la empresa. Las diferencias entre directores y obreros se resuelven por medio de compromiso en vez de conflicto. Las decisiones se hacen en grupo, y los obreros continuamente tratan de mejorar las técnicas de producción.

El Japón moderno—la calle Ginza, Tokio, de noche

EL PAPEL DEL GOBIERNO

El propósito principal del gobierno japonés es el fomento del desarrollo económico nacional. Este fin se logra de diferentes maneras:

■ **EL APOYO PARA LAS EMPRESAS.** El gobierno tiene un papel crítico en coordenar los recursos nacionales para organizar nuevas industrias y obtener acceso a los mercados internacionales. Se proporcionan fondos y se coordinan los esfuerzos en los campos de investigación prometedora, como las supercomputadoras y los televisores de alta definición.

■ **LA ASISTENCIA FINANCIERA.** El gobierno está listo a proporcionar el dinero necesario a los negocios. Ofrece préstamos, alivios en impuestos y otra ayuda a las empresas.

■ **LA AYUDA CONTRA LA COMPETICION EXTRANJERA.** En el pasado, el gobierno estableció altos derechos de aduana para impedir la entrada de los rivales extranjeros en el mercado japonés. Las quejas de otros países hicieron que el gobierno rebajara esos impuestos, pero los japoneses siguen leales a las marcas del país. También es difícil para los otros países cumplir con la compleja reglamentación japonesa sobre los resguardos. Esto dificulta la competición de los productos extranjeros.

■ **LA MANIPULACION DE LA MONEDA CORRIENTE.** En el pasado, el gobierno mantuvo el valor del *yen* a un nivel artificialmente bajo para facilitar la venta de los productos de las compañías japonesas en el extranjero, y dificultar las ventas extranjeras en el Japón. En el presente, el *yen* tiene un valor mucho más alto.

VENTAJAS TECNOLOGICAS

El Japón invierte más dinero en la investigación que la mayoría de otros países. La mayor parte de esta investigación tecnológica no es militar. En el presente, el Japón es el productor principal de microfichas y computadoras, y está en competición para el desarrollo de varias nuevas tecnologías, inclusive los superconductores, televisores de alta definición y supercomputadoras. El Japón está en el primer lugar del mundo en el uso de robots, haciendo las fábricas japonesas más productivas y eficaces.

POTENCIA FINANCIERA MUNDIAL

Cada año los Estados Unidos tienen que pagar al Japón billones de dólares a causa del desequilibrio en el comercio entre los dos países. Los excedentes del trato hacen del Japón una importante potencia financiera mundial.

EL DESEQUILIBRIO DEL TRATO Y SUS EFECTOS

En los años recientes, el Japón vendió más productos a los Estados Unidos que los norteamericanos vendieron al Japón, creando un **déficit de trato** de decenas de billones de dólares cada año. A causa de este déficit de trato, los dólares norteamericanos van al Japón. El Japón usa parte de este dinero para comprar materias primas, como petróleo, de otros países; una porción de estos fondos queda invertida por los japoneses en los Estados Unidos. Esto ejemplifica el concepto de la **interdependencia** de las naciones en la economía mundial.

EL PROBLEMA

Al surgir como superpotencia económica, el Japón se hizo más independiente de la influencia de los Estados Unidos. Algunos economistas norteamericanos creen que nos volvemos demasiado dependientes en el apoyo de parte de los japoneses para financiar nuestros déficits nacionales y nuestras empresas. Esos economistas temen una pérdida de control por los norteamericanos. Pero otros indican que al invertir en los Estados Unidos, los japoneses ayudaron a reconstruir las industrias del país.

LAS RAZONES PARA EL DESEQUILIBRIO

¿Por qué hay más norteamericanos que compran productos japoneses, que japoneses que compran los productos norteamericanos? Algunos economistas norteamericanos argumentan que los productos japoneses son de calidad más alta y son menos caros. Otros hacen observar que el Japón toma medidas especiales para proteger sus propios mercados de la competición extranjera, mientras que agresivamente persiguen los mercados de ultramar. Hasta hace poco, los altos aranceles y otras restricciones impedían la entrada al Japón de productos norteamericanos.

LAS SUGESTIONES PARA CORREGIR EL DESEQUILIBRIO

Hay muchas ideas del lado norteamericano para corregir este desequilibrio del trato.

■ Algunos argumentan que el gobierno de los Estados Unidos debiera proporcionar préstamos, alivios en impuestos y asistencia en la investigación a las empresas norteamericanas como lo hace el gobierno japonés con las suyas.

■ Otros notan que los Estados Unidos no debieran seguir subvencionando tanto la defensa del Japón. El mismo dinero podría invertirse en las industrias norteamericanas o usarse para rebajar los impuestos, mientras que el Japón tendría que gastar más en su presupuesto militar. Otros, sin embargo, temen que el Japón otra vez podría volverse en una potencia militar peligrosa.

■ Si el problema se encuentra dentro de los Estados Unidos y no en el Japón, los E.E.U.U. tienen que elevar su nivel de educación y de técnica para competir con los japoneses. Esto requiere grandes inversiones en la enseñanza, la industria y la tecnología avanzada norteamericana.

■ En 1988, el Congreso promulgó una nueva ley de trato que permite que el presidente imponga derechos de aduana hasta de un 100% en los productos de países que entran en prácticas comerciales de "mala fe". Este era un atentado de apremiar a Japón a abrir sus mercados para productos norteamericanos.

■ Algunos piensan que los Estados Unidos debieran restringir la salida de su tecnología avanzada al Japón. En el pasado, las compañías japonesas sacaron ventaja de la investigación norteamericana, tal como el desarrollo de la grabadora de videos.

■ Algunos economistas creen que la fuente del desequilibrio se encuentra en el enorme déficit de nuestro propio gobierno. Mantienen que el déficit impone una carga en la industria norteamericana; también, el déficit tiende a estimular el gasto de dinero por los norteamericanos, dándoles adicional dinero de bolsillo para comprar productos japoneses.

■ Mientras que los norteamericanos gastan una gran parte de sus ganancias y ahorran poco, los consumidores japoneses ahorran mucho más. A los consumidores japoneses debe alentarse a gastar más para comprar más productos norteamericanos.

PRINCIPIOS FUNDAMENTALES PARA RECORDAR

GENERALIZACIONES FUNDAMENTALES
✻ Los cambios económicos de una región a menudo afectan otras partes del mundo.
✻ Las naciones usan combinaciones alternas de factores para compensar las faltas que pueden existir en sus recursos naturales.

TERMINOS Y CONCEPTOS FUNDAMENTALES
Zaibatsu, círculos de control de calidad, déficit en el trato, interdependencia.

RESUMEN DE TU COMPRENSION

Direcciones: ¿Entendiste bien lo leído sobre el Japón? Comprueba tu comprensión al resolver los problemas que siguen.

TERMINOS Y CONCEPTOS FUNDAMENTALES

Completa las palabras y expresiones según las definiciones dadas:

F_ _ _ _ _ _ _ _ _ Sistema político-económico señorial.

S _ _ _ _ _ Grandes señores que dominaban el país por mucho tiempo.

S _ _ _ _ _ _ Guerrero japonés.

P _ _ _ _ H _ _ _ _ _ Puerto en el cual los japoneses atacaron de sorpresa la flota norteamericana.

S _ _ _ _ _ _ _ _ La religión predominante en el Japón.

D _ _ _ _ Cuerpo legislativo.

H _ _ _ _ _ _ _ _ En esa ciudad cayó la primera bomba atómica.

I _ _ _ _ _ _ _ _ _ _ _ Política de dominación de otros países.

M _ _ _ _ Emperador que fomentó la modernización del Japón.

Z _ _ _ _ _ _ _ Grandes compañías que dominaban la economía del Japón antes de la Segunda Guerra Mundial.

FACTORES GEOGRAFICOS

El desarrollo de una región a menudo es influido por factores geográficos y climáticos. Resume tu comprensión de este principio completando el cuadro que sigue.

FACTORES GEOGRAFICO-CLIMATICOS	EFECTOS EN EL JAPON
MONTAÑAS	_____
MARES Y OCEANOS	_____
PROXIMIDAD AL ASIA	_____
LARGA LINEA LITORAL	_____
RECURSOS MINERALES	_____

PERSONAJES IMPORTANTES

Los individuos a menudo influyen en la vida política, social y económica de un país. Imagínate que estás a cargo de llenar un certificado de reconocimiento a las personas de la lista que sigue. Indica el nombre del individuo, cómo y en qué campo se distinguió, y qué había logrado.

Individuos

Matthew Perry
El emperador Meiji
Douglas MacArthur
El emperador Hirohito

Se Otorga Este Certificado

a _____

por haber _____

_____

CAMBIOS SOCIALES

El Japón era el primer país no-occidental que se industrializó y modernizó con éxito. Resume tu comprensión de este hecho al contestar a las preguntas siguientes:

■ ¿Cuáles eran las fuerzas animadoras de cambio que existían en el Japón en los siglos XIX y XX?

■ ¿Qué efecto tuvieron estos cambios en la vida política, económica y social del Japón?

PROBLEMAS Y CUESTIONES

Desde 1945, el Japón reconstruyó su economía con tanto éxito, que se volvió en una de las principales potencias económicas del mundo. Para resumir tu comprensión de esta situación responde a lo siguiente:

■ Haz una lista de las razones para el éxito económico del Japón.

■ ¿Cuáles son algunas de las recomendaciones que se hicieron para corregir el desequilibrio en el trato entre los Estados Unidos y el Japón?

COMPRUEBA TU COMPRENSION

Direcciones: comprueba tu comprensión de esta unidad al contestar a las preguntas siguientes. Haz un círculo alrededor del número que precede la palabra o expresión que responde correctamente a las declaraciones o preguntas. Después de las preguntas de respuestas breves dirígete a los ensayos.

DESARROLLO DE DESTREZAS: INTERPRETACION DE UN MAPA

Basa tus respuestas a las preguntas 1 a 5 en el mapa que sigue y en tu conocimiento de estudios sociales.

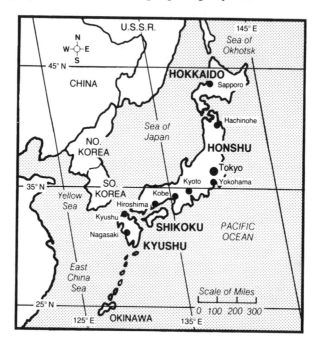

1 ¿En qué dirección viajarías del Japón para llegar al ecuador?

  1 norte   3 este

  2 oeste   4 sur

2 La isla japonesa que está situada más al norte es

  1 Kiushiu   3 Hokkaido

  2 Nagasaki   4 Sapporo

3 De acuerdo a la escala en el mapa, la distancia entre las ciudades de Kobe y Yokohama es de

  1 100 millas   3 200 millas

  2 500 millas   4 400 millas

4 El cruce de 34 grados de latitud norte y 135 grados de longitud este se encuentra en la ciudad de

  1 Hiroshima   3 Tokio

  2 Sapporo   4 Kobe

5 ¿Cuál es la ciudad más cercana a Corea del Sur?

  1 Kiushiu   3 Kyoto

  2 Sapporo   4 Yokohama

DESARROLLO DE DESTREZAS: INTERPRETACION DE UNA GRAFICA CIRCULAR

Basa tus respuestas a las preguntas 6 y 7 en la gráfica que sigue y en tu conocimiento de estudios sociales.

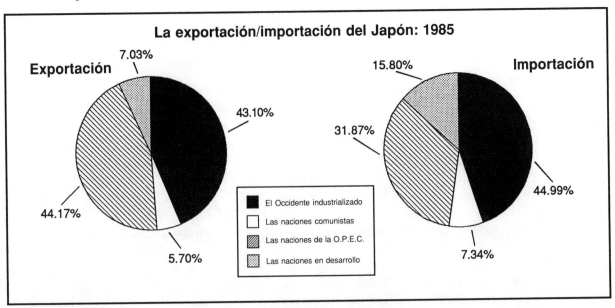

La exportación/importación del Japón: 1985

6 ¿Cuál era el porcentaje de bienes que el Japón exportó al Occidente industrializado en 1985?
   1 43.10%   3 44.99
   2 15.80%   4 7.03%

7 ¿Cuál es la declaración mejor apoyada por los datos de la gráfica?
   1 El Japón importa el porcentaje más alto de productos del Oeste industrializado
   2 El Japón importa más de lo que exporta a las naciones de la O.P.E.C.
   3 El Japón es el importador de automóviles más grande del mundo
   4 El Japón es el proveedor principal de frutos de la tierra al Oeste industrial.

8 El ataque en Pearl Harbor por el Japón hizo que los Estados Unidos entraran en
   1 la Primera Guerra Mundial   3 la Guerra Sino-Japonesa
   2 la Guerra Ruso-Japonesa   4 la Segunda Guerra Mundial

9 El hecho de que la escritura japonesa se basa en las formas ideográficas chinas es un ejemplo de
   1 nacionalismo   3 imperialismo
   2 difusión cultural   4 ventaja comparativa

10 ¿A que ocupación en los Estados Unidos se parecían los samurai japoneses?
   1 soldados   3 agricultores
   2 artistas   4 maestros

11 El sistema político en el cual se ofrece lealtad al señor a cambio de protección y ayuda económica se llama
   1 feudalismo   3 colonialismo
   2 imperialismo   4 nacionalismo

12 ¿Cuál conjunto de condiciones sería el más característico de una nación desarrollada como el Japón?
  1 Bajos ingresos por cabeza y alta natalidad
  2 Gran uso de energía y un bajo número de hospitales
  3 Bajos ingresos por cabeza y alta mortalidad infantil
  4 Gran uso de energía y baja natalidad

13 El estudio de la música, del arte y de la literatura japonesa serviría más para comprender
  1 su política externa
  2 su progreso tecnológico
  3 sus tradiciones culturales
  4 la política de balanza comercial

14 ¿Cuál es la creencia común del sintoísmo y animismo?
  1 el monoteísmo
  2 el culto de la naturaleza
  3 la reencarnación
  4 el sistema de castas

15 ¿Cuál libro sería el más útil para saber la cantidad corriente de la importación y exportación del Japón?
  1 la enciclopedia
  2 el diccionario
  3 el atlas
  4 el almanaque

16 La visita del comodoro Perry en el Japón y la política de libre acceso en China tuvieron resultados parecidos en que ambos
  1 obligaron a Gran Bretaña a retirar sus ejércitos del Oriente Lejano
  2 restauraron a los shogún al poder
  3 establecieron derechos de trato para los Estados Unidos
  4 crearon una organización internacional para la paz mundial

17 ¿Cuál es la aseveración más acertada sobre la Constitución Japonesa del 1947?
  1 A las mujeres se les negaba el derecho del voto.
  2 El emperador quedó despojado de todos sus poderes.
  3 Se declaraba que el emperador tenía autoridad divina.
  4 El Japón colocaba el poder político supremo en un consejo militar de guerra.

18 Un shogún japonés y el caudillo latinoamericano se parecen en que ambos eran
  1 expertos de armas del siglo XVI
  2 consejos políticos nacionales como el congreso de los E.E.U.U.
  3 formas de jefatura política no democrática
  4 formas de arte religioso

19 ¿Qué razones explican mejor porqué el Japón es una de las potencias económicas más grandes del mundo?
  1 Es rico y tiene muchos recursos naturales importantes.
  2 Su pueblo estima el trabajo diligente y la autodisciplina.
  3 Tiene una de las más grandes fuerzas armadas del mundo.
  4 Sus tierras amplias y fértiles fomentan la exportación agrícola.

20 ¿Cuál situación probablemente presentaría el peligro más grande al bienestar económico del Japón?
  1 La rebaja de los derechos de aduana en los Estados Unidos.
  2 La continuación de las hostilidades en Nicaragua.
  3 La subida de precios del petróleo a través del mundo.
  4 El fin del apartheid en Sudáfrica.

21 La restauración de Meiji en el Japón era significante porque
      1 el shogún regía con poder supremo
      2 el Japón adoptó las costumbres y la tecnología del Occidente
      3 se promulgó la Constitución de 1947
      4 comenzó el período del feudalismo en el Japón

22 En el Japón, un especialista en la ciencia política estaría más interesado en
      1 visitar la dieta japonesa
      2 hacer una vuelta por los museos de Tokio
      3 ir a una presentación del kabuki
      4 ver una escuela secundaria

23 En un esquema, uno de los siguientes es el tema principal, y los otros son secundarios. ¿Cuál es el tema principal?
      1 El papel de los zaibatsu
      2 Círculos de control de calidad
      3 El éxito económico del Japón
      4 Lealtad a la compañía

24 ¿En qué serie el segundo suceso es resultado directo del primero?
      1 la proclamación de la Constitución de 1947/principio de la Segunda Guerra Mundial
      2 la Guerra Ruso-Japonesa/la proclamación de la Doctrina Monroe
      3 la visita del comodoro Perry al Japón/la Declaración Balfour
      4 el bombardeo de Hiroshima y Nagasaki/fin de la Segunda Guerra Mundial

25 ¿Cuál grupo de fechas está arreglado en orden cronológico correcto?
      1 567 a.J.C., 214 a.J.C., 567 d.J.C., 1856 d.J.C.
      2 123 a.J.C., 126 d.J.C., 19 a.J.C., 1989 d.J.C.
      3 23 a.J.C., 33 a.J.C., 98 d.J.C., 1234 d.J.C.
      4 456 d.J.C., 234 d.J.C., 56 a.J.C., 22 a.J.C.

ENSAYOS

1 Las naciones desarrolladas y las en desarrollo tienen diferentes características económicas.

Parte A
Enumera *dos* características de la economía de una nación en desarrollo.

1. _____

2. _____

Enumera *dos* características de la economía de una nación desarrollada.

1. _____

2. _____

Parte B

Basa tu respuesta a la Parte B en la respuesta a la parte A

En una hoja aparte, escribe un ensayo explicando cómo difieren las economías de las naciones desarrolladas y las en desarrollo.

2 Asume que eres el ministro de la economía en el Japón. Un economista de otro país te pregunta cómo un país como el Japón, con los recursos naturales tan limitados, llegó a ser una de las principales potencias económicas del mundo.

■ Enumera *tres* de las razones principales para el éxito económico del Japón.

■ Describe un problema que resultó del éxito económico del Japón.

CAPITULO 10

LA UNION SOVIETICA Y EUROPA ORIENTAL

Una nota especial al lector: Aunque en este capítulo nos referimos a la "Unión Soviética", el 8 de diciembre de 1991, la U.R.S.S. dejó de existir como tal. Las acciones de los líderes y del pueblo de las diferentes repúblicas son las que van a determinar la estructura política y económica de los antiguos territorios de la U.R.S.S.

EL AMBIENTE FISICO

DIMENSIONES Y SITUACION

— LA UNION SOVIETICA —

La Unión de las Repúblicas Socialistas Soviéticas (U.R.S.S.), o la Unión Soviética, es el país más grande de la región. Es dos veces más grande que los Estados Unidos. Se extiende por más de 7000 millas, desde Europa Central hasta el océano Pacífico, abarcando dos continentes (Asia y Europa). Al norte, linda con el océano Arctico; al sur, con China, Mongolia, Afganistán, Irán y Turquía; al noroeste se encuentran Finlandia y el mar Báltico; y al oeste están las fronteras con los países de la Europa Oriental.

— EUROPA ORIENTAL —

La Europa Oriental consiste en una banda de países situados entre la Europa Occidental y la Unión Soviética. Incluye a Polonia, Checoslovaquia, Rumania, Hungría, Bulgaria, Yugoslavia y Albania.

CARACTERISTICAS FISICAS

—LA UNION SOVIETICA—

Gracias a su vasta extensión, no es sorprendente que la Unión Soviética tenga una notable diversidad geográfica.

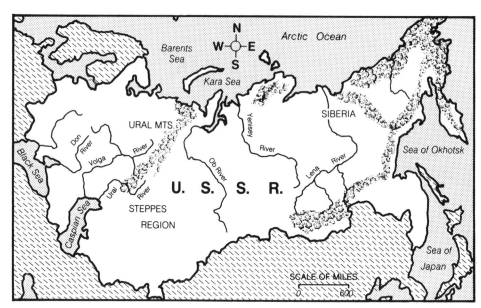

CERCADA DE TIERRA

Una gran parte de la Unión Soviética está rodeada de tierra. En el norte, el océano Arctico está congelado la mayor parte del año, y al sur, la Unión Soviética se encuentra separada del mar por otros países. La necesidad de establecer acceso a un puerto relativamente cálido era una cuestión importante a través de la historia de Rusia.

LA LLANURA EUROPEA

En el oeste, la Unión Soviética consiste en una llanura grande sin relieve. Al sur se encuentran las estepas fértiles, o praderas, donde se cultiva una gran parte do los comestibles del país. Ya que el clima es más benigno que en otras partes de la Unión Soviética, es allí donde se encuentra la mayoría de su población.

LA TUNDRA

En el norte se encuentra la tundra, donde el clima es tan frío que se encuentra allí muy poca vegetación, y la tierra está congelada la más parte del tiempo.

LA TAIGA

Esta es una región de bosques al sur de la tundra. Al este de los montes Urales, la región de la tundra y de la taiga se llama Siberia.

LAS ESTEPAS

Las estepas (llanuras) se encuentran al sur de la taiga, y forman una extensión de las llanuras europeas. Su suelo es excelente y fértil, y constituye las mejores tierras de cultivo de la Unión Soviética.

MONTAÑAS

La Unión Soviética contiene varias cadenas montañosas. Las más importantes son los Montes Urales, que separan la Rusia europea de la asiática; el Cáucaso, entre el mar Caspio y el mar Negro; y el Macizo de Pamir, que separa la Unión Soviética de Irán y Afganistán.

SISTEMAS FLUVIALES

Los ríos de la Unión Soviética proporcionan transporte y comunicación interna. Los dos sistemas dominantes son el Volga y el Ob. Otros ríos de importancia son el Don, el Dnieper y el Irtich.

—EUROPA ORIENTAL—

La Europa Oriental consiste en llanuras y montañas que separan a las diferentes naciones, cada una con su propia lengua y cultura. Sin embargo, muchos de estos países carecen de fronteras naturales, haciéndolos víctimas de invasiones y de dominación.

LA LLANURA EUROPEA

Esta planicie se extiende desde el norte de Europa hasta el interior de Rusia. Por su falta de relieve, esta región tiene pocas fronteras defendibles. Es por eso, que a través de los siglos, las fronteras entre Rusia, Polonia y Alemania han cambiado constantemente.

MONTAÑAS

Una gran parte de la Europa Oriental es montañosa o abundante en colinas. Los Cárpatos y los Alpes Dináricos y Julianos están entre los sistemas montañosos principales.

SISTEMAS FLUVIALES DE MAS IMPORTANCIA

El río Danubio es el "Mississippí" de la Europa Oriental y pasa por varios países. Forma la frontera entre Rumania y Bulgaria y finalmente desemboca en el mar Negro. El Vístula, otro río importante, recorre el territorio de Polonia y desemboca en el mar Báltico.

EL CLIMA

—LA UNION SOVIETICA—

A causa de su enorme tamaño, la Unión Soviética tiene una gran variedad de climas. La mayor parte del país se encuentra al norte de los 50 grados de latitud (norte), aproximadamente la latitud del Canadá. Como resultado, una gran parte de la Unión Soviética tiende a tener inviernos largos y fríos, y veranos cortos y moderados.

—EUROPA ORIENTAL—

El clima es variado. Al norte, en Polonia, los veranos son benignos y los inviernos fríos y húmedos. En el sur, en la Península de los Balcanes (particularmente en Yugoslavia y Bulgaria), el clima es cálido y benigno.

RECURSOS NATURALES

—LA UNION SOVIETICA—

La Unión Soviética posee muchos recursos naturales, especialmente hierro, hulla, petróleo y gas. Muchos de estos recursos se encuentran en el noreste de Siberia, donde son difíciles de obtener a causa del clima extremadamente frío. Las regiones de la "tierra negra" en el sudoeste de la Unión Soviética tienen suelo muy fértil, que se presta al cultivo.

—EUROPA ORIENTAL—

Polonia y Checoslovaqia tienen hulla y hierro; Yugoslavia tiene hierro, plomo, cobre y zinc; Rumania tiene depósitos de petróleo. Sin embargo, Bulgaria, Hungría y Albania carecen de recursos minerales, y Hungría y Checoslovaquia no tienen costas marítimas.

¿COMO LA GEOGRAFIA DE LA U.R.S.S. INFLUYO EN SU HISTORIA Y EN SU CULTURA?

✓ La vasta extensión del país y los extremos climáticos hicieron que los rusos pudieran derrotar a sus invasores. Durante la invasión napoleónica y luego la de Hitler, los rusos retrocedieron al interior del país hasta que los invasores quedaron agotados y consumidos por el áspero clima.

✓ La mayor parte de la población del país está concentrada en el oeste a causa del clima más templado, la proximidad a Europa y la fertilidad de las tierras.

✓ La Unión Soviética contiene muchas nacionalidades, cada una con sus propias costumbres y modo de vivir. Los rusos componen el más grande de esos grupos étnicos.

✓ La cultura rusa se desarrolló aparte de la de Europa Occidental. A causa de su gran distancia de la Europa Occidental, y anteriormente por carecer puertos occidentales, Rusia fue influida más por la cultura bizantina que por la occidental.

✓ Por estar en una zona de clima áspero y a gran distancia de centros de población, los ricos recursos de Siberia fueron poco utilizados hasta hacia los fines del siglo XX.

¿COMO LA GEOGRAFIA DE LA EUROPA ORIENTAL INFLUYO EN SU HISTORIA Y EN SU CULTURA?

✓ A causa de las barreras formadas por las montañas y las diferencias en el medio ambiente, los pueblos eslavos de la Europa Oriental desarrollaron culturas parecidas pero distintas.

✓ Como resultado del tamaño relativamente reducido de cada nación en la Europa Oriental, los pueblos de la región a menudo se encontraban bajo dominación extranjera a lo largo de su historia.

PRINCIPIOS FUNDAMENTALES PARA RECORDAR

GENERALIZACIONES FUNDAMENTALES
✱ Las características físicas pueden dividir y aislar las diferentes partes de una región.
✱ La falta de barreras naturales a menudo hace que un país sea susceptible a invasiones.

TERMINOS Y CONCEPTOS FUNDAMENTALES
U.R.S.S., Europa Oriental, taiga, tundra, estepas.

SUCESOS HISTORICOS PRINCIPALES

HISTORIA ANTIGUA

Rusia se convirtió en un estado organizado aproximadamente en el siglo IX de nuestra era. Anteriormente, muchos diferentes grupos de pueblos vivían en las llanuras rusas. Con el correr del tiempo, un grupo de tribus conocidas como eslavos llegó a dominar la región. Los vikingos organizaron a los eslavos en un reino, con Kiev como su centro. Durante este período, las ciudades rusas tenían un comercio próspero con Constantinopla, la capital del Imperio Bizantino. El contacto con los bizantinos influyó en Rusia de varias formas importantes:

■ La cultura bizantina, especialmente la Iglesia Ortodoxa, el alfabeto cirílico, los artefactos y productos del Bizancio fueron introducidos en la sociedad rusa.

■ La tradición del poder absoluto de los emperadores bizantinos llegó a ser el ejemplo para los futuros soberanos rusos.

Este vínculo con el Imperio Bizantino separó a Rusia de la cultura de la Europa Occidental.

EL REGIMEN MONGOLICO

En el siglo XIII, los mongoles se apoderaron de la mayor parte de Rusia, y la dominaron por dos siglos. Muchas palabras, costumbres y artículos de vestir llegaron a incluirse en la cultura rusa. Sin embargo, los mongoles no establecieron dominio estrecho sobre los estados rusos; la ciudad de Moscú y sus territorios circundantes, conocidos como Moscovia, llegaron a ser el estado ruso más fuerte. Los moscovitas con el tiempo empezaron una serie de guerras con los mongoles. En 1480, **Iván el Grande**, príncipe de Moscovia, declaró la independencia de su estado de los mongoles. Iván se proclamó **zar** (zar o czar significa "césar" o emperador) y se lanzó a la conquista de tierras vecinas para aumentar los territorios de Moscovia.

RUSIA BAJO LOS ZARES (1500-1812)

Igual que los soberanos mongoles antes de ellos, los zares eran **autócratas** (ejercían poder absoluto). Tal como iban extendiendo sus territorios, los zares siguieron la política de **rusificación**. Para unificar su imperio, los zares obligaban a los pueblos conquistados a adoptar la lengua, religión y cultura rusa. La gran mayoría de la población de Rusia eran los **siervo**-labradores, que según la ley, etaban obligados a trabajar y a permanecer en las tierras que pertenecían a la nobleza. Los nobles tenían poder absoluto sobre sus siervos. Dos zares de más prominencia eran:

■ **PEDRO EL GRANDE (1682-1725).** El zar Pedro convirtió a Rusia de una nación atrasada en una potencia moderna al introducir las ideas, cultura y tecnología del occidente.

Cuando algunos de sus sujetos mostraban mala gana de aceptar las costumbres occidentales, el zar usaba la fuerza para obligarlos a hacerlo. Pedro el Grande mudó la capital del Moscú a San Petersburgo (hoy Leningrado), una ciudad que mandó construir en la costa del mar Báltico, para que Rusia tuviera una "ventana al oeste".

■ **CATALINA LA GRANDE (1762-1796).** La zarina siguió la política de expansión y **occidentalización** de Pedro el Grande. Fomentó reformas limitadas al principio de su reinado. Sin embargo, se negó a ceder su poder absoluto y fracasó en todo atentado de reforma social significante. Durante su largo régimen las condiciones de los siervos empeoraron.

A la derecha: Pedro el Grande quería que Rusia adoptara costumbres e ideas occidentales

ANTECEDENTES DE LA REVOLUCION

El poder militar de Rusia quedó demostrado en 1812 cuando Napoleón trató de invadir el país. Sus tropas no estaban preparadas para el riguroso invierno ruso, y en su mayoría murieron del frío y del hambre. Dos años más tarde, las tropas rusas ayudaron a derribar a Napoleón, haciendo de Rusia un socio entre las grandes potencias europeas. A través del siglo XIX, Rusia se atrasó con respecto a la Europa Occidental, produciendo las condiciones que causaron las revoluciones al principio del siglo XX. En los países europeos del occidente, las clases medias iban exigiendo y obteniendo más poder, pero en Rusia el zar retuvo poder absoluto.

RUSIA SE ATRASA (1812-1855)
La Revolución Francesa atemorizó a los zares a introducir reformas. Se reprimían nuevas ideas a través de censura estricta y de una red de policía secreta. Los siervos seguían ligados a la tierra mucho tiempo después de quedar abolido el vasallaje en los países del occidente. Una vasta mayoría de los rusos no sabía leer ni escribir y vivía en la pobreza, mientras que un grupo reducido de nobles gozaba de grandes riquezas. Mientras que otras sociedades europeas empezaron a industrializarse, Rusia permaneció una sociedad agrícola.

EL FRACASO DE LA REFORMA OFICIAL (1855-1881)
Los reformadores, inspirados por el ejemplo de la Europa Occidental, esperaban modernizar el país y abolir el vasallaje. Sin embargo, los zares estaban determinados a mantener su poder autocrático. Finalmente, **Alejandro II**, decidió a prestar atención a los reformadores y emancipó a los siervos en 1861. Con el asesinato de Alejandro en 1881 vino el fin de toda prueba de reformas limitadas. Los zares que le siguieron, volvieron otra vez a la práctica del poder absoluto.

LA REVOLUCION RUSA DEL 1917

A principio del siglo XX, Rusia estaba lista para una revolución. El gobierno autocrático se oponía a todo cambio o al compartimiento del gobierno, y se habían formado sociedades revolucionarias secretas. La gran mayoría de la población vivía en abyecta pobreza, mientras que las clases altas gozaban de riqueza y comodidad. Todo lo que se necesitaba era una chispa para incendiar la inquietud.

PRELUDIO: LA REVOLUCION DEL 1905
La chispa vino finalmente cuando Rusia quedó derrotada por Japón en la Guerra Ruso-Japonesa (1904-1905). En San Petersburgo y en otras ciudades los manifestantes pedían reformas. Los soldados dispararon sus armas contra los manifestantes—principalmente obreros—el **domingo sangriento**. Esta barbaridad causó una ola de protestas - entre trabajadores, campesinos, y algunos soldados - conocida como la Revolución Rusa del 1905. Temiendo ser derribado, el zar **Nicolás II** otorgó reformas limitadas. Creó una legislatura elegida conocida como duma, pero sólo la gente adinerada tenía el derecho del voto.

RUSIA ENTRA EN LA PRIMERA GUERRA MUNDIAL (1914)
Cuando estalló la Primera Guerra Mundial, Nicolás II puso a Rusia en el conflicto al lado de Gran Bretaña y Francia contra Alemania. En el frente, los soldados rusos, mal entrenados y abastecidos sufrieron derrotas desastrosas, llevando al descontento de gran alcance en el ejército. Las industrias rusas estaban totalmente incapaces de producir las armas y equipaje necesarios para las tropas. Dentro del país, el abastecimiento de alimentos estaba peligrosamente malo, causando motines de obreros en las ciudades. Aunque el pueblo estaba cansado de la guerra, el zar se negaba a retirar.

COMIENZA LA REVOLUCION (1917)
Para marzo del 1917, Rusia estaba nuevamente a punto de revolución. Cuando los soldados se negaron a disparar contra los obreros en huelga, Nicolás II se dio cuenta de que estaba sin capacidad para gobernar la nación. En 1917, Nicolás II abdicó el trono, y los jefes de la duma declararon a Rusia como república.

Los soldados rusos salen a la lucha contra los alemanes en la Primera Guerra Mundial

LOS COMUNISTAS TOMAN EL PODER
Un gobierno provisional de moderados reemplazó al zar. Sin embargo, estos no pudieron ganarse el apoyo del pueblo cuando no podían proveer alimentos y se negaron a retirarse de la guerra. Los **bolcheviques** (una facción comunista) prometían "paz, pan y tierra"—paz a los soldados, pan a los obreros y tierra a los campesinos. Estas promesas atrajeron las masas del pueblo ruso, cansado de la guerra. Conducidos por Vladimir Lenin, los bolcheviques tomaron el poder en noviembre del 1917. Una vez en el mando, los bolcheviques cambiaron su nombre a comunistas.

LA EMERGENCIA DEL ESTADO COMUNISTA MODERNO

RUSIA BAJO LENIN (1917-1924)

Una vez establecidos en el mando, los comunistas inmediatamente se retiraron de la guerra contra Alemania. Los trabajadores quedaron organizados para dirigir y operar las fábricas, y todas las industrias fueron nacionalizadas. Todo esto fue seguido por una guerra civil entre los que apoyaban el programa de Lenin, conocidos como "rojos", y los "blancos" que deseaban volver al gobierno del zar. El ejército rojo derrotó a los blancos, resguardando la posición del gobierno comunista. Para el año 1920, Lenin se dio cuenta de que se necesitaban algunos cambios en la economía. Introdujo su **nueva política económica**, bajo la cual se permitía un cierto grado de propiedad privada en la industria y en la agricultura de pequeña escala, mientras que el gobierno seguía dirigiendo las industrias de mayor importancia.

RUSIA BAJO STALIN (1924-1953)

Lenin murió poco tiempo después de la victoria de los comunistas en la guerra civil. Hubo luego una contienda entre **José Stalin** y **León Trotsky** para la jefatura en el partido y en el gobierno. Stalin salió victorioso e inmediatamente se puso a introducir cambios importantes.

■ **ELIMINACION DE JEFES RIVALES.** Stalin tomó medidas para eliminar a sus rivales políticos, acusándolos de acciones anticomunistas. En las **purgas** especiales del partido comunista, los que se le oponían eran arrestados y ejecutados o enviados a campos de trabajo forzado en Siberia.

■ **COLECTIVIZACION.** Las tierras de propiedad privada se quitaron a los campesinos, que luego fueron obligados a trabajar en las fincas colectivas bajo la posesión y operación del gobierno. Muchos campesinos mataron su ganado, quemaron sus cosechas y destruyeron sus herramientas antes de someterse a esa práctica de colectivización. En Ucrania, el granero de la Unión Soviética, los campesinos se negaron a cooperar con la política de Stalin. Stalin cerró la región entera, después de detener el abastecimiento de comestibles, y como consecuencia millones de ucranianos murieron de hambre.

■ **PLANES QUINQUENALES.** Stalin quería convertir la Unión Soviética en una nación industrializada, capaz de competir con cualquier potencia industrial del oeste. Para llegar a este fin, introdujo una serie de planes quinquenales, bajo los cuales el gobierno dirigía todos los aspectos de la economía. El gobierno se proponía desarrollar plantas de energía eléctrica, diques y fábricas de hierro y de acero, mientras no se hacía caso a las necesidades del consumidor. Los planes quinquenales se vieron como un gran éxito porque desarrollaron las industrias fundamentales de la Unión Soviética.

■ **STALINISMO.** Stalin estableció un sistema totalitario, usando el gobierno para controlar todos los aspectos de la vida—la educación, las ideas, la economía, hasta la música y el arte. El pueblo vivía en temor de la policía secreta. Stalin ensalzaba su papel en el desarrollo de la Unión Soviética, y tenía su retrato prominentemente visible a través del país.

■ **SEGUNDA GUERRA MUNDIAL.** En 1939, Stalin firmó un tratado con la Alemania nazi. Cada lado prometía no atacar al otro y dividir a Polonia entre los dos. Sin embargo,

Hitler no cumplió su promesa. En 1941, Alemania lazó un ataque de sorpresa contra la Unión Soviética, obligando a los soviéticos a entrar en la guerra del lado de los Estados Unidos y de Gran Bretaña. Cuando las tropas alemanas invadieron a Rusia, el pueblo, ayudado por el invierno brutal, gradualmente empujó al ejército alemán fuera de Rusia.

EL PERIODO DE POSTGUERRA (1945-PRESENTE)

A pesar de sufrir inmensas pérdidas durante la guerra—murieron más de 20 millones de soldados y civiles— la Unión Soviética salió de la guerra como una superpotencia victoriosa.

EL ORIGEN DE LA GUERRA FRIA

La Unión Soviética usó sus victorias en la Segunda Guerra Mundial para extender el sistema comunista a la Europa Oriental. Esta expansión atemorizó a las naciones del oeste, llevando al desarrollo de la guerra fría (lucha entre los comunistas y las naciones occidentales). A causa de la existencia de armas nucleares, la guerra fría nunca llegó a ser una guerra abierta entre los E.E.U.U. y la U.R.S.S.

NIKITA KRUSHCHEV (1953-1964)

Después de la muerte de Stalin en 1953, Krushchev surgió como el jefe sucesivo y llegó a mitigar algunas restricciones impuestas por Stalin. Aunque Krushchev proclamó que los norteamericanos del futuro se criarían bajo un sistema comunista, sus propios planes de acción en la economía no tuvieron éxito. La producción agrícola disminuyó mientras que deceleró la expansión industrial. A pesar de haber prometido una política externa moderada, era Krushchev quien envió las tropas para aplastar las protestas en Hungría, mandó construir la muralla de Berlín, y trató de instalar proyectiles nucleares en Cuba. Cuando fracasó su política externa, quedó apartado del mando.

LEONID BREZNEF (1977-1982)

Gradualmente, Breznef apareció como el nuevo jefe soviético e introdujo una política externa conocida como "**detente**" (una política bajo la cual se mitigó la tirantez entre la Unión Soviética y el Occidente). Bajo la detente, Breznef trató de mejorar las relaciones sociales y culturales con los Estados Unidos. Sin embargo, era durante su dirección que el gobierno castigó a los **disidentes** (los que se oponían a la política del gobierno) al aumentar las restricciones en la libertad del individuo, y la Unión Soviética invadió a Checoslovaquia y Afganistán para mantener allí sus gobiernos satélites. Breznef también impuso restricciones en la emigración de los judíos soviéticos.

MIKHAIL GORBACHEV (1985-1991)

La selección de Gorbachev por el politburó como jefe del gobierno indicó un movimiento de la vieja guardia comunista a un enfoque más joven y moderno. Para los detalles de la política de Gorbachev, véase la sección de Cuestiones Principales de este capítulo.

—EUROPA ORIENTAL—

Históricamente, la Europa Oriental se compone de un considerable número de naciones de origen eslavo y de otros grupos étnicos. Estas naciones eran víctimas de invasiones de parte de Rusia, Austria, Turquía y Alemania. Algunas de ellas obtuvieron su independencia con la caída del imperio turco. El resto recobró su independencia después de la Primera Guerra Mundial.

EL ESTABLECIMIENTO DE ESTADOS SATELITES DE LA UNION SOVIETICA

Cuando empezó la Segunda Guerra Mundial, la mayor parte de la Europa Oriental cayó bajo el poder de la Alemania nazi. Para el año 1945, los ejércitos soviéticos echaron a los alemanes de la Europa Oriental. Cuando terminó la guerra, los soviéticos establecieron gobiernos **satélites** (dirigidos por los comunistas) en Bulgaria, Polonia, Hungría Yugoslavia, Albania, Checoslovaquia y Alemania del Este usando las siguientes medidas:

■ Eliminaron todos los partidos políticos excepto el partido comunista. Nunca se llevaron a cabo las elecciones libres prometidas.

■ Obligaron a los gobiernos satélites en la Europa Oriental a seguir la política dictada por la Unión Soviética.

■ Establecieron el programa de colectivización en la industria y en la agricultura. Se fomentaba el comercio entre la Unión Soviética y la Europa Oriental a costa del comercio reducido con el Occidente.

LA CORTINA DE HIERRO

Los Estados Unidos y las naciones del oeste de Europa protestaron la captura del este de Europa, pero la Unión Soviética declaró que estaba rodeada por naciones hostiles, y necesitaba una zona amortiguadora como protección contra la "agresión capitalista". Como resultado, cayó una imaginaria cortina de hierro que separó la Europa Occidental de la Oriental y de la Unión Soviética.

LAS FRICCIONES DETRAS DE LA CORTINA DE HIERRO

Durante los 40 años de la guerra fría, había en la Europa Oriental una tendencia creciente hacia el desarrollo independiente de la Unión Soviética. Sin embargo, hasta el fin de los años 1980 los soviéticos ponían límites a estas tendencias.

■ **HUNGRIA**. Las tropas soviéticas fueron enviadas a Hungría en 1956 para aplastar una sublevación anticomunista.

■ **BERLIN**. En 1961, se levantó una muralla para prevenir que los berlineses del este escaparan al Berlín libre del oeste.

■ **CHECOSLOVAQUIA**. En 1968, las tropas soviéticas invadieron el país para prevenir el desarrollo de la democracia.

■ **POLONIA**. En los años 1980, Polonia fue amenazada con intervención soviética si sus concesiones a la Solidaridad, un sindicato independiente de trabajadores, fuesen demasiado lejos.

Mikhail Gorbachev volteó estas prácticas, llevando al repentino y rápido esparcimiento de la democracia en la Europa Oriental en 1989-1990.

PRINCIPIOS FUNDAMENTALES PARA RECORDAR

GENERALIZACIONES FUNDAMENTALES
✳ La interdependencia comercial a menudo lleva a la difusión cultural.
✳ La mayoría de las revoluciones tienen muchas causas y muchos efectos de larga duración.

TERMINOS Y CONCEPTOS FUNDAMENTALES
Imperio Bizantino, rusificación, vasallaje (esclavitud), occidentalización, Domingo Sangriento, Revolución del 1905, Revolución del 1917, bolcheviques, purgas, "detente", colectivización, guerra fría, disidente, satélites, cortina de hierro.

SISTEMAS PRINCIPALES

EL SISTEMA POLITICO

En 1917, el imperio ruso se convirtió en el primer país comunista del mundo. Las ideas fundamentales del comunismo fueron al principio desarrolladas por **Carlos Marx** y **Federico Engels** en el siglo XIX. Quedaron aplicadas a Rusia por Vladimir Lenin, y luego modificadas por José Stalin y otros jefes soviéticos.

MARX Y ENGELS
Marx y Engels creían que los dueños de empresas, a los que llamaron capitalistas, usaban su riqueza para aprovecharse de los trabajadores, robándoles de la mayor parte de lo que producían. Marx y Engels pronosticaron que las condiciones de los obreros empeorarían; preveían tiempos de crisis y desempleo, que finalmente impulsarían a los obreros a derribar a sus patronos capitalistas en una violenta revolución. Después de la revolución, los trabajadores establecerían una sociedad más justa al abolir la propiedad privada; las fincas y fábricas serían propiedad de la sociedad entera. En esta "sociedad comunista" las ideas falsas de la religión se eliminarían, y el gobierno gradualmente "se marchitaría". Entonces toda la gente viviría en una armonía perfecta.

Marx, Engels, Lenin, Stalin

LENIN Y STALIN
Lenin y Stalin modificaron de modo significante la teoría marxista. Lenin creía que sólo un pequeño grupo de dedicados miembros del partido podría conducir a Rusia por la senda apropiada hacia el comunismo. También creía que después de la revolución,

se necesitaba una "dictadura" interina de jefes del partido porque no se podía confiar que los trabajadores supieran qué les convenía. Stalin convirtió a los jefes del partido en burócratas del partido. El comunismo llegó a ser todo lo que Stalin decía que era.

LOS CAMBIOS EN LA ESTRUCTURA POLITICA

Después de un golpe militar fracasado, en agosto de 1991, el gobierno soviético volvió a experimentar cambios importantes. Gorbachev renunció a su puesto de Secretario General del Partido Comunista, disolvió su Comité Central y confiscó la mayoría de los bienes del partido. La perestroika desencadenó el nacionalismo de las repúblicas soviéticas y llevó al derrumbe de la autoridad central.

LAS REPUBLICAS EN EL PRESENTE

Los esfuerzos de Gorbachev de formar una nueva unión fracasaron, y las repúblicas comenzaron a seceder de la U.R.S.S. El 8 de diciembre de 1991, los líderes de las tres repúblicas eslavas, Rusia, Bielorrusia y Ucrania, al proclamar una **Comunidad de Estados Independientes**, disolvieron la U.R.S.S. como entidad política. La Comunidad que contiene más de un 70% de la población y 80% de los territorios de la antigua Unión Soviética, ha invitado a otras repúblicas a incorporarse a la unión. Aunque la nueva capital estará en Minsk y no en Moscú, la Comunidad ha asumido muchas de las antiguas obligaciones de la U.R.S.S., entre ellas:

- la dirección de la política externa y el cumplimiento de sus obligaciones internacionales
- el desarrollo de la política económica común
- el control central del arsenal nuclear

El sistema político de la Comunidad indudablemente cambiará para acomodar las nuevas relaciones entre las repúblicas, pero es imposible pronosticar qué instituciones gubernamentales se establecerán en el futuro. Después de más de 70 años de comunismo, la Unión Soviética fue reemplazada por una asociación libre de repúblicas separadas.

EL SISTEMA ECONOMICO

Bajo los zares, la mayoría del pueblo era extremadamente pobre y sólo una perqueña élite poseía la mayor parte de las riquezas. Cuando los comunistas obtuvieron el mando en 1917, el gobierno se puso a cargo de las industrias, de las empresas y de los bancos. Los latifundios (grandes extensiones de tierra de propiedad privada) quedaron divididos y sus partes vendidas a los campesinos.

— LA ECONOMIA SOVIETICA BAJO EL COMUNISMO —

LA PLANIFICACION CENTRAL

En contraste a la economía del mercado libre de los Estados Unidos, donde los productores hacen sus propias decisiones basadas en las condiciones del mercado, el sistema comunista dependía de una **economía planificada**. En este tipo de sistema, el gobierno es el que hace las decisiones de importancia para la sociedad—*qué* se produce, *cómo* se produce y *quién* recibe el producto. Para llevar a cabo sus planes, el gobierno era el dueño de las industrias principales. En la Unión Soviética, la planificación central se hacía por el **Gosplan.** Esta agencia preparaba un plan nacional para un período de cinco años, conocido como **plan quinquenal**.

LA COLECTIVIZACION DE LA AGRICULTURA

En 1928, Stalin comenzó la **colectivización** de la agricultura. Se usaron métodos brutales para hacer que los campesinos cedieran sus tierras al gobierno, el que a su vez creó grandes fincas de propiedad gubernamental. Los labradores trabajaban en las fincas del estado por un sueldo bajo, mientras que los productos de la finca se entregaban al gobierno para la distribución en las ciudades.

LAS TENDENCIAS ECONOMICAS DE POSTGUERRA

La Segunda Guerra Mundial acarreó tremendos daños en la economía soviética. Stalin se negó a aceptar la ayuda económica de postguerra de parte de los Estados Unidos. Era el sistema de planificación central el que ayudó a los ciudadanos soviéticos a reconstruir sus viviendas y la industria pesada.

— EL FRACASO DE LA ECONOMIA SOVIETICA —

Cuando Gorbachev tomó el poder en 1985, la economía soviética estaba basada en un sistema de propiedad estatal de los medios de producción, planificación central por el gobierno y la colectivización de la agricultura. Todas las decisiones se hacían por la jefatura del partido comunista y luego se realizaban por una hueste de oficiales del partido de nivel regional y local, con poco intercambio de ideas o crítica de las decisiones del partido. Los problemas de la planificación central se hicieron obvios según la Unión Soviética se iba atrasando con respecto al Occidente en su capacidad de proporcionar productos y servicios a su pueblo.

■ **LOS FRACASOS EN LA AGRICULTURA.** La agricultura soviética no producía lo suficiente para alimentar a su pueblo. La Unión Soviética tenía que importar grano y carne.

■ **LOS FRACASOS EN LA PRODUCCION.** A menudo se fabricaban productos incorrectos. Se establecían cuotas de producción en las fábricas sin fijarse en la demanda para los productos. Se producían artículos no necesarios en lugares no apropiados. Había poco control de calidad. La planificación central no era capaz de emparejar los artículos de consumo con las necesidades del consumidor.

■ **LA FALTA DE TECNOLOGIA AVANZADA.** Las industrias de tecnología avanzada como las computadoras y telecomunicaciones dependen de un rápido y libre intercambio de informes. La U.R.S.S. se atrasó en muchas industrias críticas de tecnología avanzada.

■ **EL DECAIMIENTO EN EL NIVEL DE VIDA.** Había decaimiento en el nivel de vida y pesimismo de gran alcance en la Unión Soviética. Los automóviles, televisores y tocadiscos estereo se consideraban ser artículos de lujo en la Unión Soviética. El fracaso del sistema a proporcionar bienes, las frustraciones encontradas ante la gran burocracia y la corrupción de gran escala crearon pesimismo entre muchos ciudadanos soviéticos. Este problema se reflejaba en el aumento del alcoholismo y ausencias del trabajo.

■ **LA CORRUPCION.** Muchos oficiales públicos gozaban de privilegios especiales tales como viviendas más amplias, mejores artículos de consumo y la oportunidad de viajes. Estos privilegios causaban el resentimiento de los ciudadanos.

LA ECONOMIA SOVIETICA Y LA PERESTROIKA

El atentado de Gorbachev de reformar la economía soviética se encuentra frente a muchos problemas difíciles. Para una presentación más detallada de este tema véase la sección de Cuestiones Principales en este capítulo.

EL SISTEMA SOCIAL

La sociedad soviética es muy moderna; la mayor parte de la población vive en las ciudades y está empleada en la industria o en provisión de servicios. El gobierno provee cuidado de salud y educación gratuita; a bajo costo: viviendas de propiedad del estado, facilidades de recreo y transporte público; también hay garantía de empleo. Las familias en las ciudades tienden a ser pequeñas y generalmente trabajan ambos padres. Muchos ciudadanos soviéticos temen que, al renunciar el comunismo, van a perder algunos de estos beneficios. Ya están en aumento el desempleo y el crimen.

IGUALDAD PARA LA MUJER

Con la Revolución del 1917, las mujeres alcanzaron completa igualdad legal, política y social. Más de dos tercios de los médicos en la Unión Soviética son mujeres que también componen una gran proporción en las otras profesiones. Sin embargo, hay pocas mujeres en la dirección de fábricas o en la jefatura política, y la mayoría de las mujeres se encuentra en los empleos de sueldos más bajos. Se supone que los hombres y las mujeres deben tener igual papel, pero a las mujeres del país no se las trata de forma igual.

EL SISTEMA DE ENSEÑANZA

Los estudios recientes muestran que los estudiantes de las escuelas secundarias en la Unión Soviética son superiores en los conocimientos de ciencia y de matemáticas que el promedio de los estudiantes en los Estados Unidos. Sólo un número limitado de los estudiantes soviéticos entra en las universidades que tienen un nivel muy alto.

LA CULTURA SOVIETICA

En el pasado, los rusos eran los que hicieron las contribuciones principales a las artes, a la literatura y a las ciencias. En el presente, el gobierno provee fondos para una variedad de actividades artísticas. Sin embargo, hasta tiempos recientes las prácticas del comunismo limitaban la libre expresión de ideas.

■ **EL BALLET.** Los rusos desarrollaron la forma artística del ballet clásico. Tchaikovsky y Stravinsky compusieron ballets hermosos. Nureyev y Baryshnikov son dos famosos bailarines rusos que emigraron a los Estados Unidos.

■ **LA LITERATURA.** El siglo XIX era la gran edad de la literatura rusa. Puschkin era el poeta más grande de Rusia; Dostoievsky y León Tolstoi son dos de los más grandes novelistas de cualquier lengua; Antón Chejov era el dramaturgo más prominente. En el siglo XX, Boris Pasternak y Alejandro Solzhenitzyn son los más grandes novelistas.

■ **LA CIENCIA.** En el siglo XIX, los hombres de ciencia rusos hicieron muchas contribuciones a las ciencias, tales como la formación de la tabla periódica de elementos. En el siglo XX, los especialistas soviéticos fueron los primeros en enviar un satélite al espacio. También explotaron las bombas atómicas y de hidrógeno poco tiempo de que lo hicieran los Estados Unidos. Además, los hombres de ciencia soviéticos sobresalen en varios campos de medicina.

EL SISTEMA RELIGIOSO

—LA UNION SOVIETICA—

Bajo los zares, la religión oficial era la (rusa) **ortodoxa**. La Iglesia apoyaba firmemente el gobierno de los zares. Los más rusos siguen siendo ortodoxos, pero hay muchos otros grupos religiosos importantes en la Unión Soviética.

■ **EL ATEISMO.** Marx creía que la religión no tenía ningún valor, y que los patronos usaban la religión para inducir a los obreros a la sumisión. Los gobiernos comunistas son por lo tanto oficialmente ateos. Cuando Rusia se hizo comunista, la práctica de la religión era desaprobada. Sin embargo, en tiempos recientes, Gorbachev se pronunció en favor de más práctica de religión en la Unión Soviética.

■ **LOS GRUPOS ETNICOS.** A los muchos grupos étnicos (no rusos), la religión ayuda a mantener su propia identidad nacional. Por ejemplo, en la región del Báltico, los estonios y latvios son protestantes, mientras que los lituanos son católicos. En el Asia central soviética hay más de 50 millones de musulmanes.

■ **LOS JUDIOS Y LA EMIGRACION.** En los tiempos zaristas, los judíos eran perseguidos y tratados como víctimas propiciatorias. Había **pogroms** (excesos apoyados por el gobierno) contra los judíos y sus posesiones. En los primeros años del gobierno comunista, las condiciones eran algo mejores, pero en el período de postguerra se renovaron las discriminaciones en cuanto a admisiones universitarias o mejores puestos. Algunos judíos solicitaron la emigración a Israel o a los Estados Unidos, pero siempre es muy difícil para cualquiera, emigrar legalmente de la Unión Soviética. Con la política reciente de Gorbachev, la emigración judía aumentó notablemente otra vez.

—EUROPA ORIENTAL—

En la Europa Oriental la religión tiene importantancia en mantener el sentido de identidad nacional. En Hungría y en Polonia, el catolicismo mantuvo vivo el espíritu de descontento con el régimen comunista. En 1978, un obispo polaco llegó a ser papa.

PRINCIPIOS FUNDAMENTALES PARA RECORDAR

GENERALIZACIONES FUNDAMENTALES
✳ Los cambios en el sistema económico de un país pueden tener efectos en su sistema social, político y religioso.
✳ La filosofía política y económica de un período de tiempo a menudo queda reformada para cumplir con las necesidades específicas de otro período.

TERMINOS Y CONCEPTOS FUNDAMENTALES
Partido comunista, economía planificada, plan quinquenal, colectivización, víctimas propiciatorias, pogroms, ateísmo.

PERSONAJES PRINCIPALES

PEDRO EL GRANDE (1670-1725)

Como soberano de Rusia, Pedro el Grande viajó por el oeste de Europa para conocer las ideas y la tecnología de los países occidentales. Al regresar, introdujo una serie de cambios cuyo propósito era de hacer de Rusia una nación más parecida a las del oeste de Europa. No llegó a eliminar la distancia que separaba su nación del resto de Europa, pero introdujo la occidentalización que radicalmente cambió la sociedad rusa.

CATALINA LA GRANDE (1729-1796)

Catalina la Grande contribuyó a aumentar el prestigio y el poder de Rusia al usar diplomacia diestra y al extender las fronteras occidentales de Rusia. Considerada soberana esclarecida, trató de continuar la política de Pedro el Grande de introducir ideas y cultura occidentales en Rusia. Aunque al principio trató de reformar su país, la Revolución Francesa la atemorizó en sus atentados de reforma.

VLADIMIR LENIN (1870-1924)

Lenin era un revolucionario dedicado a las ideas de Carlos Marx. Cuando el gobierno zarista fue destituido en marzo del 1917, regresó a Rusia de su exilio en Suiza para ponerse a la cabeza de la revolución. Una vez en el mando, se dedicó a hacer de Rusia un estado comunista. Tuvo éxito en establecer el comunismo después de una larga y sangrienta guerra civil y murió a poco tiempo de obtener su propósito.

JOSE STALIN (1879 -1953)

Llevado al poder con los bolcheviques en 1917, Stalin le sucedió a Lenin como jefe de la Unión Soviética en 1924. Durante sus 30 años en el mando, gobernó con un puño de hierro, convirtiéndose en el soberano absoluto de la Unión Soviética. Modificó las ideas de Marx y de Lenin para satisfacer su propio concepto del comunismo. Se enzalzaba como el "padre" del pueblo soviético. Los que se oponían a su política eran terrorizados por la policía secreta, muertos o enviados a Siberia. Stalin dirigió la Unión Soviética a través de la Segunda Guerra Mundial y extendió el comunismo a la Europa Oriental después de la guerra.

MIKHAIL GORBACHEV (1931-Presente)

Gorbachev se conoce mejor por su política de **perestroika**, un programa de regeneración, reforma y reorganización económica. Para contrarrestar las sospechas y la resistencia a la perestroika, también introdujo la **glasnost**, una reforma política que intentaba conceder más libertades a la sociedad soviética al abandonar la censura y el control. Sin embargo, sus nuevas prácticas económicas fracasaron, y la práctica política debilitó la autoridad central resultando en la disolución de la Unión Soviética.

BORIS YELTSIN (1931-Presente)

Antiguo miembro del Politburó del Partido Comunista y vigoroso aliado de Gorbachev, Yeltsin criticó sin embargo sus fracasos en la reforma económica, y dejó el partido en julio de 1990. El primer presidente de Rusia, Yeltsin fue elegido con un 60% del voto popular en junio de 1991. Se propuso establecer una economía de mercado libre y decretó la suspensión de leyes soviéticas dentro de Rusia, lo que fue crítico en la debilitación del gobierno central soviético. Durante el golpe contra Gorbachev en agosto de 1991, Yeltsin se convirtió en héroe popular cuando se paró encima de un tanque desafiando a los conspiradores. A diferencia de los jefes de la conspiración, contaba con el apoyo del pueblo que lo eligió, y llegó a ser el individuo más poderoso dentro de la U.R.S.S. Con la presente importancia de las repúblicas, Yeltsin encabeza a Rusia, la más importante y poderosa de todas.

PRINCIPIOS FUNDAMENTALES PARA RECORDAR

GENERALIZACIONES FUNDAMENTALES
✳ Muchos líderes cambiaron su nación con sus prácticas políticas, económicas o sociales.
✳ A los jefes políticos se los recuerda por los programas que establecen durante su gobierno.

TERMINOS Y CONCEPTOS FUNDAMENTALES
Perestroika, glasnost, Solidaridad.

CUESTIONES PRINCIPALES

LAS REFORMAS DE GORBACHEV: GLASNOST Y PERESTROIKA

Para corregir los problemas en la economía soviética, Gorbachev estableció las prácticas gemelas de glasnost y de perestroika. Quedó profundamente influido por el éxito del Occidente y por los cambios en China en los años 1980.

GLASNOST
Glasnost se refiere a la política de más "franqueza" en la sociedad soviética, especialmente al derecho de criticar a los oficiales públicos que sean culpables de errores o de actos perjudiciales. Con el fin de promover un sentido de más franqueza en la sociedad, Gorbachev instituyó los siguientes cambios:

■ Se eliminaron virtualmente las restricciones de la prensa y la libertad de palabra. Los ciudadanos y los periodistas libremente critican el gobierno.

■ Hay más respeto para los derechos humanos. Se puso en libertad a los disidentes. Los ciudadanos soviéticos formaron sus propios grupos de intereses especiales. Hay más preocupación con las quejas de las nacionalidades no rusas.

■ Se mitigaron las restricciones de viajes al extranjero. A los que salieron anteriormente del país se les permite venir de visita. Se introdujeron prácticas más liberales para permitir la emigración de los judíos.

■ Al revés de las prácticas anteriores se fomenta el contacto y la influencia occidental.

LA PERESTROIKA

Perestroika significa "cambio de estructura". Gorbachev la define como "reforma económica radical". Su propósito general es de transformar la economía de planificación central en una economía basada en dirección autónoma, de iniciativa individual y de mercados libres. Se introdujeron los siguientes cambios:

■ Gorbachev espera recompensar a los que trabajan mejor y con más diligencia, y producen más. La gente puede formar pequeñas empresas familiares. También se permite oficialmente la posesión de propiedad privada. Se ofrecen arriendos de largo plazo a las familias campesinas que quieren tener sus propias fincas.

■ A los directores de las fábricas se les dio más responsabilidad en la producción. En el futuro podrán decidir qué se debe producir y a quién vender los productos, con los obreros participando en las ganancias.

■ Gorbachev espera abrir la Unión Soviética al comercio internacional. Está invitando a compañías extranjeras a invertir en la Unión Soviética y a establecer allí sus empresas. Espera recibir mucha ayuda económica del Occidente.

LA DEMOCRATIZACION

Como parte de glasnost y de la perestroika, Gorbachev alentó más medidas democráticas.

■ Al presente hay varios candidatos en competición para puestos de secretarios locales del partido.

■ El Congreso de Diputados del Pueblo tiene miembros elegidos.

■ Oficialmente, el partido comunista renunció su monopolio sobre el poder político y pronto la Unión Soviética tendrá un presidente elegido.

DIFICULTADES ANTE LA PERESTROIKA

Desde el principio Gorbachev se encontraba con inmensos obstáculos a su programa.

LOS OBSTACULOS A LAS REFORMAS DE GORBACHEV

Muchos ciudadanos soviéticos no entendían cómo funciona el sistema de mercado libre. Después de 70 años de comunismo, la gente esperaba dirección del estado y no sabía cómo obrar por su propia cuenta. Muchos oficiales del gobierno se oponían a cambios. Como resultado, Gorbachev introdujo medidas limitadas de economía de mercado libre. Los funcionarios siguieron ejerciendo cierto control de precios y el estado subvencionaba algunas industrias.

UN FRACASO DE LA REANIMACION DE LA ECONOMIA

En ese tiempo, la Unión Soviética parecía sufrir tanto de las peores características del comunismo como de las de la economía del mercado libre. Los habitantes del país seguían padeciendo de la falta de artículos de consumo de primera necesidad, viviendas, combustibles, etc. Al mismo tiempo, también había inflación, aumento del desempleo, huelgas frecuentes y un déficit creciente. Después de varios años de perestroika, muchos ciudadanos se impacientaban por ver los resultados.

LA CRITICA RADICAL CRECIENTE

En su mayoría los votantes mostraron en las elecciones soviéticas que no querían volver al comunismo. Muchos creían que Gorbachev no había hecho lo suficiente para introducir la economía de mercado lbre. Gorbachev prometió que iba a hacer aún más cambios, sin embargo los beneficios de la economía de mercado libre aparecerían sólo gradualmente. Muchos ciudadanos estaban desilusionados cuando sus esperanzas de una mejor vida no se realizaban con rapidez.

LAS DISTINTAS NACIONALIDADES

EL PASADO

Tanto la Rusia zarista como la Unión Soviética habían anexado territorios y pueblos no rusos por la fuerza. Bajo la política de rusificación, los zares trataron de obligar a estos grupos a adoptar la lengua y las costumbres rusas. Sin embargo, cada nación ha conservado su propio idioma y usanzas. La Unión Soviética se componía de 15 repúblicas, algo parecidas a los estados dentro de los Estados Unidos. Los habitantes no rusos generalmente vivían en las regiones que fueron anexadas por la Rusia zarista o más tarde por la Unión Soviética. Componían casi la mitad de la población y su número aumentaba con más rapidez que la población rusa.

Al noroeste se encontraban los estados del Báltico: Lituania, Latvia y Estonia. Anexadas después de la Segunda Guerra Mundial, también por un tiempo habían estado bajo la dominación rusa antes de 1917. En el oeste estaban Bielorrusia y Ucrania; hacia el sur Armenia, Georgia (Grusia), el Azerbeiyán y las repúblicas musulmanas de Asia Central.

EL FUTURO INCIERTO

A causa de los acontecimientos recientes surgen muchas cuestiones:

¿Va a sobrevivir la democracia en la República Rusa? En noviembre de 1991 Boris Yeltsin ordenó la suspensión de todas las elecciones y anunció su intención de gobernar por decreto presidencial mientras se lleva a cabo el cambio a la economía de mercado. Esto podría ser el primer paso hacia el restablecimiento del gobierno autoritario, acabando con el breve experimento con la democracia en Rusia.

¿Cómo puede resolverse la crisis económica? En otoño de 1991, Gorbachev había pedido al Occidente $20 billones de ayuda de emergencia. En el invierno de 1991-92 las repúblicas se encontraban en una crisis de abastecimiento de comestibles. A medida que se disuelve la Unión Soviética, hay posibilidad de bajas en la productividad y aumento de la inflación. A menos que mejore la situación económica, hay una cierta amenaza de otra revolución.

¿Cuáles repúblicas se asociarán con la nueva Comunidad de Estados Independientes? La Comunidad invitó a que se le juntaran las otras antiguas repúblicas soviéticas. Sin embargo, en algunas se teme que la potente República Rusa tratará de dominarlas otra vez en esta nueva confederación. A medida que se afirman las repúblicas, se reaniman las antiguas rivalidades y disputas fronterizas. También las minorías étnicas dentro de algunas repúblicas han exigido autonomía.

> *Reiteramos que es importante recordar que los acontecimientos en la antigua Unión Soviética van sucediendo con tal rapidez que cualquier pronóstico acerca del futuro se reduce a una especulación.*

LAS RELACIONES ENTRE LOS E.E.U.U. Y LA U.R.S.S. - UNA CRONOLOGIA

LAS RELACIONES EN LOS AÑOS 1917 -1945

A poco tiempo después de la revolución rusa, estalló una guerra civil y los Estados Unidos enviaron tropas para oponerse a los comunistas en la guerra civil. Más tarde, los presidentes de los Estados Unidos siguieron negándose a otorgar reconocimiento diplomático al nuevo gobierno comunista. El reconocimiento vino finalmente en 1934, diecisiete años después de que los comunistas llegaron al poder. Durante la Segunda Guerra Mundial, los Estados Unidos y los soviéticos lucharon como aliados contra Alemania. Sin embargo, hacia el fin de la guerra, los ejércitos soviéticos se quedaron en la Europa Oriental y ayudaron a los comunistas locales a tomar el poder. Estas acciones contribuyeron a las relaciones tirantes entre los soviéticos y los norteamericanos.

LAS RAZONES PARA LAS RIVALIDADES DE POSTGUERRA ENTRE LOS E.E.U.U. Y LA U.R.S.S. (1945-1980)

Había muchas razones por las cuales las relaciones entre los Estados Unidos y la Unión Soviética eran hostiles durante los 40 años que siguieron la Segunda Guerra Mundial. Entre algunas de esas razones generales se encontraban las siguientes:

■ **LA IDEOLOGIA.** Como principal país democrático del mundo, los Estados Unidos se oponían a la expansión del comunismo. El comunismo prohibía la empresa libre, la libertad de palabra, el gobierno democrático y la libertad religiosa, todo lo que los Estados Unidos trataban de fomentar.

■ **LA ESTRATEGIA.** La Unión Soviética y los Estados Unidos eran las superpotencias principales del mundo. A causa de sus armamentos nucleares y grandes recursos, los dos siguen más poderosos que otros países.

■ **LA ECONOMIA.** El sistema comunista estaba en oposición directa a las prácticas económicas de los Estados Unidos. Los comunistas estaban en oposición firme al sistema de la libre empresa. Los norteamericanos temían que si más partes del mundo se volvieran comunistas, habría menos mercados para el comercio norteamericano.

■ **LA COMPETICION.** Para ganarse influencia, la Unión Soviética a menudo apoyaba los "movimientos de liberación" en las naciones del **Tercer Mundo**, que trataban de derribar los gobiernos aliados con los Estados Unidos. La Unión Soviética y los Estados Unidos compiten por influencia en Asia, en Africa y en la América Latina.

■ **PROTECCION DE LOS ALIADOS.** A causa de su posición de superpotencia, los Estados Unidos se sentían obligados a proteger a sus amigos y aliados a través del mundo. En particular, el apoyo de los Estados Unidos ayudó a proteger la democracia en la Europa Occidental, que se sentía amenazada por la agresión soviética.

LOS ATENTADOS DE CONTENCION POR LOS ESTADOS UNIDOS (1945 -1949)

Inmediatamente después de la Segunda Guerra Mundial, los Estados Unidos siguieron una política de contención (para prevenir la expansión del comunismo a nuevos territorios). Esta política incluía:

■ **LA DOCTRINA TRUMAN.** La Doctrina Truman (1947) se promulgó para asistir a los gobiernos de Grecia y Turquía para suprimir las sublevaciones comunistas. Truman prometió ayuda a cualquier gobierno que combatiera el comunismo.

■ **EL PLAN DE MARSHALL.** Los Estados Unidos establecieron el Plan de Marshall para ofrecer ayuda económica a los pueblos de la Europa Occidental, para que no recurrieran al comunismo por desesperación económica.

■ **LA ORGANIZACION DEL TRATADO DEL ATLANTICO (O.T.A.N.).** Los Estados Unidos firmaron un tratado con los países de la Europa Occidental, que promete acción común contra la agresión soviética. Los Estados Unidos prometieron de esta manera a defender a la Europa Occidental con su poder nuclear.

EL PERIODO DE LA GUERRA FRIA (1949-1963)

Durante esos años, los norteamericanos temían que el comunismo estaba avanzando. Primero, la Europa Oriental y luego los países de Asia y de la América Latina parecían estar cayendo al comunismo. Las dos potencias desarrollaron sistemas de proyectiles dirigidos y entraron en una "competición en el espacio". La Unión Soviética respondió estrechando su dominio sobre la Europa Oriental. Cuando los europeos del este se rebelaron contra sus condiciones, las fuerzas soviéticas aplastaron las manifestaciones en Alemania del Este (1953) y las sublevaciones en Hungría (1956). El muro de Berlín fue construído en 1961. Cuando los soviéticos enviaron proyectiles nucleares a Cuba, los Estados Unidos exigieron que se retiraran e impusieron un bloqueo de Cuba. El jefe soviético, Krushchev, optó por retirar los proyectiles, pero el mundo estaba muy cerca de una guerra nuclear.

LA COEXISTENCIA PACIFICA (1963-los 1970)

Después de la crisis cubana de los proyectiles, las dos superpotencias decidieron que a pesar de sus diferencias ideológicas, ninguna de las dos se podía permitir el lujo de una guerra nuclear. Los gobiernos de los dos países trataron de seguir una política donde vivían en paz uno con el otro. Bajo esta política, llamada "coexistencia pacífica", las dos potencias trataron de evitar conflictos abiertos, mientras seguían compitiendo en Asia, en Africa y en la América Latina.

DETENTE (los últimos 1970-los 1980)

En los años recientes, las relaciones entre los Estados Unidos y la Unión Soviética entraron en una fase nueva, llamada "detente", que quiere decir mitigación de tirantez. Bajo esta política, las relaciones entre las dos potencias se hicieron más amistosas. Esta amistad de relaciones se ve en los siguientes ejemplos:

■ Una línea telefónica directa (hot line) se instaló entre Moscú y Washington, D.C. para prevenir que una equivocación se convierta en una guerra nuclear.

■ El presidente Nixon visitó a Moscú; permitió la venta de grano a la Unión Soviética y firmó un tratado limitando el uso de proyectiles antibalísticos (SALT I).

■ En los **Acuerdos de Helsinki** en 1975, el Oeste accedió a reconocer las fronteras de postguerra de Europa que dividían el Este del Oeste; el gobierno soviético prometió mostrar más respeto a los derechos humanos, especialmente la libertad de expresión y el derecho de emigrar de la Unión Soviética y de la Europa Oriental.

Sin embargo, también había notables excepciones a esta política, y la tirantez aumentó:

■ La invasión de Afganistán por los soviéticos llevó al Senado de los Estados Unidos a negarse a ratificar el **Tratado SALT II**. Los Estados Unidos también prohibieron la venta de grano a la Unión Soviética y boycotearon los juegos olímpicos en Moscú.

■ En desquite, la Unión Soviética puso fuertes restricciones en la emigración de los judíos; encarceló a los disidentes principales y boicoteó los juegos olímpicos de Los Angeles.

LA REVOLUCION DE GORBACHEV (1985-1991)

Cuando Mikhail Gorbachev llegó al poder, cambiaron radicalmente las relaciones entre los E.E.U.U. y la U.R.S.S. Gorbachev había revolucionado las relaciones entre las dos superpotencias.

■ Se encontró con los presidentes Reagan y Bush en varias conferencias cumbre.

■ La U.R.S.S. se retiró de Afganistán y anunció una reducción de sus fuerzas militares. La destrucción de la muralla de Berlín fue el símbolo más visible del fin de la guerra fría.

■ La U.R.S.S. y los E.E.U.U. acordaron reducir el número total de armas nucleares.

LAS RELACIONES DE LOS E.E.U.U. CON LAS REPUBLICAS

Los Estados Unidos tuvieron un cierto papel en la disolución de la Unión Soviética al reconocer a varias de las repúblicas como países independientes. Sin embargo, con la formación de la nueva Comunidad de Estados Independientes los E.E.U.U. están preocupados por el futuro de los anteriores pactos sobre las armas nucleares, la guerra civil étnica y la crisis económica.

LOS CAMBIOS EN EL SEMBLANTE DE LA EUROPA ORIENTAL

Desde la Segunda Guerra Mundial la Europa Oriental había estado bajo la dominación de la U.R.S.S., y los soviéticos sofocaban todo intento de cambios.

EL DILEMA DE GORBACHEV

La continuación del dominio sobre la Europa Oriental presentó serios problemas para la política de glasnost y de perestroika en la Unión Soviética. Gorbachev no podía introducir más libertades en su país y al mismo tiempo seguir la política de represión en la Europa Oriental. Optó por abandonar la ideología comunista en favor de una política más práctica. Permitió más libertad en el este de Europa aun al costo de la pérdida de la influencia soviética en la región.

LIBERTAD PARA LA EUROPA ORIENTAL

Gorbachev tomó el riesgo de animar a los gobiernos de la Europa Oriental a conceder más libertad. Como resultado, los jefes comunistas de los países de la Europa Oriental quedaron desplazados mediante elecciones.

■ **POLONIA.** Alentado por Gorbachev, el gobierno concedió más privilegios y finalmente retiró la prohibición contra la Solidaridad, el gremio libre de trabajadores. En las elecciones libres nacionales en 1989, la Solidaridad ganó la mayoría de los puestos y así el primer gobierno no comunista desde la Segunda Guerra Mundial llegó al poder en la Europa Oriental. Desgraciadamente, el nuevo gobierno polaco se encuentra ahora frente a una severa crisis económica.

■ **HUNGRIA.** Siguiendo estos cambios, el partido comunista húngaro abandonó las ideas oficiales comunistas y prometió elecciones en el futuro.

■ **LA ALEMANIA ORIENTAL.** Hacia el fin del 1989, miles de alemanes del este empezaron a salir para la Alemania del Oeste. En reacción, el entero politburó de la Alemania del Este presentó su dimisión. A la sorpresa de todos, el gobierno eliminó todas las restricciones de viajes. Se derribó la muralla de Berlín, que separaba la ciudad desde 1961 en sectores del este y del oeste. Las elecciones libres trajeron al poder un gobierno no comunista inclinado a cooperar con la Alemania Occidental en la reunificación del país. En pos de negociaciones entre la Unión Soviética y la Alemania Occidental se decidió que Alemania se unificaría en octubre de 1990.

■ **BULGARIA Y CHECOSLOVAQUIA.** En Bulgaria y Checoslovaquia, los politburós también renunciaron sus oficios, y se impusieron otros comunistas, con ideas de reformas. En Checoslovaquia, había grandes manifestaciones populares en las que se exigían elecciones libres. Esto llevó al fin a la caída del gobierno comunista.

■ **RUMANIA.** Los sucesos más violentos de la Europa Oriental tuvieron lugar en Rumania. Allí, el dictador comunista de muchos años trató de usar la fuerza para prevenir cambios; se dice que miles de personas quedaron muertas. Una revolución finalmente derribó al dictador que fue juzgado y ejecutado por un tribunal militar.

LA PERSPECTIVAS Y LOS PROBLEMAS DEL FUTURO

Nadie sabe exactamente cuál será el resultado de estos sucesos importantes. La independencia de la Europa Oriental puede debilitar la posición de Gorbachev en la Unión Soviética. Al momento parecería imposible de que la Unión Soviética vuelva la la política brutal que había seguido en la Europa Oriental. Miles de soldados soviéticos, una vez estacionados en la Europa Oriental, van regresando a casa. Sin embargo, quedan varias preguntas importantes, porque la libertad de la Europa Oriental amenaza con desequilibrar la balanza de poder en Europa:

■ **LOS PROBLEMAS ECONOMICOS DE LA EUROPA ORIENTAL.** La región se encuentra frente a severos problemas económicos. Muchos países del este de Europa están muy adeudados con los bancos occidentales. Estos países necesitan tremenda ayuda económica para elevar su productividad y su nivel de vida a las normas occidentales. ¿Quién proveerá el capital y la tecnología necesaria?

■ **EL RESURGIMIENTO DE ANTAGONISMOS NACIONALES.** En la Europa Oriental hay muchos diferentes grupos étnicos y no todos tienen su propio estado nacional. Con la caída de las dictaduras comunistas, se teme que las rivalidades entre algunos grupos, adormecidas por un tiempo, pronto despertarán llevando al conflicto y a la violencia.

■ **LA CONTAMINACION DEL MEDIO AMBIENTE.** El este de Europa es una de las regiones más contaminadas del mundo. Los gobiernos comunistas perseguían el desarrollo industrial sin considerar el medio ambiente. Los nuevos gobiernos tienen que purificar el aire, los ríos y los suelos de la Europa Oriental.

■ **LA EUROPA ORIENTAL Y EL MERCADO COMUN.** Los países del occidente europeo formarán un mercado económico unificado el 1992. ¿Cómo la nueva libertad de la Europa Oriental influirá en este desarrollo? ¿Se la hará parte del mercado común?

■ **LA REUNIFICACION DE ALEMANIA.** La reunificación de Alemania coloca a un vecino poderoso en el umbral de la Europa Oriental. ¿Usará Alemania su fuerza económica para dominar a la Europa Oriental ocupando el espacio dejado por el derrumbe de la influencia soviética?

PRINCIPIOS FUNDAMENTALES PARA RECORDAR

GENERALIZACIONES FUNDAMENTALES

✷ La introducción de nuevos planes económicos a menudo puede llevar a nuevos problemas económicos para un país.
✷ La política externa de una nación a menudo queda cambiada para poner frente a situaciones nuevas o en transición.

TERMINOS Y CONCEPTOS FUNDAMENTALES

Glasnost, perestroika, contención, O.T.A.N., el Plan de Marshall, Acuerdos de Helsinki, guerra fría.

RESUMEN DE TU COMPRENSION

Direcciones: Para ver lo bien que entendiste lo estudiado acerca de la Unión Soviética responde a las siguientes preguntas.

TERMINOS Y CONCEPTOS FUNDAMENTALES

Completa las palabras y expresiones según las definiciones dadas.

R _ _ _ _ _ _ _ _ _ _ Política con la cual se trataba de despojar a los pueblos conquistados de su identidad nacional, linguística, etc. en la Rusia zarista y en la U.S.S.R.

C _ _ _ _ _ _ _ _ _ _ _ _ _ Práctica de convertir fincas privadas en formas comunitarias de agricultura.

A _ _ _ _ _ _ Negación de la existencia de Dios.

M _ _ _ _ _ _ Formuló un plan de ayuda a los países destruidos por la Segunda Guerra Mundial.

P _ _ _ _ _ _ _ _ Conjunto de personajes en la U.S.S.R. en cuyas manos se encontraba el poder.

C _ _ _ _ _ _ _ _ Política de los Estados Unidos que trataba de prevenir el esparcimiento del comunismo.

G _ _ _ _ _ _ _ Reciente política de franqueza en la Unión Soviética.

P _ _ _ _ _ _ _ _ _ Cambios en la estructura económica de la Unión Soviética en tiempos recientes.

C _ _ _ _ _ _ _ Régimen de Rusia desde la Revolución de 1917.

LOS FACTORES GEOGRAFICOS

El desarrollo de una región a menudo queda influido por los factores geográficos y climáticos. Resume tu comprensión de este principio completando el cuadro que sigue.

LOS FACTORES GEOGRAFICO-CLIMATICOS	LOS EFECTOS SOBRE LA U.R.S.S.
EL PAIS DE SUPERFICIE MAS GRANDE	
LA TUNDRA	
SIBERIA	
POCOS PUERTOS DE AGUAS CALIDAS	

INDIVIDUOS IMPORTANTES

Un individuo a menudo influye en la vida política, social y y económica de su país. Imagínate que estás encargado de preparar un certificado de reconocimiento a los individuos de la lista dada. Escribe el nombre de cada persona y los cambios a los que contribuyeron en la Rusia imperial o en la Unión Soviética.

Individuos

Pedro el Grande
Catalina la Grande
Vladimir Lenin
José Stalin
Mikhail Gorbachev

Se Otorga Este Certificado

a _____

por haber _____

_____

PROBLEMAS Y CUESTIONES

La Unión Soviética se encuentra frente a muchos problemas que pueden tener alcance mundial. Resume tu comprensión de estos problemas completando el cuadro que sigue.

PROBLEMA/CUESTION	EFECTO DE ALCANCE MUNDIAL
REFORMAS POLITICAS	
CAMBIO DE ESTRUC-TURA ECONOMICA	
NACIONALISMO ETNICO	
RELACIONES CON LA EUROPA ORIENTAL	

LAS RELACIONES ENTRE LOS E.E.U.U. Y LA U.R.S.S.

Las relaciones entre los Estados Unidos y la Unión Soviética, en constante cambio, influyeron mucho en la historia del mundo en los últimos cincuenta años. En una hoja aparte, resume tu comprensión de estas relaciones de la siguiente forma:

(a) Describe los desacuerdos fundamentales que dividen a los Estados Unidos y la Unión Soviética.

(b) Describe dos sucesos específicos que muestran las divisiones en el pasado entre los Estados Unidos y la Unión Soviética.

(c) Describe dos sucesos específicos que muestran la mitigación de la tirantez entre los Estados Unidos y la Unión Soviética.

COMPRUEBA TU COMPRENSION

Direcciones: Comprueba tu comprensión de esta unidad respondiendo a las siguientes preguntas. Haz un círculo alrededor del número que precede la palabra o expresión que representa la respuesta correcta para cada pregunta o declaración. Después de las preguntas de respuestas breves, dirígete a los ensayos.

DESARROLLO DE DESTREZAS: INTERPRETACION DE UN MAPA

Basa tus respuestas a las preguntas 1 a 3 en el mapa dado y en tu conocimiento de estudios sociales.

1 ¿En qué dos continentes está situada la Unión Sovietica?

    1 América del Sur y Asia   3 Africa y Europa

    2 Asia y Europa   4 América del Norte y Europa

2 ¿Qué tres países tienen fronteras con la U.R.S.S.?

    1 Polonia, Francia e Inglaterra   3 Italia, Finlandia y Turquía

    2 Rumania, Polonia y China   4 Alemania del Este, Polonia y Albania

3 Si uno tomara un avión de Pakistán a la Unión Soviética, ¿en qué dirección general iría?

    1 este   3 norte

    2 sur   4 oeste

DESARROLLO DE DESTREZAS: COMPRENSION DE LECTURA

Basa tus respuestas a las preguntas 4 al 7 en la discusión que sigue y en tus conocimientos de estudios sociales.

Interlocutor A: Desde la Segunda Guerra Mundial, la Unión Soviética trató de extender su dominio más allá de sus fronteras. La determinación de parte de los Estados Unidos de prevenir esta expansión por los soviéticos produjo desconfianza y sospechas mutuas entre las dos superpotencias.

Interlocutor B: En los últimos años las relaciones entre la Unión Soviética y los Estados Unidos han ido mejorando continuamente. Este énfasis en la cooperación y en las relaciones más amistosas resultó en una reducción de desconfianza y sospechas entre las dos superpotencias.

Interlocutor C: Hemos formado nuestra alianza de defensa de naciones no comunistas para contrarrestar la amenaza creada por la alianza de naciones en el este, tales como la Unión Soviética, Hungría y Polonia.

Interlocutor D: En nuestra economía, esperamos que el gobierno central haga nuestra nación poderosa y autosuficiente. Nuestro gobierno sabe mejor cuáles industrias necesitan desarrollarse y mejorarse, ya que está en la mejor posición para prevenir la escasez de productos esenciales.

Interlocutor E: Los gobiernos deben permitir que las empresas conduzcan sus negocios sin estorbo. Dejemos a las empresas en paz y ellas proveerán los mejores bienes y servicios a los precios más bajos posibles. Esto será de beneficio tanto a los consumidores como a las empresas.

4 La declaración del interlocutor A puede citarse para apoyar la declaración del interlocutor
- 1 B
- 2 C
- 3 D
- 4 E

5 ¿A qué concepto se refiere la declaración del interlocutor B?
- 1 el imperialismo
- 2 el colonialismo
- 3 la "detente"
- 4 la conservación

6 ¿Qué concepto se debate por los interlocutores A y C?
- 1 la coexistencia pacífica
- 2 la guerra fría
- 3 los asuntos de alcance mundial
- 4 la interdependencia económica

7 ¿Cuál de las afirmaciones siguientes está en más apoyo de la idea fundamental expresada por el interlocutor E?
- 1 Las condiciones en el mundo moderno son mejores hoy que jamás antes.
- 2 A través de los siglos había resistencia a cambios económicos.
- 3 El mejor sistema económico es uno sin reglamentación gubernamental del mercado.
- 4 Un aumento de contacto entre las naciones es característico de nuestros tiempos.

8 Lenin, Nasser y Sun Yat-Sen se conocen como
- 1 teorizantes de la economía
- 2 genios militares
- 3 jefes políticos
- 4 activistas sociales

9 La rusificación se refiere
- 1 a la acción de obligar a los grupos nacionales no rusos a aceptar la cultura rusa
- 2 a cambios tecnológicos introducidos en Rusia
- 3 al traslado de riquezas de la Europa Occidental a Rusia
- 4 a las diferencias entre el pueblo ruso y los norteamericanos

10 El hecho de que los rusos tomaron el alfabeto cirílico de los bizantinos es un ejemplo de
   1 colonialismo
   2 proteccionismo económico
   3 difusión cultural
   4 nacionalismo

11 Un propósito importante de la perestroika es de
   1 prevenir la subida de precios del petróleo a través del mundo
   2 prohibir el desarrollo de la energía nuclear en el mundo
   3 introducir ideas de mercado libre en la Unión Soviética
   4 limitar la cantidad de inversiones extranjeras en la Unión Soviética

12 Un individuo que simpatiza con el comunismo probablemente apoyaría
   1 legislatura que aumentase el papel de la religión
   2 el dominio privado de la industria pesada
   3 límites en la reglamentación del comercio de parte del gobierno
   4 el derribo del sistema económico capitalista

13 Una característica importante de la glasnost en la Unión Soviética es el derecho de
   1 la exportación de materias primas a los Estados Unidos
   2 limitar la expansión de las prácticas religiosas en la Unión Soviética
   3 censurar los escritos de ciertos autores soviéticos
   4 permitir la crítica pública de oficiales soviéticos

14 ¿Qué dos personas fomentaron la idea de la sociedad sin clases en la Unión Soviética?
   1 Nicolás I y Nicolás II
   2 Lenin y Stalin
   3 Krushchev y Pedro el Grande
   4 Breznef y Catalina la Grande

15 Un problema geográfico importante de la Unión Soviética es el hecho de que
   1 su extensión es sólo de un tercio de los Estados Unidos
   2 muchos de sus recursos minerales están en Siberia
   3 carece de depósitos de hulla y de petróleo
   4 no puede producir caucho y algodón para la exportación

16 ¿Qué idea compartían Pedro el Grande y Catalina la Grande?
   1 Debe haber una separación entre la Iglesia y el estado.
   2 Se debe otorgar la libertad a los siervos.
   3 Rusia debe aprender a aceptar la tecnología occidental.
   4 Se debe poner fin a la rusificación porque es injusta.

17 En la Unión Soviética, los primeros planes quinquenales trataban de
   1 aumentar la cantidad de bienes de consumidor en el mercado
   2 eliminar la construcción de nuevas plantas de energía
   3 desarrollar la industria pesada
   4 ampliar los servicios del cuidado de la salud

18 ¿Cuál fue el resultado directo de la Revolución Rusa del 1917?
   1 Rusia se convirtió en el primer país comunista.
   2 Aumentó el comercio entre los Estados Unidos y Rusia.
   3 La cristiandad fue aceptada como religión oficial.
   4 Rusia entró en la Primera Guerra Mundial del lado de los Aliados.

19 ¿Qué titular de prensa refleja mejor el concepto de la "detente"?
    1 "Motines Contra Guerra Estallan en Unión Soviética"
    2 "Presidente Republicano Elegido en Estados Unidos"
    3 "Bailarines Soviéticos Visitan Estados Unidos"
    4 "Mision Diplomática de E.E.U.U. Cerrada en U.R.S.S."

20 El reportaje de un estudiante contiene los temas siguientes: colectivización, planes quinquenales y campos de trabajo forzado. El reportaje probablemente tiene que ver con
    1 José Stalin   3 Pedro el Grande
    2 Vladimir Lenin   4 Mahatma Gandhi

21 ¿Qué argumento podría usarse en oposición a las ideas de glasnost y de la perestroika?
    1 Podrían crear inquietudes étnicas en la Unión Soviética.
    2 Podrían consolidar el dominio soviético en la Europa Oriental.
    3 Podrían llevar al aumento de la planificación gubernamental.
    4 Podrían disminuir la amistad entre los E.E.U.U. y la U.R.S.S..

22 La "guerra fría" entre los Estados Unidos y la Unión Soviética se basaba en asumir que cada potencia
    1 tenía que vivir con la otra en una edad atómica
    2 necesitaba recursos controlados por la otra
    3 tenía fuerza militar insuficiente
    4 tenía nada que ganar al cooperar con la otra

23 ¿Cuál es la fuente de referencia más apropiada si se busca una breve descripción de las ideas comunistas?
    1 un atlas   3 un diccionario
    2 un almanaque   4 una enciclopedia

24 ¿Cuál aseveración explica mejor porqué Gorbachev introdujo la política de perestroika en la Unión Soviética?
    1 Los fracasos económicos del comunismo
    2 Los jefes del gobierno deben tener leyes flexibles
    3 Se debe proporcionar asistencia a los que están sin hogar
    4 Se deben imponer restricciones en los derechos del pueblo soviético

25 "Los obreros pueden aliviar su sufrimiento sólo al organizarse y derribar la clase capitalista imperante en una revolución violenta." Esta cita refleja mejor las ideas de
    1 Marx y Engels   3 Catalina la Grande y Lenin
    2 Stalin y Pedro el Grande   4 Breznef y Nicolás II

ENSAYOS

1 Un principio importante de la política externa es que un país tratará de proteger sus intereses. A seguir hay una lista de las líneas de conducta que la Unión Soviética seguía en diferentes épocas de su historia.

LINEAS DE CONDUCTA

Imperialismo
Militarismo
Formación de alianzas
Cooperación internacional
Detente

Parte A

Escoge una política externa de la lista: _____

Nombra el período en el que se aplicó esa política externa por la Unión Soviética. _____

Presenta la idea fundamental de esa política externa: _____

_____

Parte B

Basa tu respuesta a la parte B en la respuesta de la parte A.

En una hoja aparte, escribe un ensayo explicando cómo la Unión Soviética trató de proteger sus intereses por medio de su política externa.

2 A menudo la introducción de un cambio en la sociedad crea otros problemas para esa sociedad. Muestra hasta qué punto es válida esta afirmación al examinar la introducción por Gorbachev de las prácticas de glasnost y de perestroika en la Unión Soviética.

Tu respuesta debe:

■ Describir las prácticas y los cambios que acarrearon.

■ Debatir qué oposición, si la hubiese, puede esperarse contra estos cambios.

CAPITULO 11

EUROPA

EL AMBIENTE FISICO

DIMENSIONES Y SITUACION

De los siete continentes, Europa es casi el más pequeño. Está situada cerca del Africa, el Oeste Medio y Asia y se encuentra al otro lado del océano Atlántico de las Américas. La situación céntrica del continente permitió que los europeos tomaran elementos de las culturas de las otras regiones, y esto tenía un papel importante en su desarrollo. Sus regiones y países principales son los siguientes:

1. **Gran Bretaña e Irlanda**: Inglaterra, Gales, Escocia e Irlanda.

2. **Europa septentrional:** Noruega, Suecia, Finlandia, Dinamarca e Islandia.

3. **Europa del oeste**: Francia, Bélgica, Austria, Holanda, Suiza y Alemania.

4. **Región del Mediterráneo**: Portugal, España, Italia y Grecia.

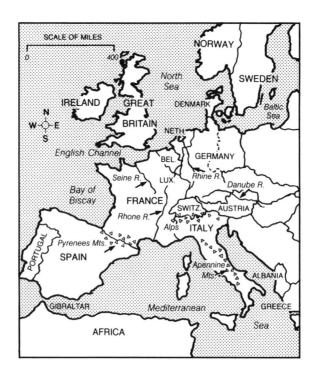

CARACTERISTICAS FISICAS

A pesar de su reducido tamaño, Europa tiene una variedad de formaciones geográficas, desde las llanuras sin relieve hasta cadenas de altas montañas.

MONTAÑAS

Hay muchas cadenas montañosas en Europa. Estas contribuyeron a formar fronteras defendibles y llevaron al desarrollo de diferentes pueblos. Las cadenas montañosas principales son los Alpes, los Pirineos y los Apeninos.

LLANURAS

Europa tiene varias llanuras fértiles que se encuentran entre sus cadenas de montañas. La más grande y más importante es la gran llanura europea, que se extiende por unas 1200 millas desde el este de Bélgica hasta la Unión Soviética.

TIERRAS BAJAS

Algunas tierras bajas del norte, especialmente en Holanda, fueron ganadas al mar al construirse diques y rompeolas y echar al mar el agua contenida por estas estructuras.

COSTAS

La costa marítima de Europa tiene más de 50,000 millas, y proporciona muchos buenos puertos naturales. La mayoría de los europeos vive dentro de una distancia de 100 millas de la litoral.

MARES

En el norte, Europa está rodeada por el mar Báltico, el mar del Norte y el mar Blanco. En el sur está limitada por el mar Mediterráneo.

RIOS

Muchos riachuelos y ríos navegables atraviesan el continente, permitiendo acceso fácil a las más partes de Europa y proporcionando agua para la irrigación de cultivos. Algunos de los ríos más conocidos son el Rhin, Elba, Danubio, Po, Sena y Támesis.

EL CLIMA

La latitud de Europa y su situación en la parte este del océano Atlántico tienen un papel importante en su clima. Las temperaturas moderadas se deben a la Corriente del Golfo que viene de las zonas tropicales. Esta influencia marina resulta en las temperaturas moderadas todo el año y en la abundancia de lluvia.

RECURSOS NATURALES

MINERALES

Europa tiene una alta producción de hulla y de hierro. Estos recursos contribuyeron a que este continente haya sido la cuna de la revolución industrial. Europa aún sigue siendo una de las regiones más industrializadas del mundo.

ENERGIA

Europa tiene un abastecimiento abundante de energía eléctrica; su problema más serio es la falta de petróleo. En 1975 se descubrieron importantes yacimientos en el mar del Norte, pero la región sigue en gran parte dependiente del petróleo del Oriente Medio.

AGRICULTURA

A causa de la reducida extensión de sus tierras, las fincas europeas están entre las más eficaces del mundo. Europa produce grandes cantidades de papas, centerno, cebada, trigo, maíz, fruta, vegetales, carne y productos lácteos.

PESCA

Las aguas próximas a las costas de Europa contienen peces en abundancia. Sin embargo, con la pesca intensa de parte de tantas naciones, pueden quedar en duda los altos niveles de producción.

IMPORTACION Y EXPORTACION

Europa siempre tuvo mucho comercio internacional. Se importan principalmente comestibles, petróleo y materias primas para la industria. La exportación consiste mayormente de productos fabricados como tejidos, maquinaria, automóviles y materiales electrónicos.

¿COMO LA GEOGRAFIA DE EUROPA INFLUYO EN LA HISTORIA Y EN LA CULTURA DE SU POBLACION?

✓ Las numerosas cadenas montañosas de Europa ayudaron a formar regiones separadas, con fronteras defendibles, llevando al desarrollo de distintos grupos culturales con sus propios idiomas y costumbres.

✓ La situación de Europa permitió a sus habitantes a tomar ideas de otras culturas.

✓ La costa extensa de Europa, con sus excelentes puertos y ensenadas, contribuyó a que algunos pueblos europeos se convirtieran en naciones de marineros y comerciantes.

✓ Europa tiene abundancia de hulla y de hierro. Gracias a eso se convirtió en la cuna de la revolución industrial.

✓ Ya que hay tantos grupos nacionales en proximidad uno del otro, Europa era escena de casi constantes guerras a través de su historia.

✓ Los países europeos dependen en gran medida del petróleo del Oriente Medio, haciéndolos extremadamente sensitivos a la situación política de esa región.

PRINCIPIOS FUNDAMENTALES PARA RECORDAR

GENERALIZACIONES FUNDAMENTALES

✱ Las características geográficas de una región pueden servir para dividir tanto como para aislar partes de dicha región.
✱ La situación de Europa en la proximidad de otros continentes tuvo un papel importante en su desarrollo histórico.

TERMINOS Y CONCEPTOS FUNDAMENTALES

Europa septentrional, Europa occidental, región del Mediterráneo.

SUCESOS HISTORICOS PRINCIPALES

EL DESARROLLO DE LA CIVILIZACION GRIEGA

Los griegos fueron los primeros europeos que desarrollaron su propia civilización. Su cultura tuvo una influencia permanente en la civilización occidental porque fijó los criterios que más tarde otros pueblos usaron para medirse a sí mismos. Además, a través del proceso de la **difusión cultural**, los griegos tuvieron influencia no sólo en la Europa occidental, sino también en el resto del mundo.

LA INFLUENCIA DE LA GEOGRAFIA

Grecia se compone de una península montañosa grande y de muchas islas pequeñas. Como resultado, la mayoría de los griegos vivía a lo largo de la costa que tiene muchos excelentes puertos naturales. Al vivir cerca del agua, un gran número de griegos se dedicó a la pesca y al comercio, vendiendo su vino y aceite de oliva a otros pueblos del Mediterráneo. Por medio de estos contactos, los griegos aprendieron matemáticas, navegación y técnicas de construcción. También copiaron el alfabeto de los fenicios y el uso de moneda acuñada de Lidia.

LAS CIUDADES-ESTADO GRIEGAS

El terreno montañoso era la causa para que los centros de población en Grecia fueran aislados unos de los otros. Como resultado, las ciudades-estado (polis) se desarrollaron aparte una de la otra, cada una con su propia forma de gobierno. Dos de las más conocidas polis muestran claramente ese contraste.

■ **ATENAS DEMOCRATICA**. Atenas tuvo un sistema de gobierno donde cada ciudadano podía participar en el gobierno de manera directa, al votar sobre los asuntos presentados. Este tipo de gobierno se llama **democracia**. A pesar de que sólo a una pequeña minoría se le consideraba ciudadanos - se excluían las mujeres y los esclavos - Atenas estableció un modelo para las democracias occidentales subsiguientes.

■ **ESPARTA TOTALITARIA**. En Esparta la vida estaba organizada alrededor de las exigencias militares. Se reprimían las nuevas ideas y el individualismo. Se dejaba morir a los infantes débiles y los varones de Esparta pasaban la mayor parte de su vida en cuarteles militares. En tiempos modernos, un estado de este tipo se lo llamaría **totalitario**.

LOS ALCANCES CULTURALES DE GRECIA

La Edad de Oro de Atenas en el siglo V a. de .C. era la época sobresaliente de la cultura griega. Se distinguió por un ánimo inquisitivo y numerosos alcances artísticos y literarios.

■ **EL ESPIRITU FILOSOFICO**. Los griegos estaban curiosos acerca del mundo y de su origen. Este espíritu inquisitivo y la búsqueda de la verdad luego se convirtió en la base de la ciencia, la tecnología y alcances artísticos de la civilización occidental. Los griegos creían que todos los problemas se pueden resolver a través del ejercicio de la razón humana. Entre los filósofos griegos principales se encuentran los siguientes:

Un exemplo de la arquitectura griega: el Acrópolis en Atenas

1. **Sócrates** (469-399 a. de C.) es considerado uno de los pensadores más grandes de la historia. Desarrolló el **método socrático**, por el cual trató de llevar a los individuos a pensar de las cosas al plantear preguntas.

2. **Platón** (427-347 a. de C.) era otro gran espíritu del pensamiento occidental. Su libro, "La República," presentaba su concepto de una sociedad ideal en la cual el gobierno

se parecía a una aristocracia basada en la abilidad, la inteligencia y el idealismo. Platón creía que en todo se debe contar con la razón, y que la justicia misma era el ejercicio de la razón.

3. **Aristóteles** (342-322 a. de C.) proponía la idea de que debe pensarse y analizar todos los aspectos de la vida, y de que toda conducta es sujeta a leyes racionales. Aristóteles observó y clasificó todo lo que podía, desde las plantas y los animales hasta la poesía y las constituciones estatales. Sus ideas tuvieron una profunda influencia en el pensamiento y en la civilización occidental

■ **LA ARQUITECTURA**. Los griegos embellecieron sus ciudades al construir templos con hermosas columnas decoradas con relieves pintados. Los arquitectos trataban de planear edificios de proporciones ideales. El más famoso ejemplo de la arquitectura griega es el **Partenón** en Atenas.

■ **EL ARTE**. Los griegos llegaron a un nivel muy alto y establecieron un ideal de belleza que se basaba en el concepto de la perfección. Por ejemplo, los escultores griegos presentaron el cuerpo humano desnudo en su forma ideal, influyendo en nuestros conceptos de belleza hasta hoy.

■ **LAS MATEMATICAS Y LA CIENCIA**. Los griegos de la antigüedad se concentraban en tratar de explicar cómo y por qué sucedía todo. Estudiaron el cuerpo humano para aprender más sobre las enfermedades y establecieron escuelas especiales para médicos. **Pitágoras** estableció su teorema con respecto a los triángulos. **Euclides** desarrolló los principios de la geometría plana que se enseñan aún hoy. **Arquímedes** resolvió los principios de las palancas y de la densidad de los cuerpos.

Un retrato de Alejandro el Grande con el Partenón en el fondo.

ALEJANDRO EL GRANDE (356-323 a. de C.)

Alejandro el Grande era el hijo del rey Felipe II de Macedonia. Joven brillante y valiente, fue educado por Aristóteles. A los 18 años se puso en frente de un ataque de caballería en una batalla decisiva que le dio control de la mayor parte de Grecia. El rey Felipe, que planeaba una invasión de Persia, fue asesinado justamente antes de la campaña. Alejandro se hizo rey y emprendió una serie de conquistas que esparcieron la influencia de Grecia sobre el entero Imperio Persa, la India y Asia. Su gobierno señala el comienzo del **período helenístico** (una mezcla de la cultura griega con las culturas del Oriente Medio).

LA GRANDEZA DE ROMA

Una de las civilizaciones más grandes que surgieron en Europa era la del Imperio Romano. Era la fuerza dominante en el mundo occidental por más de 400 años.

EL IMPACTO DE LA GEOGRAFIA

Italia es una larga y angosta península, en forma de una bota, extendida en el mar Mediterráneo. Es abundante en colinas pero no es tan montañosa como Grecia y era más fácil de unificar. La ciudad de Roma está situada en el medio de Italia, en una llanura fértil cerca de la costa occidental. En el norte, los Alpes protegían a Roma de las invasiones. El mar proveía un cierto grado de protección contra los invasores extranjeros, y al mismo tiempo ofrecía rutas para el comercio y, con el tiempo, para la expansión.

LA REPUBLICA ROMANA

La Roma antigua tenía dos clases sociales principales: los **patricios** (las familias ricas de latifundistas) y los **plebeyos** (agricultores de pequeña escala, artesanos y mercaderes). En los tiempos antiguos, los patricios derribaron al rey y convirtieron a Roma en una república (los jefes eran elegidos). El poder se compartía entre el **senad**o (una asamblea de patricios) y dos **cónsules** elegidos cada año por el senado. Era durante este tiempo que se establecieron las **doce tablas de la ley romana**. Estas tablas abarcaban la ley civil, criminal y religiosa; también trataban del procedimiento judicial y se convirtieron en la base de códigos legales romanos subsiguientes. Bajo la ley romana, todos los ciudadanos eran iguales ante la ley e inocentes hasta comprobárseles la culpa. Los conceptos romanos de la justicia, de la igualdad ante la ley y la ley natural basada en la razón, tuvieron más tarde un papel importante en amoldar el pensamiento y los sistemas legales del occidente.

ROMA SE CONVIERTE EN IMPERIO (300-27 a. de C.)

Después de unificar a Italia, Roma derrotó a Cártago, su rival y llegó a ser la potencia marítima principal del Mediterráneo, adquiriendo colonias en España, el norte de Africa y las regiones orientales del Mediterráneo. Los generales romanos como **Julio César** completaron la conquista de España y de Galia (la Francia de hoy). Sin embargo, esta expansión cambió el carácter de Roma; en vez de un ejército de ciudadanos, la fuerzas militares se volvieron en una fuerza profesional entrenada y completamente sumisa a sus generales. Los senadores se volvieron corruptos, mientras que los generales desarrollaron ambiciones políticas y lucharon uno contra el otro.

Ejemplos de la arquitectura romana: el Arco de Tito y el Coliseo romano

LA FUNDACION DEL IMPERIO

El heredero de Julio César, César Augusto, gobernó como emperador, aunque también retuvo las instituciones republicanas como el senado. Apartó a los oficiales corruptos y trató de reanimar las "antiguas" tradiciones romanas de la responsabilidad y disciplina de uno mismo. Sus sucesores se conocieron como emperadores y eran venerados como dioses. Hicieron conquistas hacia el norte y el este extendiendo en alto grado las fronteras de Roma.

LA PAZ ROMANA (27 a. de J. C.-395)

Esta fue la época en la cual la Europa Occidental y el mundo del Mediterráneo estaban unidos. A causa de su autoridad política centralizada, oficiales entrenados y tradiciones legales, Roma podía gobernar eficazmente sobre esta región extensa. Los romanos respetaban las costumbres locales, proporcionaron leyes y construyeron ciudades a través del Imperio. Estas ciudades se convirtieron en fortines de la cultura romana.

LA EMERGENCIA DEL CRISTIANISMO

Roma permitió la práctica de diversas religiones a través del Imperio. Sin embargo, los cristianos se negaron a venerar al emperador y se encontraban frente a persecuciones serias, y a veces la muerte. A pesar de esto, el cristianismo siguió esparciéndose, porque predicaba la hermandad de toda la gente y prometía dicha en el más allá. En el siglo IV, el **emperador Constantino** proclamó libertad de religión a los cristianos y él mismo se convirtió al cristianismo. Hacia el fin del siglo IV, el cristianismo llegó a ser la religión oficial del Imperio Romano. (Para más detalles sobre la cristiandad, véase la sección de Sistemas Principales en el capítulo sobre el Oriente Medio.)

DIVISION DEL IMPERIO

Los emperadores, en busca de la seguridad, dividieron el Imperio en dos partes: en el oeste, Roma se volvió en la capital del Imperio de Occidente y Constantinopla se tornó en el centro del Imperio de Oriente. Desgraciadamente para Roma, las más riquezas se encontraban en el este, mientras que las amenazas militares más serias estaban en oeste. Roma cayó a las tribus invasoras germánicas, pero el Imperio de Oriente sobrevivió mil años más, conocido como el Imperio Bizantino.

LA DECADENCIA Y LA CAIDA DEL IMPERIO ROMANO (395-476)

Después de más de cuatro siglos de dominio, el Imperio Romano finalmente entró en la decadencia. Había muchas razones para esto:

■ **LAS AMENAZAS DEL EXTERIOR.** Las tribus bárbaras que venían de Alemania, de la Europa oriental y del Asia central, como los godos y los hunos, atacaban a Roma.

■ **LA DEBILIDAD MILITAR.** Los romanos se acostumbraron a una vida regalada y no querían defender su Imperio. Roma dependía de reclutas extranjeros para sus ejércitos profesionales, y estos soldados eran menos leales y más aptos a desertar.

■ **LAS DIFICULTADES ECONOMICAS.** La economía del Imperio se basaba principalmente en la esclavitud y en los impuestos pagados a Roma por las provincias, lo que creaba una desequilibrio económico y un alto grado de desempleo. Según las invasiones se hicieron más serias, hubo interrupción del comercio y reducción de los impuestos.

■ **LA INESTABILIDAD POLITICA.** El sistema romano dependía de las abilidades del emperador, pero muchos de los últimos emperadores no gobernaban bien.

LA EDAD MEDIA (500-1500)

LOS EFECTOS DE LA CAIDA DEL IMPERIO ROMANO

La **época del estancamiento** es el nombre dado a menudo por los historiadores a los tiempos que siguieron a la caída del Imperio Romano. Esto se debe a que:

■ La caída del Imperio vio una época de guerras tribales feroces y desorden en el Imperio de Occidente. Las tribus germánicas, como los visigodos, terrorizaron a los pueblos que vivían allí. La violencia era común.

■ Había un decaímiento completo de la autoridad central, reemplazada por gobiernos locales débiles. La fidelidad al imperio fue reemplazada por la lealtad tribal y familiar.

■ Había disminución en el conocimiento de la lectura y de la escritura, desaparecieron las ciudades, decayó el comercio, se abandonó el uso del dinero y se perdió mucho de los conocimientos de la civilización grecorromana. La Iglesia se hizo el centro principal del aprendizaje y de la conservación de la cultura romana.

EL FEUDALISMO

El feudalismo ayudó a los europeos a contender con la caída de la autoridad central, la desaparición del dinero y la violencia general. La base del feudalismo era el intercambio del servicio militar por tierras.

■ **EL FEUDALISMO COMO SISTEMA SOCIAL.** Una característica importante de la sociedad feudal era su rígida estructura de las clases. En la cumbre de la pirámide social se encontraba el rey, que otorgaba tierras a la alta nobleza que prometía servirle y proporcionarle con **caballeros.** Los nobles principales a su vez daban porciones de tierras a los **señores** menores. Estos, en turno, otorgaban tierras a los caballeros individuales, que prometían servir a los señores. Se esperaba que los caballeros siguieran el **código de la caballería** (formas de conducta).

■ **EL FEUDALISMO COMO SISTEMA ECONOMICO.** Durante esta época, la economía europea se basaba en el **sistema señorial**, en el cual la tierra y no el dinero era la fuente principal de riqueza. Cada señorío era una unidad económica autosuficiente, que producía todos sus propios bienes, desde los comestibles a edificios y ropa. El señor tenía su propio solar, y el resto de las tierras eran cultivadas por los **siervos.** Los siervos rendían al señor una gran parte de su cosecha en pago por el uso de su tierra, su molino y su panadería. A su vez, el señor protegía a los siervos de los ataques del exterior y hacía de juez a sus disputas en su corte. En los cultivos, quedó adoptado el **sistema de tres campos:** dos se cultivaban y la tercera se quedaba en barbecho para recobrar la fertilidad.

LA IGLESIA MEDIEVAL

Durante la Edad Media, la Iglesia Católica surgió como la institución más poderosa del tiempo a menudo llamado la edad de la fe. Las razones para el poder de la Iglesia eran las siguientes:

■ **LA FE.** La gente creía que la Iglesia representaba a Dios en la tierra y que tenía las llaves a la salvación individual. Los que negaban la doctrina eclesiástica podían ser perseguidos o excomunicados (apartados de muchas prácticas religiosas).

■ **EL PODER Y LA RIQUEZA.** Ya que muchos nobles al morir dejaban partes de sus tierras a la Iglesia, esta con el tiempo se convirtió en el terrateniente más grande en Europa. Además, el caudal de la Iglesia se aumentó con la colección del diezmo (impuestos para mantener la iglesia). Al mismo tiempo, la Iglesia se negó a pagar impuestos a los soberanos seculares, como los reyes y la nobleza.

■ **LA ERUDICION.** Durante la Edad Media la Iglesia era el centro principal del aprendizaje. Los clérigos eran a menudo los únicos que sabían leer y escribir. Con frecuencia, los soberanos dependían de los eclesiásticos porque eran los individuos de más educación y talento.

■ **UNA JERARQUIA ORGANIZADA.** La Iglesia formaba una jerarquía, con el papa en Roma a la cabeza. Más abajo en la pirámide se encontraban los arzobispos, obispos y al fin los sacerdotes. Esta organización estrecha daba mucho poder a la Iglesia, haciéndola una sociedad dentro de la sociedad, con su propio sistema de leyes y de cortes.

■ **EL PATRONO DE LAS ARTES.** La Iglesia era el mayor cliente de las artes. Se construían gigantescas catedrales góticas que tenían el aire del más allá. Las ventanas de vidrios de color y las esculturas en el exterior de las iglesias ilustraban la vida de los santos.

■ **EL CENTRO DE LA UNIDAD.** En el mundo violento y fragmentado de la Europa medieval, la Iglesia proporcionaba orden y sentido de unidad. Aunque Europa estaba dividida, los europeos se sentían unidos en la cristiandad.

■ **UNA EXCEPCION AL PODER DE LA IGLESIA: LOS JUDIOS.** Los judíos eran una pequña minoría en Europa que no aceptó el cristianismo ni la doctrina de la Iglesia. El fervor religioso entre los cristianos y el prejuicio hacia los que fuesen diferentes, a menudo resultaban en persecuciones de los judíos y ataques contra ellos.

LAS CRUZADAS

Nada demostró mejor el poder y la influencia de la Iglesia en la Edad Media que su abilidad de hacer guerra santa contra los musulmanes por más de 200 años. En el siglo XI, el papa invocó a todos los cristianos en Europa que se unieran y llevaran a cabo una "**cruzada**" (una guerra para liberar la Tierra Santa de la dominación musulmana). Aunque las cruzadas no resultaron en una reconquista permanente de la Tierra Santa, tuvieron resultados importantes.

■ Los europeos vinieron en contacto con la cultura musulmana, tomando de ella nuevos conceptos como el uso del cero en las matemáticas, y obteniendo nuevos productos como la seda y el café.

■ También vinieron en contacto con la erudición de los griegos y de los romanos, que se perdió en la "edad de estancamiento" en Europa.

■ Las cruzadas llevaron a un aumento de la demanda de productos del Oriente, fomentando el comercio entre el este y el oeste. Los contactos tanto con los musulmanes como con los bizantinos proporcionaron a los europeos con los productos del Lejano Oriente, tales como las especies.

■ Muchos nobles murieron en las luchas por la Tierra Santa, y a muchos siervos se les otorgó la libertad por su participación en las cruzadas. Esto debilitó en alto grado el sistema feudal en Europa.

TERMINA LA EDAD MEDIEVAL: LLEGA UN TIEMPO DE CAMBIOS

Hacia el fin de la Edad Media tenían lugar muchos cambios:

■ **EL RENACIMIENTO DE LAS CIUDADES Y DEL COMERCIO.** Los adelantos en la agricultura y el aumento del comercio, fomentado por las cruzadas, llevaron al desarrollo de las ciudades y a un uso creciente del dinero. Se desarrolló una **clase media** que medía su poder en dinero en vez de tierra.

■ **EL RENACIMIENTO DE LA ERUDICION.** Los contactos con los musulmanes y con los bizantinos y la fundación de las universidades (sedes de estudios avanzados) elevaron en alto grado el aprendizaje en Europa.

■ **EL DECAIMIENTO DEL FEUDALISMO.** La pólvora hizo a la caballería y los castillos vulnerables a la infantería y a los cañones. La **peste bubónica** (llamada a veces la "muerte negra") que mató a millones de personas, causó la falta de mano de obra y al fin de la servidumbre. Los campesinos ahora se convirtieron en agricultores arrendatarios, pagando a sus patronos con dinero o con parte de sus cosechas.

■ **LA EMERGENCIA DE LOS ESTADOS NACIONALES.** Con la ayuda de los habitantes de las ciudades y grandes ejércitos de infantería, los reyes se volvieron menos dependientes en la nobleza y comenzaron a ejercer más dominio a través del occidente de Europa.

NUEVOS HORIZONTES (1400-1600)

—EL RENACIMIENTO—

¿QUE ERA EL RENACIMIENTO?

La palabra se refiere al **renacimiento** de la erudición y el redescubrimiento de la cultura antigua; comenzó en Italia en el siglo XV y gradualmente se esparció al resto de Europa. El Renacimiento era urbano, secular y humanístico:

■ **URBANO.** El Renacimiento tuvo lugar primero entre la clase media que vivía en las ciudades. Comenzó en Italia porque allí las ciudades se enriquecieron con el comercio entre el este y el oeste, y porque Italia en un tiempo era el centro del Imperio Romano.

■ **SECULAR.** Había un apartamiento de las creencias tradicionales de la Edad Media y nuevas disputas sobre la doctrina de la Iglesia. La clase media comenzó a mostrar interés en la vida en la tierra más bien que en el más allá espiritual. Para explicar el orden del mundo, los pensadores renacentistas se volvieron hacia la observación y la experiencia en vez de la autoridad de la Iglesia.

■ **HUMANISTICO.** Los pensadores del Renacimiento, tal como los griegos antiguos, tenían gran confianza en el poder de la razón humana para explicar el mundo, y veían al hombre como el centro de todo. Los humanistas diferían de los filósofos tradicionales medievales en poner énfasis en la unicidad y el valor de cada individuo. El arte y la literatura de esa época reflejan estas preocupaciones.

LOS ALCANCES DEL RENACIMIENTO

La época del Renacimiento era un tiempo de grandes adelantos en la civilización.

■ **EL ARTE.** Los artistas del Renacimiento desarrollaron nuevos estilos en la arquitectura, la escultura y sobre todo en la pintura. En la arquitectura, tomaron elementos de las formas clásicas. En la pintura, observaron la naturaleza y el cuerpo humano con detalle y se empeñaron en un grado más alto de realismo. Dos de los pintores más grandes del Renacimiento eran de Vinci y Miguel Angel:

1. **Leonardo de Vinci** (1452 1519) representaba el ideal de "**hombre del Renacimiento**". Era pintor, escultor e inventor. Sus pinturas más conocidas incluyen a la *Mona Lisa* y la *Ultima Cena*.

2. **Miguel Angel** (1475-1564) era el pintor y escultor principal del tiempo. Su pintura en el cielo raso y en la cúpula de la Capilla Sistina en Roma se considera una de las más grandes de todo tiempo. Era también escultor maestro, cuyas obras incluyen "David," "Moisés," y la "Pietá".

■ **LA LITERATURA Y LA INVESTIGACION**. Los eruditos del Renacimiento descubrieron nuevos textos clásicos y los examinaron con gran pericia. Los escritores empezaron a usar las lenguas **vernaculares** (nacionales) para ganarse la popularidad con un mayor número de lectores. Dos escritores notables eran Shakespeare y Maquiavelo.

1. **William Shakespeare** (1564-1616) escribió numerosas obras de teatro de tramas intrincadas, cuya popularidad perduró siglos enteros. Sus dramas *Romeo y Julieta*, *Julio César* y *Hamlet* exploran la gama entera de las actividades y emociones humanas.

2. **Nicolás Maquiavelo** (1469-1527) es uno de los fundadores del pensamiento político moderno. Su libro *El Príncipe* sirvió de manual a los soberanos del Renacimiento. Aconsejaba a los soberanos que usaran todos los medios necesarios para mantener y aumentar su poder, inclusive el engaño y la fuerza. Su lema era "el fin justifica los medios".

■ **LA CIENCIA Y LA TECNOLOGIA**. El ánimo renacentista llevó a más observación de la naturaleza e innovaciones importantes en la ciencia y en la tecnología. Unos de los hombres de ciencia e inventores sobresalientes eran Copérnico, Galilei, Bacon y Gutenberg.

1. **Nicolás Copérnico** (1473-1543) declaró que la tierra y los otros planetas giran alrededor del sol. Esto iba en contra de la posición de la Iglesia, que mantenía que la tierra era el centro del universo. El concepto copernicano del universo señala el principio de la ciencia y de la astronomía moderna.

Miguel Angel, un pintor y escultor de gran importancia del Renacimiento

Copérnico descubrió que los planetas giraban alrededor del sol

2. **Galileo Galilei** (1564-1642) y **Francis Bacon** (1561-1626) desarrollaron el **método científico**, que ponía énfasis en la observación cuidadosa, en las medidas y en la experimentación, rechazando la dependencia estricta en la autoridad.

3. **Juan Gutenberg** (1400-1468) desarrolló la imprenta de tipo móvil. Este invento hizo posible la impresión de grandes cantidades de libros. El primer libro imprimido por este método era la Biblia, que se llamó la **Biblia de Gutenberg**.

Juan Gutenberg con su prensa

—LA EDAD DE EXPLORACIONES DE ULTRAMAR—

El espíritu inquisitivo del Renacimiento y el deseo de la investigación también llevó a la exploración de los océanos y al descubrimiento de otros continentes por los europeos. Esto dio fin al relativo aislamiento de Europa y era un paso importante que con el tiempo trajo la dominación europea sobre la mayor parte del mundo.

LOS MOTIVOS PARA LA EXPLORACION DE ULTRAMAR

Las cruzadas fomentaron el interés en productos orientales como las especias, los perfumes y la seda.

■ Los misioneros y comerciantes europeos como **Marco Polo** (1254 -1324) viajaron a la China y a otras partes del Lejano Oriente. Marco Polo dio publicidad a sus viajes en la China, divulgando las riquezas y aventuras que esperaban a los europeos en el Lejano Oriente.

■ La caída de Bizancio a los musulmanes en 1453 separó a Europa del comercio con el Oriente Lejano y creó un estímulo para encontrar nuevas rutas al este.

■ España y Portugal estaban determinadas a ganar una porción del comercio oriental, previamente dominado por las ciudades-estado italianas. Ambos países tenían los recursos necesarios para cubrir los altos costos de la exploración de ultramar.

■ Los adelantos tecnológicos hicieron posible la exploración de alta mar. Mejores instrumentos y destrezas permitieron a los europeos a navegar más lejos que nunca antes. La pólvora hizo más fácil la dominación de los pueblos indígenas.

LOS GRANDES EXPLORADORES

Los diferentes países estaban en competición entre sí para encontrar nuevas tierras.

1. **Cristóbal Colón** (1451-1506) descubrió las Américas por accidentel, al tratar de encontrar una ruta desde Europa al Oriente tomando la dirección al oeste. Su descubrimiento dio principio a la **edad de la exploración** y la colonización del "Nuevo Mundo". Estas nuevas tierras proveían una fuente de riquezas y materias primas que cambiaron la economía de Europa.

2. **Vasco de Gama** (1460-1524) era un explorador que descubrió la ruta marítima de Europa a la India al circunnavegar el cabo sur de Africa. Este descubrimiento elevó el deseo de los europeos de las riquezas, poder e influencia que se podrían obtener con exploraciones adicionales.

3. **Fernando de Magallanes** (1480-1521). En 1519, Magallanes capitaneó la primera expedición de naves que circunnavegaron el mundo, probando de manera conclusiva su redondez.

Colón en la corte de Fernando e Isabel. Sus descubrimientos dieron principio a la época de las exploraciones

LOS EFECTOS DE LAS EXPLORACIONES DE ULTRAMAR

Estas exploraciones iban a cambiar de modo significativo tanto el viejo mundo como el nuevo.

■ **EUROPA.** La alimentación de los europeos se mejoró con la introducción de productos nuevos. Europa se convirtió en el centro de una red comercial mundial, mudándose el comercio del Mediterráneo hacia los países situados en las costas del Atlántico (Portugal, España, Inglaterra, Francia y Holanda). Las materias primas obtenidas de sus colonias aceleraron el desarrollo económico de Europa. Las riquezas del Nuevo Mundo enriquecieron a las clases medias y a los soberanos que recogían impuestos.

■ **LAS AMERICAS.** Los soldados españoles, al tener la ventaja de la pólvora y de los caballos, rápidamente derrotaron los grandes imperios indígenas de la región, y emprendieron la conquista de la mayor parte de lo que hoy es la América Latina.

—LA REFORMA—

El ánimo inquisitivo del Renacimiento, tal como la existencia de muchos abusos de la Iglesia, llevaron a nuevas disputas sobre la supremacía del papa.

LAS IDEAS DE LUTERO

En 1517, **Martín Lutero** (1483-1546) fijó sus "**Noventa y Cinco Tesis**" en la puerta de una iglesia en Alemania. Estas pedían reformas dentro de la Iglesia Católica y desafiaban el derecho del papa a vender **indulgencias** (alivios en castigos por los pecados cometidos). Lutero creía que cada individuo debiera leer e interpretar la Biblia por sí mismo, y que ni los sacerdotes ni el papa tenían poderes especiales para mediar en la salvación del individuo. Lutero predicaba que uno podía salvarse por la fe.

LOS EFECTOS DE LA REFORMA EN EUROPA

La Reforma tuvo tremendos efectos en Europa.

■ **EL FIN DE LA UNIDAD RELIGIOSA.** Después de que Lutero rompió con la Iglesia Católica, le siguieron otros reformadores. **Juan Calvino** (1509-1564) era un teólogo protestante que ponía énfasis en la autoridad de la Biblia, negaba el poder de la Iglesia Católica, animaba al trabajo duro y estaba en favor de un código moral muy estricto. Como resultado de la reforma religiosa, Europa quedó dividida entre protestantes y católicos.

■ **UN SIGLO DE GUERRAS.** Las diferencias religiosas acarrearon un siglo de guerras cuando los protestantes y los católicos lucharon entre sí.

■ **LA CONTRARREFORMA CATOLICA.** La Reforma debilitó seriamente el poder de la Iglesia Católica, que a su vez reaccionó al introducir reformas limitadas, poniendo fin a los abusos previos y luchando contra el protestantismo. En el **Concilio de Trento** la Iglesia definió de nuevo sus credos principales y dio pasos para impedir la expansión del protestantismo. Se formó el **Indice** (libros cuya publicación y lectura era prohibida), y se usó la **Inquisición** para examinar y condenar a todos que negasen la doctrina eclesiástica. Además, se fundó la **orden de los jesuitas**, que se dedicaba a la defensa y a la predicación de la doctrina católica.

■ **LA EDUCACION Y CONOCIMIENTO DE LA LECTURA Y DE LA ESCRI-TURA**. La competición entre los católicos y los protestantes llevó al esparcimiento de la abilidad de leer y escribir. Los protestantes creían que todo individuo debiera poder leer la Biblia.

LA REVOLUCION COMERCIAL

La mayoría de la actividad económica, como antes, estaba en la agricultura. Sin embargo, el segmento de la economía que iba creciendo con más rapidez era el comercio en los productos de todo el mundo, especialmente de Asia y de las Américas. Este comercio señaló un paso importante en la transición de las economías locales de la Edad Media a la economía mundial capitalista de los siglos subsiguientes. Esta **revolución comercial** tenía las siguientes características:

MERCANTILISMO

Los soberanos absolutos trataron de aumentar su poder a través del sistema mercantil. Bajo este sistema, el rey reglamentaba la economía de su país para aumentar su riqueza y su poder. Los teorizantes del mercantilismo aconsejaban a los soberanos a llevar al máximo sus posesiones de oro y de plata al alcanzar un **balance de comercio favorable** (exportando bienes de valor más grande que los importados). Las colonias de ultramar eran muy deseables para este propósito. La madre patria podía exportar bienes manufacturados caros e importar materias primas más baratas.

COMPETICION POR LAS COLONIAS

La teoría mercantil y el aumento en la demanda para los productos coloniales por parte de los europeos, llevaron al desarrollo de vastos imperios coloniales en el siglo XVIII. La competición por los imperios coloniales llevó a una serie de guerras en las cuales salió triunfante Gran Bretaña.

LA EMERGENCIA DEL CAPITALISMO

Los comerciantes y los banqueros establecieron los fundamentos del sistema llamado capitalismo. Bajo este sistema, la riqueza, o el **capital**, está en manos privadas y se invierte en una empresa para producir lucro para el empresario. El empresario es el individuo que arriesga su riqueza en una empresa comercial nueva.

La emergencia del sistema capitalista, junto a las nuevas riquezas de las colonias y del comercio de ultramar, se convirtió en la base de la revolución industrial, que comenzó en Inglaterra a mediados del siglo XVIII.

LA EDAD DE LOS MONARCAS (1600-1750)

LA EMERGENCIA DEL PODER REAL

En la Edad Media, el poder de los reyes era limitado por la nobleza, los parlamentos y la Iglesia Católica. Sin embargo, en los siglos XVI y XVII, los soberanos comenzaron a centralizar su poder. Esto se llevó a cabo como resultado de varios factores:

■ La guerras religiosas que siguieron la Reforma dieron a los reyes la oportunidad de formar grandes ejércitos y de aumentar su riqueza a través de nuevos impuestos. En muchos casos, los reyes hasta asumieron el control de la religión dentro de las fronteras de su país, poniéndose a la cabeza de la iglesia.

■ La clase media en las ciudades, a menudo se aliaba con los soberanos contra la nobleza. Los reyes nombraban administradores reales de la clase media para ayudarles a gobernar el país y a recoger impuestos.

■ La **teoría del derecho divino** se usó para justificar este aumento en el poder real. De acuerdo a esta teoría, el soberano era el representante de Dios en la tierra, y las órdenes del rey expresaban los deseos de Dios.

LUIS XIV: UN EJEMPLO DE ABSOLUTISMO

El absolutismo significaba el poder total del monarca sobre sus súbditos. Las características demostradas por Luis XIV de Francia se convirtieron en modelo de toda monarquía absoluta.

■ El poder del rey era heredado y su autoridad era ley. Se castigaba a cualquier crítico o disidente que desafiara esta autoridad.

■ Luis XIV construyó un gran palacio en Versalles. Las distracciones de la vida de la corte impedían que los nobles desafiasen la autoridad del rey.

■ Luis XIV intervenía en la vida económica y religiosa de sus súbditos, insistiendo por ejemplo, que los protestantes se convirtieran al catolicismo o que salieran del país.

■ Luis XIV ensalzaba la monarquía francesa en las obras de arte, en la música y en la literatura.

■ Luis XIV enredó a Francia en una serie de guerras para ensanchar las fronteras del país y para traer gloria a su dinastía.

Al final, las acciones agresivas de Luis XIV sólo sirvieron para unir al resto de Europa contra Francia y dejar el país agotado y en bancarrota.

INGLATERRA: UN EJEMPLO DE MONARQUIA LIMITADA

En Inglaterra, los monarcas nunca pudieron establecer el gobierno absoluto como el de Francia. Para la Edad Media, se establecieron frenos sobre la autoridad real. Estas tradiciones contribuyeron a la debilitación en mayor grado del poder del monarca en el siglo XVII.

■ **LA CARTA MAGNA.** En 1215, los nobles obligaron al rey a firmar la Carta Magna que garantizaba que a los ingleses nacidos libres no se les podía multar o encarcelar excepto de acuerdo a las leyes del país.

■ **LA EMERGENCIA DEL PARLAMENTO.** El parlamento era un cuerpo legislativo que consistía de los nobles (la cámara alta o de los lores) y de los representantes elegidos de las ciudades (la cámara baja o de los comunes). Su poder principal consistía en el hecho de que la cámara de los comunes tenía el derecho de aprobar todo impuesto nuevo.

■ **LA REVOLUCION PURITANA (1642-1660).** A principios del siglo XVII, el rey trató de establecer el poder absoluto basándose en el derecho divino y atentando recoger nuevos impuestos sin la aprobación del parlamento. El rey también adoptó prácticas religiosas que no eran populares con los puritanos. En poco tiempo estalló una guerra civil entre los partidarios del parlamento y los del rey. Estos perdieron la contienda, y el rey fue ejecutado. Sin embargo, los atentados de establecer una nueva forma de gobierno sin rey no tuvieron éxito, y once años más tarde se repuso a un rey en el trono.

■ **LA REVOLUCION GLORIOSA (1688-1689).** Una segunda revolución tuvo lugar en 1688. Esta vez el rey escapó, y los jefes del parlamento invitaron a su hija con su esposo a tomar su lugar. Los nuevos soberanos prometieron no imponer nuevos impuestos ni a poner en pie un ejéricto sin el consentimiento del parlamento. También se escribió la **Declaración de Derechos** que finalment establecía la supremacía del parlamento sobre el rey.

■ **LOS ESCRITOS DE JOHN LOCKE (1632-1704).** Locke escribió libros durante la Revolución Gloriosa, pero sus ideas tuvieron influencia más allá de la época en la cual se escribieron. Influyeron en la redacción de la Declaración de la Independencia y la Constitución de los Estados Unidos y en los líderes de la Revolución Francesa. En sus "Dos Tratados sobre el Gobierno Civil", Locke presentó las ideas fundamentales acerca de la **monarquía constitucional limitada**. Creía que el gobierno obtiene su poder del pueblo que gobierna y no de Dios como lo presumía la teoría del derecho divino. De acuerdo a Locke, el propósito principal del gobierno era la protección del derecho del pueblo a la vida, la libertad y la posesión de propiedad. Locke defendía el derecho del pueblo a sublevarse si el gobierno abusara su poder.

Inglaterra evolvió de este modo en una monarquía limitada constitucional en la cual los súbditos gozaban de derechos fundamentales y en la cual el poder se compartía entre el rey y el parlamento.

DE LA ILUSTRACION A LA REVOLUCION
(1700-1800)

—LA REVOLUCION CIENTIFICA—

La revolución científica comenzó durante el Renacimiento y continuó durante la época de los monarcas. Se refiere al rechazamiento de la autoridad tradicional y la enseñanza de la Iglesia en favor de la observación directa de la naturaleza.

EL METODO CIENTIFICO

Esta revolución en la ciencia usó el nuevo método científico: se observaba la naturaleza, se formulaban las hipótesis (suposiciones acerca de las relaciones) y luego se comprobaban estas hipótesis a través de los experimentos. Los hombres de ciencia descubrieron en poco tiempo que los movimientos de los cuerpos en la naturaleza seguían lo que se podía pronosticar por medios matemáticos. Este nuevo método de resolver problemas es lo que diferenció a Europa de otras partes del mundo y la colocó en la ruta a un rápido progreso tecnológico.

■ **ISAAC NEWTON (1642-1727)** era el hombre de ciencia más influyente de la revolución científica. Su libro *Principia Mathematica* trataba de la velocidad de cuerpos que caen y del movimiento de los planetas. Newton redujo sus observaciones a una sola fórmula: la ley de gravedad. Su descubrimiento despertó la esperanza de que todo el universo procedía de acuerdo a un número limitado de tales leyes fijas y fundamentales. Parecía que todo lo que tenían que hacer los investigadores era aplicar la observación, la experimentación y las matemáticas para descubrir dichas leyes.

—LA ILUSTRACION—

Ilustración es un término que se refiere a un movimiento de la mitad del siglo XVIII en el pensamiento europeo, en el cual se esperaba que a través del uso de la razón y de las leyes científicas el hombre podría comprender mejor a la naturaleza y a sí mismo.

IDEAS FUNDAMENTALES DE LA ILUSTRACION

Los pensadores de la Ilustración aplicaron la nueva perspectiva científica de Isaac Newton y otros a la sociedad y sus problemas, desafiando las prácticas políticas tradicionales. En particular, hicieron objeciones al derecho divino de los soberanos, los privilegios heredados de la nobleza y el poder de la Iglesia. Creían que la naturaleza y la sociedad operan de acuerdo a leyes fundamentales universales (**leyes naturales**) y que el hombre podía usar la razón para descubrir estas leyes y aplicar su conocimiento para mejorar su vida. Entre los pensadores principales de la Ilustración estaban:

■ **JOHN LOCKE (1632-1704).** Locke creía que todo conocimiento humano se obtiene a través de los sentidos y por lo tanto el punto de vista de una persona era el producto de su crianza y del medio ambiente. Locke también teorizaba que el gobierno era un contrato social entre un pueblo y los que lo gobiernan, y que el soberano debe proteger los derechos de sus súbditos o si no, el pueblo tiene el derecho a reemplazarlo.

■ **VOLTAIRE (1694-1778)** tomó las ideas de otros y las reiteró en poemas, dramas y novelas, haciéndolas populares entre la gente instruída. Voltaire se burlaba de la autoridad tradicional en la sociedad y en el gobierno, y especialmente de la Iglesia. Sus opiniones sobre la tolerancia religiosa y la libertad intelectual influyeron fuertemente en los jefes de la Revolución Francesa y de la Revolución Norteamericana.

■ **JUAN JACOBO RUSSEAU (1712-1778).** Su libro, "El Contrato Social", ayudó a inspirar los ideales democráticos de la Revolución Francesa. Russeau, como Locke, creía que si un soberano abusa los derechos naturales innatos que posee el pueblo, el soberano debe ser derribado.

LA ILUSTRACION Y LA REVOLUCION NORTEAMERICANA

Las ideas de la Ilustración se usaron por los colonos norteamericanos en su **Declaración de la Independencia** de Inglaterra. Esta declaración reconocía la existencia de los derechos naturales del hombre, tales como los derechos a la vida, la libertad y la busca de la felicidad, y declaraba que el propósito del gobierno era la protección de esos derechos. Es un documento que muestra la influencia de la **teoría del contrato social** de Locke.

EL DESPOTISMO ILUSTRADO

Los déspotas ilustrados eran monarcas absolutos que trataron de usar las ideas de la Ilustración para reformar su sociedad "desde arriba". En algunos casos, instituyeron la tolerancia religiosa, establecieron academias de ciencias y fomentaron reformas sociales, pero raramente apoyaban la idea de compartir el poder político. Catalina la Grande de Rusia era un ejemplo de déspota ilustrada.

— LA REVOLUCION FRANCESA (1789) —

MODELO DE UNA REVOLUCION

Una revolución política es un cambio rápido y fundamental en un sistema político, a menudo acompañado por la violencia. Las revoluciones políticas generalmente siguen un dechado familiar.

■ **PRIMERA ETAPA.** Aparecen tensiones en el sistema en existencia, poniéndolo en punto de una revolución. Cuando empieza la revolución, los reformadores moderados se ponen a la cabeza.

■ **ETAPA INTERMEDIA.** Las pruebas moderadas de compromiso fracasan y en el mando se ponen los radicales. La revolución se vuelve más violenta. A menudo estalla una guerra civil y guerras con países lindantes.

■ **ETAPA FINAL.** Con el tiempo, los radicales pierden el poder y quedan reemplazados por los moderados. Cuando el péndulo oscila de vuelta, hasta los moderados pueden quedar reemplazados con la restauración del orden antiguo, con algunas concesiones hechas a los cambios introducidos en la primera etapa.

CAUSAS DE LA REVOLUCION FRANCESA

Había varias condiciones que hicieron a Francia lista para la revolución en 1789:

■ **LA DESIGUALDAD ENTRE LAS CLASES.** Antes del 1789, la sociedad francesa (conocida por los historiadores como Régimen Antiguo) se dividía en tres clases o estados. El primer estado se componía de los clérigos, el segundo de los nobles y el tercero de la gente común. Los nobles tenían muchos privilegios especiales, como el de ser exentos de la mayoría de los impuestos y el derecho de recoger tributos feudales. La burguesía (la clase media de las ciudades) resentía los privilegios especiales de los nobles.

■ **EL INJUSTO SISTEMA DE IMPUESTOS.** El sistema financiero de Francia era anticuado e injusto. Las diferentes clases sociales y hasta las diferentes regiones geográficas pagaban impuestos a razón diferente. Las ciudades y las provincias ponían impuestos sobre los bienes de otras, perjudicando así el comercio.

■ **LAS IDEAS DE LA ILUSTRACION.** Las ideas de la Ilustración provocaron interés en reformar la monarquía y en acabar con los privilegios de la Iglesia y de la nobleza. El ejemplo de la Revolución Norteamericana inspiró más a muchos franceses.

■ **LAS MALAS COSECHAS.** Una serie de malas cosechas creó tensiones sociales. Los campesinos resentían los pagos que tenían que hacer a los terratenientes. Los obreros pobres de las ciudades no tenían fondos suficientes para comprar pan.

■ **UN GOBIERNO EN BANCARROTA**. El soberano arruinó el gobierno real a través de guerras costosas, exceso de préstamos pedidos y mala administración financiera. Cuando el rey pidió a los nobles que pagaran impuestos, estos se negaron a menos que el soberano convocara a los Estados Generales (un grupo que representase a todas las clases sociales de Francia). El rey Luis XVI de mala gana accedió a las exigencias de la nobleza.

LOS SUCESOS PRINCIPALES DE LA REVOLUCION

La revolución comenzó como una contienda por el poder entre el rey y sus nobles de un lado y la burguesía del otro. Durante la revolución, el poder se mudó de la burguesía moderada a los tenderos y artesanos radicales, y de vuelta a la burguesía.

■ **COMIENZA LA REVOLUCION: EL GOBIERNO DE LOS MODERADOS**. Cuando se reunieron los **estados generales**, la burguesía (principalmente los abogados y los otros profesionales) se negaron a disolver, proclamándose una asamblea nacional. El rey vaciló en usar la fuerza para dispersar la asamblea después de que los parisienses hubieran tomado la **Bastilla,** una prisión real. La Asamblea Nacional emitió la **Declaración de los Derechos del Hombre** que proclamaba que el gobierno se basaba en el consentimiento del pueblo y no en el derecho divino del rey. La asamblea declaró que todos los franceses eran libres e iguales y que se abolían los privilegios de los nobles. El lema de la revolución era "libertad, igualdad y fraternidad".

■ **LA REVOLUCION TOMA UN CURSO RADICAL**. Estalló una guerra con otros países europeos. Se temía que el rey volviese al poder, y Luis XVI fue ejecutado. Los radicales tomaron el poder y convirtieron a Francia en una república. El **Comité de Salvación Pública** se puso a cargo y comenzó el **Terror**. Durante este tiempo estalló la violencia y se ejecutó a los nobles y a los que se sospechaba de ser traidores.

■ **REGRESAN LOS MODERADOS**. El poder volvió a los moderados cuando pasó la amenaza de invasión extranjera y los franceses se cansaron de la violencia interna. Los jefes radicales fueron ejecutados y se instituyó un gobierno nuevo.

■ **LA EMERGENCIA DE NAPOLEON**. La nueva Francia era una amenaza a la autoridad de otros soberanos europeos que seguían afirmando su derecho divino a gobernar. Como resultado, Francia se encontró en guerra con el resto de Europa. Los jefes franceses defendían su revolución y su patria. Bajo el general **Napoleón Bonaparte** (1769-1821), los ejércitos franceses derrotaron a las otras potencias y conquistaron una gran parte de Europa.

Napoleón conquistó grandes porciones de Europa para Francia

■ **EL IMPERIO NAPOLEONICO**. En 1799 Bonaparte tomó el poder. Cinco años más tarde, se coronó como emperador. Napoleón tuvo un impacto importante sobre Francia:

• Impuso la estabilidad al formular el **Código Napoleónico** que consolidó los alcances principales de la revolución, tales como la igualdad social, la tolerancia religiosa y el juicio por el jurado.

• Sin embargo, en poco tiempo, impuso restricciones sobre la libertad individual y comenzó a gobernar como dictador. Algunos historiadores consideran a Napoleón como el primer dictador moderno.

• Napoleón se apoderó de una gran parte de Europa. Abrió el paso para la independencia de la América Latina al debilitar a España y haciéndola perder su imperio colonial en el Nuevo Mundo.

■ **LA RESTAURACION**. Después de la fracasada invasión napoleónica de Rusia, las otras potencias europeas se unieron para derribarlo. Estos poderes extranjeros entonces trajeron de vuelta la antigua familia real francesa, entronando a un rey nuevo. El rey otorgó a sus súbditos un estatuto que garantizaba al pueblo sus derechos civiles fundamentales y una legislatura nacional.

EL SIGNIFICADO DE LA REVOLUCION FRANCESA

La Revolución Francesa trajo muchos cambios importantes al mundo:

■ La revolución desafió la idea del derecho divino de los monarcas y la existencia de los privilegios de la nobleza en Francia.

■ El poder político en Francia empezó a moverse del rey y de la nobleza hacia los burgueses.

■ La revolución eliminó las restricciones feudales de Francia, abriendo el paso para la formación de una economía capitalista moderna.

■ A través de las conquistas de Napoleón, las ideas de la Revolución Francesa se esparcieron a otros países.

■ Tanto la Revolución Norteamericana como la Revolución Francesa sirvieron como modelos de acción para los que buscaban cambios políticos en otras naciones.

LA REVOLUCION INDUSTRIAL

La revolución industrial empezó en Gran Bretaña en los años 1750, y luego se esparció al resto de Europa y del mundo. Trajo cambios fundamentales en la sociedad al introducir la producción de bienes en gran escala y al aplicar nuevas fuentes de energía para abastecer las necesidades humanas. La ciencia quedó vinculada a la tecnología, creando una corriente de innovaciones constantes.

CONDICIONES PRECEDENTES

Muchos factores contribuyeron a la emergencia de la industria moderna en Gran Bretaña.

■ **LAS VENTAJAS GEOGRAFICAS**. Gran Bretaña tenía muchos puertos naturales, ríos y corrientes rápidas y amplio abastecimiento de hulla. Su carácter insular la protegía de las invasiones, pero la dejaba cercana a los mercados europeos y bien colocada para comercio de ultramar con otras partes del mundo.

■ **EL TRANSPORTE Y LAS COMUNICACIONES.** Gran Bretaña tenía un comercio costanero bien desarrollado, canales, ríos navegables, ciudades porteñas, un excelente servicio postal, diarios y la marina más poderosa del mundo.

■ **EL COLONIALISMO Y EL COMERCIO DE ULTRAMAR.** El amplio imperio colonial de Gran Bretaña proporcionaba materias primas valiosas y contribuyó al desarrollo de altas destrezas financieras y comerciales. El país se benefició de un próspero comercio de ultramar.

■ **LOS ADELANTOS EN LA AGRICULTURA Y LA NUMEROSA MANO DE OBRA.** Las recientes innovaciones llevaron a adelantos en la producción agrícola. Menos personas se necesitaban para trabajar en las fincas y por consecuencia más de ellas eran disponibles para el trabajo en la industria. Con más alimentos y mejores medicinas, creció el número de habitantes, proporcionando aún más obreros y aumentando la demanda para productos fabricados.

■ **LA TECNOLOGIA.** Gran Bretaña estaba al frente de la tecnología europea. Una serie de importantes inventos británicos puso en movimiento la revolución industrial, primero en el campo textil y luego en otros.

1. **"Juanita la Hiladora"** (1764) permitió la formación de varios hilos a la vez. A causa de una tremenda demanda de ropa, esto permitió la producción rápida y barata de grandes cantidades de tela.

2. **El telar mecánico** (1769) aplicó la fuerza hidráulica, permitiendo que se operase un número más grande de máquinas por más tiempo.

3. **La máquina de vapor** (1769) hizo posible el uso de la fuerza de vapor para propósitos mecánicos. La máquina de vapor llevó a su vez a la construcción de grandes fábricas, la invención del barco a vapor y los trenes mecanizados del ferrocarril.

LA EMERGENCIA DEL CAPITALISMO INDUSTRIAL

Una nueva clase de capitalistas, compuesta de comerciantes, terratenientes y banqueros había surgido en pos de la revolución industrial. Estas personas contribuyeron al desarrollo de las características clásicas del capitalismo liberal ("laissez-faire"):

■ Los medios de producción eran de posesión privada. Los dueños proporcionaban los sitios de trabajo (fábricas y talleres), las materias primas, la energía mecánica y la maquinaria.

■ Los trabajadores contribuían su trabajo por el cual recibían un sueldo. Todos los riesgos estaban de parte de los propietarios capitalistas que recibían todo el lucro.

■ El gobierno aplicaba la política liberal ("laissez-faire"), bajo la cual no intervenía en la reglamentación de las relaciones entre los obreros y los dueños capitalistas.

LA REVOLUCION INDUSTRIAL SE EXTIENDE

La revolución industrial trajo muchos cambios a la sociedad europea:

■ **FONDO: EL SISTEMA CASERO**. Antes de la revolución industrial, los campesinos y los artesanos trabajaban en casa, hilando y tejiendo hasta acabar con artículos completos. Esto se conocía como el sistema de industria casera.

■ **EL SISTEMA DE LAS FABRICAS**. Con la revolución industrial, los obreros quedaban estacionados juntos en las fábricas donde tenían supervisión y podían usar maquinaria hidráulica o de vapor. La razón de la producción en las nuevas fábricas era asombrosa según las normas de la época. Como resultado de las técnicas de producción en gran escala, bajó el precio de las materias textiles y aumentó la demanda de telas baratas. Según aumentaba la demanda, se construían más y más fábricas que empleaban crecientes números de trabajadores.

■ **LAS CONDICIONES DE TRABAJO**. Según se enriquecían y ganaban más poder los dueños de las fábricas, las condiciones de la nueva clase de obreros industriales iban empeorando. Las antiguas fábricas eran sitios espantosos, de condiciones peligrosas y desagradables. Las horas de trabajo eran largas, y los obreros recibían sueldos muy bajos - apenas suficientes para sobrevivir. También trabajaban las mujeres y los niños. En tiempos difíciles, los obreros de las fábricas perdían su empleo y no les quedaba más que mendigar, robar o morirse de hambre.

■ **LA URBANIZACION**. Con el movimiento hacia las fábricas de situación céntrica, grandes números de obreros se mudaron del campo a las ciudades. Las condiciones en la ciudad eran atestadas e insalubres. Los gobiernos locales estaban mal organizados e incapaces de poder con el gran número de obreros.

■ **EL DESARROLLO DEL FERROCARRIL**. Los ferrocarriles unificaron la economía de una región dada al vincular las ciudades, las fábricas, los pueblos y el campo. Al mismo tiempo, la construcción de las vías férreas requería grandes cantidades de hulla, hierro y acero, estimulando así el desarrollo de la industria pesada.

LAS REACCIONES A LA REVOLUCION INDUSTRIAL

Los problemas creados por la revolución industrial acarrearon muchas reformas sociales y políticas:

■ **LAS REFORMAS POLITICAS**. La clase media de los dueños de fábricas, comerciantes y banqueros exigió y recibió más poder político. En Gran Bretaña, esto llevó al **Derecho de Reforma** del 1832 que otorgó una mayor representación en el parlamento a los nuevos pueblos y extendió el derecho del voto a la clase media. Hacia el fin del siglo, los derechos de reforma subsiguientes gradualmente extendieron el derecho del voto a las clases obreras.

■ **LAS REFORMAS SOCIALES**. Muchos se compadecieron de los problemas del nuevo obrero industrial. Esto llevó al parlamento a poner restricciones en el trabajo de las mujeres y de los niños, limitando las horas de trabajo y mejorando las condiciones de trabajo. La reforma municipal hizo que las ciudades se convirtieran en sitios más saludables. Finalmente, los trabajadores se organizaron en gremios y amenazaron con ponerse de huelga si no obtenían mejores condiciones.

LA CRITICA SOCIALISTA DEL CAPITALISMO INDUSTRIAL

Un grupo que estaba horrorizado por las condiciones miserables de la vida de los primeros obreros industriales eran los **socialistas**. Creían que se necesitaba una reorganización total de la sociedad para triunfar sobre los males del nuevo sistema industrial. Los primeros socialistas pedían vida en comunidades y una distribución más justa de la riqueza.

MARX Y LA EMERGENCIA DEL COMUNISMO

Dos críticos principales del sistema capitalista eran **Carlos Marx** (1818-1883) y **Federico Engels**. Sus ideas se publicaron en *El Manifiesto del Partido Comunista* (1848) y en *El Capital* (1867). Sus ideas se convirtieron en la base del comunismo:

■ **LA LUCHA ENTRE LAS CLASES**. La sociedad está dividida en clases sociales que están en conflicto. En una sociedad industrial, las clases principales son la **burguesía** (que posee los medios de producción como las fábricas) y el **proletariado** (los obreros).

■ **LA EXPLOTACION DE LOS OBREROS.** Los ricos viven de la labor de los obreros que viven en la pobreza. Los propietarios defraudan a los obreros al tomar la mayor parte de lo que producen y dejándolos con recursos apenas suficientes para sobrevivir.

■ **LA REVOLUCION COMUNISTA.** Marx y Engels creían que la única forma de corregir esas injusticias era crear un sistema en el cual los medios de producción serían la propiedad de la sociedad entera más bien que de individuos. Esto nunca llegaría a pasar por medios pacíficos porque la burguesía adinerada no cedería su poder de buena gana. Con el tiempo, las condiciones de los obreros serían tan malas que estos se unirían en una revolución violenta contra la burguesía.

■ **LA DICTADURA DEL PROLETARIADO**. Los trabajadores triunfarían con el tiempo, y se establecería una sociedad en la cual ellos serían los dueños de los medios de producción. En esta sociedad comunista ideal, todos los ciudadanos serían iguales, trabajando juntos y compartiendo los frutos de su labor. Las luchas entre las clases serían eliminadas, y la autoridad del gobierno ya no sería necesaria y se "marchitaría".

■ **LA PRIMERA REVOLUCION COMUNISTA**. Marx creía que la revolución de los obreros tendría lugar en un país industrializado de la Europa Occidental. Sin embargo, allí las condiciones de los obreros mejoraron gradualmente sin una revolución. En contra de las predicciones de Marx, el comunismo se estableció primero en Rusia - un país agrícola más bien que industrial.

LA INFLUENCIA DE CARLOS MARX

En los países comunistas, el gobierno no se marchitó como lo pronosticaba Marx, sino se volvió más potente a costo de los trabajadores. A pesar de esto, la filosofía comunista aún hoy día tiene un impacto enorme. Las obras de Marx fueron leídas y seguidas por Lenin, Mao Tse Tung, Castro y todos los otros jefes del comunismo.

EL NACIONALISMO Y EL IMPERIALISMO

Después de la derrota de Napoleón en 1814-1815, los principales gobernantes europeos se encontraron en Viena para rehacer las fronteras en Europa. Querían deshacer muchos de los cambios acarreados por la Revolución Francesa.

EL CONGRESO DE VIENA (1814-1815)

En Viena, los gobernantes y jefes de las cinco "grandes potencias"—Gran Bretaña, Rusia, Austria, Prusia y Francia - se encontraron para llevar a cabo su obra. Restauraron a los antiguos soberanos y fronteras en cuanto era posible, trayendo a Europa a una forma algo parecida a la que precedía a la Revolución Francesa. Pero también trataron de conservar la **balanza del poder**—un sistema en el cual un solo poder como Francia no sería tan potente como para amenazar o dominar a los otros países en el sistema. Estos gobernantes también se pusieron de acuerdo a resistir cambios revolucionarios.

EL ESPIRITU DEL NACIONALISMO

Desgraciadamente para los miembros del Congreso de Viena, la Revolución Francesa había encendido el espíritu del nacionalismo a través de Europa. La revolución demostró que el gobierno debe basarse en la voluntad del pueblo. El **nacionalismo** es la creencia de que cada grupo popular o nacional (un grupo étnico o linguístico) tiene derecho a su propio gobierno y su propia tierra. A pesar del espíritu nacional, el acuerdo en el Congreso de Viena no tomó en cuenta el deseo de la gente a controlar su propio gobierno. Muchos pueblos europeos aún no estaban unidos; otros vivían bajo la dominación extranjera.

LA ERA DE METTERNICH (1815-1848)

En Austria, el príncipe de Metternich, uno de los hombres de estado en el Congreso de Viena, contribuyó a establecer un sistema que prevenía atentados de nacionalismo y liberalismo en Europa. Metternich y los soberanos europeos se oponían al cambio que asociaban con los peligros de la Revolución Francesa. Los treinta años subsiguientes al Congreso de Viena eran testigos de una serie de revoluciones fracasadas en Italia, en Alemania y en Polonia donde estos grupos nacionales trataron de obtener su independencia, pero fueron aplastados por los ejércitos de Austria y de Rusia. Sin embargo, en dos casos los esfuerzos nacionales tuvieron éxito: Grecia y Bélgica lograron su independencia en 1830.

— LA UNIFICACION DE ITALIA Y DE ALEMANIA —

En pos del fracaso de las revoluciones del 1848 en Italia y en Alemania, los hombres de estado como Cavour y Bismarck llegaron a unificar estos países a través de las destrezas diplomáticas y de la fuerza.

ITALIA (1859-1860)

El conde de Cavour atrajo el apoyo de los franceses para derrotar a Austria y sacarla del norte de Italia. Cavour unió entonces la Italia del norte y la central al reino italiano de Piemonte. El jefe nacionalista **José Garibaldi** luego derrocó el reino nada popular del sur de Italia, y lo unió con las regiones del norte y del centro bajo Cavour. Para el año 1860, Italia se convirtió en nación unificada.

ALEMANIA (1863 1871)

Alemania estaba dividida en varios estados pequeños. Prusia y Austria eran los dos estados alemanes más grandes y rivales principales para el dominio de Alemania. Austria, sin embargo, contenía muchas tierras y pueblos no alemanes y no quería la unificación de Alemania. Bajo la jefatura de **Otto von Bismarck**, Prusia unificó a Alemania. Bismarck siguió una política de "**sangre y hierro**," con la cual la diplomacia diestra y la fuerza militar de Prusia, no los medios democráticos, se usaron para lograr la unificación alemana. Después de una serie de logradas guerras con Dinamarca, Austria y Francia, Alemania quedó finalmente unificada en 1871.

—EL IMPERIALISMO—

Imperialismo es una palabra que se refiere al dominio político y económico de una región o país por otro. A veces se llama **colonialismo**, porque a menudo acarrea la adquisición de colonias. Después de la unificación de Italia y de Alemania, las potencias europeas comenzaron a dirigirse afuera del continente para expresar sus energías nacionales y para adquirir nuevos territorios.

EL IMPERIALISMO ANTIGUO (1500-188)

En los siglos anteriores, las naciones europeas desarrollaron vastos imperios de ultramar en busca de las riquezas, de materias primas y de oro. La mayoría de esas exploraciones se limitaba al Nuevo Mundo, la India, Africa del sur y las Indias Orientales.

EL IMPERIALISMO MODERNO

En los años 1880, se renovó el interés en el imperialismo. Estados nuevos como Bélgica, Alemania e Italia ahora buscaban nuevos imperios coloniales. Hasta las potencias coloniales de antes, como Francia y Gran Bretaña participaron en la competición final por las colonias. Había muchas razones para este nuevo interés en imperialismo.

■ **LA TECNOLOGIA**. Por primera vez, era disponible la tecnología necesaria para penetrar a fondo en Africa, Asia y el Pacífico. Los vapores podían viajar río arriba, mejores rifles proveían más protección contra los indígenas hostiles, los telégrafos enviaban mensajes con más rapidez, los ferrocarriles hicieron posible la explotación del interior y las nuevas medicinas facilitaron la resistencia a las enfermedades tropicales.

■ **LOS MOTIVOS ECONOMICOS**. A causa de las demandas de la revolución industrial, los europeos necesitaban recursos naturales y materias primas para mantener sus fábricas en marcha. También buscaban nuevos mercados para vender sus productos manufacturados. Además, las colonias representaban territorios en los cuales se podía invertir el exceso de capital y donde se podía encontrar mano de obra barata.

■ **EL ORGULLO NACIONAL**. Los países europeos deseaban adquirir colonias para demostrar su propia fuerza, prestigio y superioridad nacional. Así, el imperialismo era una expresión del nacionalismo.

■ **LA BALANZA DE PODER**. Los países europeos trataron de mantener el equilibrio entre sí con respecto a las colonias. Como resultado, cuando un país obtenía una colonia nueva, los otros se sentían obligados a hacer lo mismo.

■ **LA RESPONSABILIDAD DEL BLANCO**. Muchos europeos creían ser superiores a los pueblos que estaban menos avanzados técnicamente. Creían que con la superioridad venía la responsabilidad de civilizar a los habitantes atrasados de Africa, Asia y el Pacífico. También deseaban esparcir la cristiandad a los pueblos que consideraban bárbaros. Estas actitudes daban fuerza a su convicción de la superioridad de su raza (**racismo**). Estas ideas eran apoyadas también por el concepto del **darvinismo social**, que mantenía que algunas sociedades eran más logradas que otras a causa de su cultura superior.

Los pueblos del resto del mundo quedaron tanto beneficiados como perjudicados por el imperialismo europeo. Los imperialistas llevaron la ciencia y la tecnología occidental a todos los rincones del mundo, pero mostraron poco respeto para los alcances de otras culturas que consideraban inferiores. Con el tiempo, el mismo espíritu de nacionalismo que una vez alentó el imperialismo europeo, llevó a los pueblos de Africa, de Asia y del Pacífico a resistir a los imperialistas europeos.

LA PRIMERA GUERRA MUNDIAL Y EL CONVENIO DE PAZ DE 1919

La Primera Guerra Mundial era un punto decisivo en la historia del mundo. Las nuevas tecnologías hicieron la guerra mucho más destructiva. Esta violencia llevó a la pérdida de millones de vidas y derrocó sistemas de gobierno. El subsiguiente convenio de paz vio el triunfo momentáneo de la democracia, la autonomía nacional y una organización internacional para la paz. Pero la guerra también preparó el camino para el surgimiento del totalitarismo y debilitó el dominio de los europeos sobre sus imperios de ultramar.

LAS CAUSAS DE LA PRIMERA GUERRA MUNDIAL

Un suceso tan complejo como la erupción de la Primera Guerra Mundial tenía muchas causas:

■ **EL NACIONALISMO.** El nacionalismo llevó a la rivalización entre Francia, Alemania, Austria-Hungría y Rusia. El Imperio de Austria-Hungría contenía muchos grupos nacionales, cada uno con deseos de tener su propio estado nacional. Estas exigencias amenazaban con desmembrar el imperio austro-húngaro y se convirtieron en un factor principal que causó la guerra.

■ **LAS RIVALIDADES ECONOMICAS Y EL IMPERIALISMO.** Al fondo de las rivalidades nacionalistas estaba la competición de intereses económicos. La industrialización alemana amenazaba la superioridad económica británica. Los intereses rusos en los Balcanes amenazaba tanto a Austria-Hungría como a Turquía. La competición en los derechos coloniales creó una atmósfera de tensión.

■ **EL SISTEMA DE ALIANZAS.** Comenzando con los años 1890, Europa se dividió en dos grandes alianzas: a un lado se encontraban Alemania y Austria-Hungría (la **Triple Alianza**); del otro estaban Rusia, Francia y Gran Bretaña (**Triple Entente**). Aunque estas alianzas inicialmente trataban de mantener la existente balanza de poder, cada disputa que comprendía dos países cualesquiera amenazaba con incluír a todos los otros.

■ **EL MILITARISMO.** La planificación militar y la competición en los armamentos tuvieron un papel importante en la erupción de la Primera Guerra Mundial. Había rivalidad entre Alemania y Gran Bretaña en formar la marina más grande y más potente. Los jefes militares estaban tensos ante los armamentos de gran escala.

LA CHISPA INCENDIADORA DE LA GUERRA

El asesinato del **Archiduque Francisco Fernando** en 1914 por los nacionalistas servios presentó a los austríacos con la excusa necesaria de darle una lección a Servia. Culpando a los servios por el asesinato, Austria invadió el territorio servio. A causa de las varias alianzas, la disputa trajo a la guerra a Rusia, Alemania, Gran Bretaña y Francia. Lo que pudo haber sido una crisis menor, de carácter regional, se convirtió en una guerra europea importante.

LA INDOLE DEL COMBATE EN LA PRIMERA GUERRA MUNDIAL

Los jefes militares creían que la guerra se acabaría con rapidez, pero el conflicto se convirtió en una lucha que duró varios años. Todo tipo de nuevos y mejorados armamentos se usó en el combate—la ametralladora, gas tóxico, submarinos, aviones y tanques. Estos nuevos armamentos previnieron que un lado derrotara al otro con rapidez.

EL FIN DE LA PRIMERA GUERRA MUNDIAL Y EL CONVENIO DE PAZ

Aunque los Estados Unidos estaban oficialmente neutrales, sus buques fueron atacados por los submarinos alemanes. Por consecuencia, los Estados Unidos entraron en la guerra en 1917, en parte para proteger su derecho a la libertad en los mares. Esto inclinó la balanza a favor de los Aliados.

■ **LOS CATORCE PUNTOS.** El presidente Wilson declaró los propósitos de los Estados Unidos en sus Catorce Puntos, exigiendo autonomía nacional para todos los pueblos europeos. Quería rehacer el mapa de Europa de tal modo que cada grupo nacional tuviera su propio estado y gobierno. El imperio austro-húngaro se dividió en varios estados nacionales. Wilson también exigió la libertad en los mares, el fin de la diplomacia secreta y la formación de la Sociedad de las Naciones.

■ **ALEMANIA SE RINDE.** A poco tiempo de entrar los Estados Unidos en la guerra, el ejército alemán quedó arrollado. En noviembre del 1918, los alemanes entregaron sus armas y se rindieron.

■ **EL TRATADO DE VERSALLES (1919).** Los términos finales alcanzados por Wilson y la jefatura de Francia eran extremadamente rigurosos para Alemania. Con el Tratado de Versalles:

1. Alemania perdió territorios a favor de Francia y de Polonia, y también quedó despojada de sus colonias.

2. Alemania perdió su marina y su ejército quedó reducido al tamaño de una fuerza policial.

3. Los alemanes fueron obligados a aceptar la responsabilidad de comenzar la guerra y se les exigió el pago de enormes reparaciones a los aliados.

4. El Imperio de Austria-Hungría quedó dividido en estados correspondientes a los grupos nacionales, y Turquía perdió la mayor parte de sus territorios en el Oriente Medio.

> Los Gobiernos Aliados y Asociados afirman y Alemania acepta la responsabilidad de que Alemania y sus aliados causaron todas las pérdidas y daños a los que fueron sujetos los Aliados y los Gobiernos Asociados y sus nacionales como consecuencia de la guerra impuesta en ellos por la agresión de Alemania y sus aliados.
> **Artículo 231 del Tratado de Versalles**

■ **LA SOCIEDAD DE LAS NACIONES.** Tal como lo pidió Wilson, el Tratado de Versalles creó la Sociedad de las Naciones - una organización de naciones que defenderían una a la otra contra los agresores. Se creía que esto impediría agresiones y prevendría guerras futuras. Ya que la Sociedad no tenía su propio ejército, dependía enteramente en la voluntad de sus mienmbros a impedir agresiones. En los Estados Unidos, muchos se oponían a la intricación del país en los asuntos europeos y, por consecuencia, los Estados Unidos no se hicieron miembros de la Sociedad. Rusia tampoco se unió. Alemania no era miembro hasta los años 1920, y luego fue retirada de la Sociedad por Hitler. De este modo, muchas de las potencias mundiales no eran miembros de la Sociedad de las Naciones.

LA EPOCA DEL TOTALITARISMO Y LA SEGUNDA GUERRA MUNDIAL (1919—1945)

El totalitarismo es un sistema político moderno en el cual el gobierno domina todos los aspectos de la vida del individuo y se suprimen los derechos de expresión y disensión. La Unión Soviética de Stalin y la Alemania nazi de Hitler eran dos ejemplos de estados totalitarios.

LA EMERGENCIA DEL TOTALITARISMO: FONDO

Algunas corrientes del pensamiento europeo, tales como el antisemitismo, el racismo y el darvinismo social sirvieron de criadero para el desarrollo del totalitarismo en Europa.

■ **EL ANTISEMITISMO.** El antisemitismo—odio hacia los judíos—era una corriente establecida en la cultura europea. Los judíos se encontraban con prejuicio y persecución porque sus creencias y sus costumbres los hacían blancos fáciles en tiempos de inquietud social y dificultad económica. Esto era especialmente cierto en los últimos años 1800, cuando a los judíos se les echó la culpa por la desorganización causada en Europa por la rápida industrialización.

■ **EL RACISMO.** El racismo es el desdén por otras razas, y también era parte de la cultura europea. El racismo europeo se hizo más fuerte con el imperialismo de ultramar y con el espíritu de nacionalismo.

■ **EL DARVINISMO SOCIAL.** Finalmente, el darvinismo social hizo que los sentimientos de racismo y antisemitismo se volvieran más respetables al aplicar la teoría darviniana de la evolución a la sociedad humana. Los darvinistas sociales creían que todos los grupos humanos competían por la supervivencia y que los grupos más fuertes tenían el derecho de triunfar sobre los grupos más débiles, que merecían su perecimiento.

DECAEN LOS SISTEMAS ANTIGUOS

Europa quedó agitada a fondo por el derrame de sangre de la Primera Guerra Mundial. Ocurrieron cambios políticos enormes - se crearon nuevos estados y las antiguas familias soberanas perdieron su poder anterior. A menudo, las personas a cargo de los gobiernos en las nuevas democracias europeas no estaban acostumbradas a tener poder político.

■ **ALEMANIA.** En Alemania, la nueva república democrática era débil porque se oponían a ella los terratenientes, los fabricantes, los jefes militares y muchos en las clases profesionales. Muchos preferían otorgar todo el poder político a un solo jefe como Hitler antes de confiarlo a la gente común.

■ **LA UNION SOVIETICA.** La revolución en Rusia agregó una nueva dimensión. Los jefes bolcheviques mostraron cómo organizar un partido político de las masas y cómo formar un estado totalitario. Al mismo tiempo, las clases medias de otros países europeos temían el esparcimiento del comunismo. Este temor les llevó a apoyar a los extremistas tales como Hitler y Mussolini.

■ **ITALIA**. En Italia, Benito Mussolini imitó muchas de las prácticas de los bolcheviques al mismo tiempo que condenaba sus ideas. Igual que los bolcheviques, tenía un periódico del partido, una organización partidaria y un ejército privado. Se usó la violencia contra los adversarios políticos. Mussolini tomó el poder y creó un estado fascista en Italia a poco tiempo de terminar la Primera Guerra Mundial.

LOS NAZIS TOMAN EL PODER

En Alemania, la República de Weimar quedó debilitada por la oposición de ciertos grupos. Además, a los jefes de esa república se les culpó de haber firmado el Tratado de Versalles, que obligó a Alemania a hacer pagos reparatorios debilitantes a Gran Bretaña y a Francia. Esto llevó a una inflación muy elevada en 1923.

■ **LA CAIDA DE LA REPUBLICA DE WEIMAR**. Hacia el fin de los años 1920, la República de Weimar alcanzó un cierto grado de estabilidad. Esto terminó cuando vino la **Gran Crisis**, una temporada de severos problemas económicos que se extendieron de los Estados Unidos a Alemania en 1930. Seis millones de alemanes perdieron su empleo - más de un tercio de la fuerza trabajadora. Los jefes del gobierno no podían ponerse de acuerdo en cómo hacer frente a esta catástrofe. En las elecciones, los campesinos y los desempleados se volvieron a las soluciones más radicales, ofrecidas por el partido nazi.

■ **EL SURGIMIENTO DEL PARTIDO NAZI**. Adolfo Hitler (1889 - 1945) era el jefe del partido nazi (nacionalsocialista). Un hablador electrizante, Hitler publicó sus ideas en su libro *Mein Kampf* (Mi Lucha):

• Hitler ponía la culpa en la República de Weimar por la humillación sufrida por Alemania bajo el Tratado de Versalles. Urgía al pueblo alemán a unirse tras un jefe fuerte que lo podría revertir a la gloria.

• El pueblo alemán era de una raza aria superior, que merecía dominar el mundo.

"... nuestro movimiento tiene que ser necesariamente antiparlamentario, y si toma parte en la constitución parlamentaria es sólo con el propósito de destruir esta institución desde dentro."
HITLER: "Mein Kampf"

• Hitler llamaba a los judíos una raza malvada, que debiera ser destruída por haber causado la derrota de Alemania en la guerra; decía también que el comu-nismo, por ejemplo, era una intriga de los judíos para dominar el mundo. Estas ideas fueron aceptadas por muchos alemanes que sentían cólera y desesperación ante el fracaso de sus instituciones políticas y económicas en existencia.

LOS NAZIS LLEGAN AL PODER

Los nazis desarrollaron su poder al formar un ejército privado de "camisas pardas", compuesto de los trabajadores desempleados y de los antiguos soldados. Estos camisas pardas apaleaban a los adversarios políticos y a los judíos, y organizaban reuniones y desfiles impresionantes. Cuando la crisis llegó a Alemania, el apoyo del partido nazi aumentó con rapidez. Con este apoyo, Hitler fue nombrado canciller (ministro principal) en 1933. Actuó con rapidez para asegurarse dominio completo al quemar el edificio del Reichstag (legislatura alemana). Luego Hitler culpó a los comunistas por el incendio. Usó este incidente para obtener poderes de emergencia para sí mismo, convirtiéndose en dictador absoluto cuya voluntad era ley.

ALEMANIA BAJO EL DOMINIO NAZI

En los meses subsiguientes, el partido nazi extendió su dominio sobre cada aspecto de la vida social, económica y política en Alemania.

■ **LAS INFRACCIONES CONTRA LOS DERECHOS HUMANOS.** Los derechos humanos quedaron totalmente suprimidos. No había libertad de palabra, prensa ni organización, y la gente podía ser arrestada y ejecutada sin juicio. Todos los partidos políticos rivales, gremios de trabajadores y periódicos independientes se suprimieron y quedaron reemplazados por organizaciones pro nazis.

■ **LA EDUCACION.** Los niños eran indoctrinados en las ideas nazis; los periódicos, la radio y las películas proclamaban a gritos la propaganda nazi. No se permitían organizaciones ni fuentes de informes excepto las que estaban bajo el dominio nazi.

"Cuando un adversario dice 'No vendré a tu lado' yo le digo con calma 'Tu hijo ya nos pertenece a nosotros... ¿Qué eres tú? Tú te morirás. Tus descendientes, sin embargo, ahora están en las filas del nuevo campo. En poco tiempo no sabrán de otra cosa sino esta nueva comunidad.'"

Hitler

■ **EL ANTISEMITISMO.** La propaganda nazi mantenía que los judíos no eran buenos ciudadanos alemanes. Se quemaron los libros de autores judíos o los que contenían ideas que no armonizaban con el nazismo. Los judíos fueron expulsados de las universidades y de empleos gubernamentales y se les obligaba llevar estrellas amarillas en su ropa. Se quemaban las sinagogas y se rompían los escaparates de las tiendas de los judíos.

■ **LA ECONOMIA.** Hitler usó los proyectos de obras públicas, como la construcción de carreteras y el rearme militar, para asegurar empleo para todos. Volvió a Alemania la prosperidad económica.

■ **LA POLICIA SECRETA.** Los nazis se sirvieron de amenazas y de la violencia para dominar a los que se les oponían. La **Gestapo** (policía secreta), arrestaba a los sospechados de oposición, echándolos en las prisiones y en los campos de concentración donde se los maltrataba, torturaba y mataba.

LA SEGUNDA GUERRA MUNDIAL (1939—1945)

EL ORIGEN DE LA SEGUNDA GUERRA MUNDIAL

La Segunda Guerra Mundial comenzó como resultado de la agresión alemana.

■ **EL FRACASO DE LA SOCIEDAD DE LAS NACIONES.** La Sociedad de las Naciones dependía en la idea de la seguridad colectiva para prevenir otra guerra. En franco desafío del Tratado de Versalles, Hitler desarrolló las fuerzas militares alemanas. La

Sociedad se vio incapaz de prevenir estas infracciones del tratado y otros actos de abierta agresión.

■ **EL EXPANSIONISMO ALEMAN**. Hitler procedió a reclamar los territorios donde había habitantes que hablaban alemán. En 1938, el primer ministro británico, Neville Chamberlain se encontró con Hitler en Munich en un atentado de **apaciguamiento** (el acto de otorgar concesiones a un agresor potencial). Chamberlain accedió a la demanda de Hitler de la parte oeste de Checoslovaquia, conocida como los Sudetes.

■ **LA INVASION DE POLONIA**. Sin embargo, en 1939, cuando Hitler hizo nuevas demandas con respecto a

Los soldados alemanes en marcha al entrar en Austria en 1938.

Polonia, Gran Bretaña y Francia se dieron cuenta que el continuo apaciguamiento de Hitler era ilusorio. Hitler, tratando de proteger sus fronteras del este contra un ataque de la Unión Soviética, firmó un tratado de paz con Stalin. En 1939, Alemania invadió a Polonia, dando comienzo a la Segunda Guerra Mundial.

PUNTOS SOBRESALIENTES DE LA SEGUNDA GUERRA MUNDIAL

Algunos de los sucesos significantes de la Segunda Guerra Mundial eran los siguientes:

■ **EL BLITZKRIEG NAZI.** Las fuerzas militares alemanas desarrollaron una nueva forma de hacer guerra, el **blitzkrieg** (guerra de relámpago), usando aviones, tanques y transporte motorizado de tropas para penetrar el territorio invadido. Con estas tácticas, los alemanes rápidamente invadieron a Polonia, Dinamarca, Holanda, Bélgica y Francia. Hacia el fin del 1940, Alemania estaba en dominio de casi toda la Europa del oeste. Sólo Gran Bretaña no perdió terreno.

■ **LA BATALLA DE GRAN BRETAÑA.** Hitler esperaba vencer la resistencia británica al bombardear a Londres y a otras ciudades inglesas. Winston Churchill, el nuevo premier, pudo fortalecer la resistencia británica. El uso del radar y el valor de la fuerza aérea real británica ayudó a defender a Gran Bretaña de los ataques aéreos alemanes. Hitler no pudo derrotar a los ingleses.

■ **LA GUERRA UNIVERSAL.** En 1941, Hitler rompió su tratado de paz con Stalin y lanzó un ataque de sorpresa contra la Unión Soviética. Finalmente, cuando el Japón bombardeó los buques norteamericanos en Pearl Harbor, Hitler se unió al Japón declarando guerra contra los Estados Unidos. Para el fin del 1941, las **Potencias Aliadas** compuestas de Gran Bretaña, la Unión Soviética y los Estados Unidos se le opusieron a Hitler. Alemania fue apoyada por Italia y el Japón, y se les llamaba las **Potencias del Axis** (o Eje).

■ **EL HOLOCAUSTO**. El "Holocausto" se refiere a las acciones genocidas contra los judíos durante la Segunda Guerra Mundial. El **genocidio** es un atentado de exterminar un pueblo o una nacionalidad entera.

• **La solución final**. El odio y el antisemitismo de Hitler, combinado con su poder absoluto y la tecnología moderna, le permitió matar a dos terceras partes de los judíos europeos. Después de estallar la guerra, Hitler decidió exterminar a todos los judíos con el disimulo de operaciones de guerra. Llamó su plan la "solución final". Además, pensaba matar a todos los lisiados, a los gitanos, a los polacos y a otros eslavos. Una vez comenzada la guerra, dio órdenes de llevar a cabo estas matanzas.

Obreros esclavizados judíos en el campo de concentración en Buchenwald, 1945

• **La exterminación de los judíos**. Se construyeron grandes **campos de concentración**, como Auschwitz, donde fueron enviados los judíos de toda la Europa dominada por los alemanes. Cuando los prisioneros llegaban a los campos de exterminación, se mataba a la mayoría usando gas tóxico y se quemaban sus cadáveres en grandes hornos. A algunos se les dejaba vivir para hacer trabajo forzado del campo. Estos prisioneros pasaban hambre y vivían en condiciones inhumanas. Millones de personas encontraron la muerte de este modo trágico.

■ **ALEMANIA SE RINDE**. Para el 1944 se detuvo la expansión alemana. Los norteamericanos pusieron fin a la expansión de los japoneses en el Pacífico. La guerra se volvió a favor de los Aliados, porque la Unión Soviética tenía superioridad militar en números sobre Alemania, y los Estados Unidos tenían una abilidad mucho superior de fabricación de material bélico. En 1945, con las tropas británicas, norteamericanas y francesas en sus territorios, Alemania se rindió.

LA NUEVA TECNOLOGIA EN LAS ARMAS VUELVE A CAMBIAR LA GUERRA

Hacia el fin de la Segunda Guerra Mundial, se desarrollaron y se usaron dos nuevas armas que cambiaron la forma de hacer la guerra: el cohete y la bomba atómica. Los Estados Unidos no llegaron a probar con éxito la primera bomba hasta que se rindió Alemania. Se usaron bombas atómicas contra dos ciudades japonesas para obligar el rendimiento del Japón en agosto del 1945.

EL IMPACTO UNIVERSAL DE LA SEGUNDA GUERRA MUNDIAL

La Segunda Guerra Mundial cambió el mundo de forma dramática.

■ **LA DERROTA DE LAS DICTADURAS**. Se desbarataron los planes de Hitler de dominar a Europa y las intenciones de los japoneses de dominar a Asia. Después de su derrota, Alemania, Italia y el Japón se convirtieron en naciones democráticas y pacíficas.

■ **DESTRUCCION SIN PRECEDENTE**. La Segunda Guerra Mundial era verdaderamente un conflicto de alcance mundial. Se luchó no sólo en Europa, sino también en el norte de Africa, en Asia Oriental y en los océanos Pacífico y Atlántico. La destrucción no tuvo precedentes: perecieron más de cuarenta millones de personas, y una gran parte de Europa y del oriente de Asia se encontraba en ruinas.

■ **EL DECAIMIENTO DE LAS POTENCIAS COLONIALES.** Las potencias coloniales europeas como Gran Bretaña, Francia, Holanda y Bélgica agotaron sus energías en la guerra y ya no podían prevenir la resistencia nacionalista en sus colonias. Además, la guerra estimuló en alto grado el deseo de autonomía nacional e independencia en las colonias de Africa y de Asia.

■ **EL SURGIMIENTO DE LAS SUPERPOTENCIAS Y LA GUERRA FRIA.** El decaimiento del poder europeo dejó a dos superpotencias en dominio del mundo: los Estados Unidos y la Unión Soviética. Sus diferencias en los puntos de vista y en los intereses nacionales rápidamente llevaron a la guerra fría.

■ **LA ORGANIZACION DE LAS NACIONES UNIDAS.** A pesar del fracaso de la Sociedad de las Naciones, los aliados victoriosos formaron una nueva organización para mantener la paz: la Organización de las Naciones Unidas.

• La Carta Constitucional de las Naciones Unidas. El estatuto de la O.N.U. presentó los propósitos principales de la organización: mantener la paz en el mundo, al mismo tiempo tratando de fomentar la amistad y la cooperación entre las naciones. La O.N.U. también trata de eleminar el hambre, las enfermedades y la ignorancia en el mundo.

• Las obligaciones de mantener la paz. La Organización de las Naciones Unidas tiene sus propias fuerzas para mantener la paz. Estas fuerzas son la contribución de las naciones miembros.

• El Consejo de Seguridad y la Asamblea General. Casi todas las naciones del mundo están representadas en la Asamblea General de la O.N.U., donde cada una tiene un voto. El Consejo de Seguridad se creó para reconocer la posición especial de las potencias principales. Cualquier miembro del Consejo de Seguridad puede poner veto a una acción militar propuesta por las Naciones Unidas.

• El Consejo Económico y Social. La O.N.U. también tiene otros órganos, como la "U.N.E.S.C.O.", para tratar con los problemas económicos y sociales.

LA EUROPA OCCIDENTAL EN LA EPOCA DE LAS SUPERPOTENCIAS (1945—PRESENTE)

Después de la guerra, Europa quedó dividida en dos partes: los países de la Europa Oriental, ocupados por la Unión soviética, quedaron bajo gobiernos comunistas; los países de la Europa Occidental, liberados por Gran Bretaña y los Estados Unidos, se mantuvieron como democracias capitalistas.

EL PLAN DE MARSHALL RECONSTRUYE A EUROPA

El gobierno norteamericano quería detener la expansión del comunismo y establecer la base para el futuro comercio con Europa. A través del Plan de Marshall, los Estados Unidos prestaron asistencia económica a los países de la Europa Occidental para ayudarles a reconstruir su economía destruída por la guerra.

LA GUERRA FRIA

Según iban empeorando las relaciones entre los Estados Unidos y la Unión Soviética, una "guerra fría" comenzó a poner a las naciones del oeste de Europa en una alianza más estrecha con los Estados Unidos.

■ **LA DOCTRINA TRUMAN.** En 1947, el presidente Truman dio ayuda militar a Grecia y a Turquía para prevenir la expansión del comunismo allí. Truman declaró que prestaría ayuda a todas las naciones que resistiesen el comunismo. La política para prevenir la difusión del comunismo también se conoce como "**política de contención**".

■ **LA CORTINA DE HIERRO.** Los vínculos entre la Europa Occidental y la Oriental se rompieron y se prohibieron los viajes de los europeos del este a los países del oeste. En 1948, la Unión Soviética cerró todas las rutas terrestres al sector occidental de Berlín: los Estados Unidos y las potencias de la Europa Occidental tenían que abastecer su sector de la ciudad por rutas aéreas.

LA O.T.A.N. Y EL PACTO DE VARSOVIA

En reacción a la tirantez resultante de la guerra fría, en 1949, diez naciones del occidente de Europa, los Estados Unidos y el Canadá formaron la Organización del Tratado del Atlántico del Norte (O.T.A.N.). Se formó un ejército del O.T.A.N. con la participación de cientos de miles de tropas norteamericanas. Como miembro de la O.T.A.N., los Estados Unidos están obligados a defender a la Europa Occidental en caso de un ataque. Para contrarrestar la O.T.A.N., las naciones del bloque comunista formaron en 1965 su propia organización de defensa llamada el Pacto de Varsovia.

EL FIN DE LA GUERRA FRIA

En los años 1989-1990 se vio el fin del comunismo en la Europa Oriental. El Pacto de Varsovia se debilitó con la partida de Alemania Oriental y la presencia de la Alemania unificada en la OTAN. La OTAN seguirá siendo una organización donde los E.E.U.U. y Europa pueden cooperar en cuestiones de protección y otros asuntos. Los jefes de los países orientales y occidentales de Europa se encontraron en París en 1990 para debatir la futura dirección de Europa y sus esfuerzos de cooperación.

EL FINAL DEL IMPERIALISMO

El triunfo de la democracia sobre el totalitarismo en el oeste de Europa, alentó el deseo de **autonomía nacional** en las colonias de Asia y de Africa. El decaimiento económico europeo dificultó la resistencia de parte de las antigua potencias coloniales. La India era la primera colonia europea de importancia que logró su independencia después de la Segunda Guerra Mundial. Gran Bretaña se mostró inclinada a renunciar a la mayoría de sus antiguas colonias con poco derrame de sangre y luego mantenía relaciones amistosas con ellas. Los franceses trataron de resistir la exigencia de la independencia colonial y quedaron enmarañados en guerras sangrientas sin éxito en Viet Nam y en Argelia. Portugal no cedió sus colonias africanas hasta los años 1970.

Un momento crítico de las relaciones europeas con sus antiguas regiones coloniales tuvo lugar durante la crisis del Canal de Suez en 1956. Inglaterra y Francia atacaron a Egipto para recuperar el dominio del canal. Los Estados Unidos y la Unión Soviética las obligaron a retirarse: las naciones europeas ya no podrían usar su fuerza militar para dictar lo que ocurría en el Tercer Mundo.

PRINCIPIOS FUNDAMENTALES PARA RECORDAR

GENERALIZACIONES FUNDAMENTALES

✽ La aplicación de la razón en la solución de problemas tuvo una influencia dominante en la cultura occidental.

✽ La religión puede tener un papel importante en la formación de la historia y de la cultura de una nación o región.

✽ Las ideas en la obra escrita de los individuos a menudo pueden influir sucesos histórico.

✽ La convicción de que el gobierno debe basarse en el consentimiento de los gobernados había tenido un impacto dinámico tanto en la cultura occidental como en las otras.

✽ Los desarrollos técnicos pueden influir sociedad.

✽ La industrialización es una fuerza potente, capaz de transformar totalmente una sociedad.

✽ Los gobernantes y los grupos sociales a veces tratan de resistir cambios sociales y políticos.

✽ Cuando las naciones fuertes se encuentran en proximidad una de la otra, sus rivalidades pueden llevar a conflictos.

✽ El crimen del genocidio puede ocurrir en muchas culturas y épocas.

TERMINOS Y CONCEPTOS FUNDAMENTALES

Europa Occidental, democracia, Paz Romana, feudalismo, siervo, cruzadas, Renacimiento, Reforma, revolución comercial, mercantilismo, capitalismo, absolutismo, teoría del derecho divino, teoría del contrato social, Carta Magna, Ilustración, método científico, Revolución Francesa, Terror, revolución industrial, liberalismo (laissez-faire), comunismo, nacionalismo, imperialismo, Congreso de Viena, balanza del poder, colonialismo, sistema de alianzas, militarismo, "Catorce Puntos", Tratado de Versalles, Sociedad de las Naciones, totalitarismo, antisemitismo, nazismo, apaciguamiento, Holocausto, Naciones Unidas, Plan de Marshall, "cortina de hierro", OTAN.

SISTEMAS PRINCIPALES

EL SISTEMA POLITICO

Los europeos vivieron bajo muchos tipos diferentes de sistemas políticos. Estos fueron presentados con detalle en la sección de Sucesos Históricos de este capítulo y se resumirán con brevedad a seguir.

LA DEMOCRACIA

Los griegos antiguos eran los primeros en desarrollar la democracia, que significa gobierno por el pueblo. Para que una democracia pueda funcionar, los ciudadanos deben gozar de tales derechos fundamentales como la libertad de palabra y de prensa, el derecho a organizarse, de no ser encarcelados sin una causa apropiada y tener un juicio justo. Además, el pueblo debe ejercer control sobre el gobierno, sea directamente como en las ciudades-estado de la antigua Grecia, o indirectamente al elegir representantes que expresen sus deseos, como en Inglaterra y en los Estados Unidos.

EL FEUDALISMO

En la Edad Media, los europeos vivían bajo un sistema de autoridad política decentralizada conocida como feudalismo. El soberano otorgaba al señor el derecho de ejercer dominio político y económico sobre los que vivían en sus tierras a cambio de una promesa de lealtad y apoyo.

LA MONARQUIA DE DERECHO DIVINO O EL ABSOLUTISMO

Bajo la soberanía del derecho divino, también conocida como absolutismo, un monarca poderoso ejercía dominio sobre sus súbditos al afirmar que su autoridad venía directamente de Dios. Los súbditos del rey no tenían derechos excepto los que él les quería otorgar. Luis XIV de Francia era el perfecto ejemplo de un rey que gobernaba por derecho divino y ejercía dominio absoluto sobre sus súbditos.

LA MONARQUIA CONSTITUCIONAL
Y LA DEMOCRACIA REPRESENTATIVA

En el siglo XVII, John Locke y otros desarrollaron la teoría del contrato social. Según esta teoría, el rey gobernaba por el consentimiento de sus súbditos. Estos entraban en contrato con el rey, prometiéndole obedecerle si él protegía sus derechos. Si el rey quebrantaba estos derechos, el pueblo tenía el derecho de derrocar al rey. En la Revolución Francesa y la Norteamericana, sus jefes derribaron a los reyes poco populares y los reemplazaron con asambleas representativas elegidas.

TOTALITARISMO

El totalitarismo era una sistema del siglo XX parecido al absolutismo anterior. Un solo dictador sostenía que gobernaba en el nombre del pueblo; el ciudadano individual no tenía derechos ni representación. El gobierno dominaba todos los aspectos de la vida pública y privada. La tecnología moderna hizo el totalitarismo mucho más cruel que el absolutismo antiguo. La Alemania de Hitler y la Unión Soviética de Stalin eran dos ejemplos de estados totalitarios.

LAS DEMOCRACIAS DE BIENESTAR SOCIAL DE POSTGUERRA

Después de la Segunda guerra Mundial todos los gobiernos de la Europa Occidental establecieron leyes que creaban cuidado médico gratuito, expandían el sistema de enseñanza y proveían planes nacionales de seguro. A menudo se proveían viviendas de propiedad gubernamental y se crearon industrias del estado. Durante las décadas de 1950 y 1960, cuando Europa se iba reconstruyendo, los gobernantes europeos querían crear más igualdad social, aumentar la armonía interior y fomentar el desarrollo económico. En el presente, algunos jefes europeos como Margaret Thatcher argumentan que las industrias estatales no son eficaces y que los programas de bienestar social son demasiado costosos.

GRAN BRETAÑA: UN EJEMPLO DE CAMBIO POLITICO GRADUAL

Gran Bretaña presenta el mejor ejemplo de cambio evolucionario o gradual. Aún tiene un monarca —un rey o una reina—pero a través de varios siglos el monarca fue cediendo su poder al parlamento y al primer ministro. Los ingleses nunca escribieron una constitución, pero creen ser protegidos por una constitución no escrita, que consiste en las tradiciones y prácticas desarrolladas a través de los siglos. Al ir adaptando sus instituciones ya en existencia a las necesidades modernas, los ingleses evitaron cambio revolucionario violento por más de dos siglos.

EL SISTEMA ECONOMICO

El presente sistema económico europeo evolvió a través de muchos siglos y pasó por muchos cambios.

EL SEÑORIALISMO

En la edad Media, la mayoría de los europeos vivía bajo el sistema señorial en el cual todas las actividades económicas se llevaban a cabo en las posesiones del señor. La tierra era la propiedad más importante, y el señor dentro del sistema feudal tenía sus tierras sólo a cambio de su promesa de servir a un señor más alto o al rey.

EL CAPITALISMO

El aumento del comercio llevó a la emergencia de las ciudades y al principio del capitalismo. Adam Smith (1723—1790) en su libro *La Riqueza de las Naciones*, explicó cómo funcionaba el capitalismo:

■ Bajo el capitalismo cada individuo busca su propio bien, mientras que la "mano invisible" del mercado guía todas estas acciones individuales hacia el bien común. Sólo el productor de los mejores y los más baratos bienes puede mantenerse en su negocio.

■ El mercado elimina a los productores ineficaces. Smith creía que el gobierno debiera permitir que el mercado obrara con el mínimo de la intervención gubernamental.

EL DESARROLLO DEL CAPITALISMO

El desarrollo del capitalismo llevó a la formación de muchas empresas y aceleró el desarrollo económico europeo. Los nuevos recursos en las colonias de ultramar se explotaron con la ayuda del trabajo de los esclavos. Hacia el fin del siglo XVIII, una serie de inventos revolucionó la economía del mundo. Esta revolución industrial comenzó en Gran Bretaña y pronto se extendió a otras partes del oeste de Europa y a los Estados Unidos.

SISTEMAS ECONOMICOS ALTERNOS

La estrechez y el sufrimiento de las clases obreras durante la revolución industrial dio lugar a nuevas teorías económicas:

■ **EL SOCIALISMO.** Los socialistas deseaban que la sociedad se organizara mejor para cumplir con las necesidades de los obreros. Los socialistas creían que sus propósitos se podrían alcanzar paulatinamente a través de la evolución.

■ **EL COMUNISMO.** Los comunistas creían que una revolución sería necesaria para obtener mejores condiciones para los obreros. La Unión Soviética y los países del este de Europa adoptaron el sistema comunista, mientras que el oeste adoptó una mezcla de socialismo y capitalismo.

EL SISTEMA ECONOMICO DE POSTGUERRA

La guerra a mediados del siglo XX llevó al decaimiento completo de la economía europea para el año 1945. Se destruyeron las ciudades, las fábricas estaban en ruina, las fincas se encontraban devastadas y había seria falta de alimentos. De esta destrucción, los europeos del oeste reconstruyeron un logrado sistema económico:

■ En los primeros años, los Estados Unidos proporcionaron ayuda de emergencia de comestibles y los fondos necesarios para reconstruir el oeste de Europa.

■ La fuerza trabajadora entrenada, la tecnología avanzada y la educación ayudaron a los países de la Europa Occidental en la rápida reconstrucción. Las mismas necesidades llevaron a un grado más alto de cooperación. Este espíritu de cooperación llevó a la formación de la Organización Europea de Cooperación Económica o el Mercado Común.

■ Los países europeos usaron una combinación de industrias de propiedad estatal, servicios provistos por el gobierno y empresas privadas para desarrollar su economía de postguerra. Esta combinación de socialismo y capitalismo se llama economía mixta.

LOS PROBLEMAS DE LA ECONOMIA EUROPEA

Aunque la economía europea sigue progresando, no está sin sus problemas.

■ **EL DESARROLLO REGIONAL DESIGUAL.** Dentro de la Europa Occidental hay aún grandes diferencias en el nivel del desarrollo económico. El norte de Europa permanece económicamente más avanzado que el sur.

■ **EL CRECIMIENTO DE LA COMPETICION INTERNACIONAL.** Según se van desarrollando las otras partes del mundo, los productores europeos se encuentran con competición creciente. Los productores norteamericanos, japoneses y los de Asia Oriental a menudo constituyen una amenaza para los negocios de los productores del oeste de Europa.

■ **LOS PROGRAMAS SOCIALES COSTOSOS.** Los europeos gozan de beneficios sociales generosos como la educación universitaria y cuidado de salud gratuitos y los jubilados tienen pensiones generosas. Para llegar a eso, los europeos tienen sueldos altos y pagan altos impuestos. Algunos productores se quejan que no pueden pagar altos sueldos a sus trabajadores y altos impuestos al gobierno para costear los programas sociales y seguir compitiendo en los mercados mundiales.

■ **LA DEPENDENCIA EN LAS MATERIAS PRIMAS EXTRANJERAS.** El oeste de Europa depende de los países extranjeros para algunas materias primas, como el petróleo. A excepción de Noruega y Gran Bretaña, los países de la Europa Occidental no tienen sus propios yacimientos de petróleo y tienen que adquirirlo en otras partes, especialmente en el Oriente Medio.

■ **EL DESARROLLO LENTO.** Los sueldos e impuestos altos, programas sociales costosos y la dependencia en las materias primas del extranjero deceleraron el desarrollo económico europeo. En los años 1980, los gobernantes europeos alentaron más empresas libres y riesgo individual. En los años 1990, están a la expectativa de un desarrollo más rápido gracias a la unificación económica europea.

Sin embargo, la Europa Occidental sigue siendo una región muy próspera, con uno de los niveles de vida más altos del mundo. Las naciones del oeste de Europa se van dando cuenta que su unificación en una sola potencia económica es la forma más segura de competir con los Estados Unidos, el Japón y la Unión Soviética.

EL SISTEMA RELIGIOSO

UNA HERENCIA JUDEOCRISTIANA COMUN

Europa se cristianizó hacia el fin de la época del Imperio Romano. Las tribus germanas invasoras que causaron la caída de Roma, también se convirtieron al cristianismo. Los judíos también vivían en la Europa Occidental desde los tiempos romanos. Tanto los judíos como los cristianos tienen muchas creencias en común, tales como la existencia de un solo Dios y la importancia de llevar una vida moral. (Para una presentación más detallada del cristianismo y del judaísmo, véase la sección sobre los Sistemas Principales del capítulo sobre el Oriente Medio.)

LA DIVERSIDAD RELIGIOSA Y EL CONFLICTO

Desde el tiempo de la Reforma, la Europa Occidental era una región de gran diversidad religiosa.

■ La cristiandad del oeste se dividió en católicos, que permanecieron leales a la autoridad de Roma, y protestantes, que pusieron en duda la autoridad del papa. Los protestantes creían que cada individuo podía consultar e interpretar la Biblia por sí mismo.

■ Esta división llevó a siglos de guerras entre los católicos y los protestantes. Hasta hoy día los dos grupos luchan entre sí en el norte de Irlanda.

■ Los judíos que vivían en Europa eran diferentes de la mayoría cristiana en sus creencias y en sus costumbres. Por consecuencia, a menudo eran sujetos a persecuciones.

EL PRINCIPIO DE LA TOLERANCIA RELIGIOSA

En el presente los europeos son más tolerantes de diferentes prácticas religiosas a pesar de que muchas naciones aún a menudo se componen de personas de una sola fe. Por ejemplo, los italianos y los irlandeses son generalmente católicos, mientras que los protestantes predominan entre los noruegos y los ingleses. Sin embargo, estas naciones son tolerantes hacia las personas de otras denominaciones religiosas. También, la mayoría de los países europeos también adoptó el principio norteamericano de la separación entre la iglesia y el estado.

EL SECULARISMO OCCIDENTAL

Aunque muchos europeos son muy religiosos, un gran número de ellos no lo son. Los europeos dieron principio a un punto de vista **secular**—la preocupación con asuntos no religiosos y con las condiciones en este mundo más bien que en la otra vida.

EL SISTEMA SOCIAL

LA HERENCIA DEL FEUDALISMO

En la Edad Media bajo el sistema feudal, los europeos estaban divididos en clases sociales hereditarias. Los nobles se creían superiores y gozaban de privilegios, poderes y responsabilidades especiales. Eran principalmente guerreros y terratenientes. La mayoría del pueblo eran los siervos que cultivaban las tierras para su patrón noble.

LA EMERGENCIA DE LA CLASE MEDIA

Los cambios económicos y el aumento del comercio llevó a la emergencia de una clase media, compuesta de los que no eran ni nobles ni siervos. La clase media eran los comerciantes o profesionales que vivían en las ciudades. En Inglaterra, las clases medias obtuvieron una representación en el parlamento. En Francia, las clases medias desafiaron los privilegios de la nobleza en la Revolución Francesa hacia el fin del siglo XVIII. Los ideales de la Revolución Francesa se esparcieron lentamente a otros países europeos, completando la caída de los privilegios de la nobleza.

LA EMERGENCIA DE LA SOCIEDAD INDUSTRIAL

La revolución industrial comenzó en Gran Bretaña y rápidamente se esparció en el oeste de Europa y en los Estados Unidos. El sistema industrial dio lugar a una forma nueva de sociedad: los fabricantes adinerados tomaban en servicio a obreros que vivían en las ciudades o pueblos establecidos alrededor de las fábricas. Según los campesinos iban mudándose a las ciudades, iba aumentando la nueva clase de obreros de fábricas. Al principio, sus condiciones de trabajo eran deplorables y se mejoraron sólo cuando los obreros europeos obtuvieron el derecho del voto y de formar gremios.

LA SOCIEDAD POSTINDUSTRIAL

Europa es una región diversa con muchos grupos religiosos y étnicos. La mayoría de los europeos tiene una forma de vida que se parece a la de Los Estados Unidos. La mayor parte de la población vive en las ciudades y recibe una educación secundaria. Las más personas están empleadas en el rendimiento de servicios más bien que en las industrias fundamentales, por lo cual se le llama la sociedad postindustrial. Los gobiernos europeos a menudo son propietarios de las industrias principales y proveen a todos los ciudadanos con cuidado de salud fundamental y una educación gratis. Los países europeos se encuentran frente a los mismos problemas que la sociedad norteamericana, tales como el abuso de las drogas y el tener que poner frente a las crecientes necesidades de los ancianos.

PRINCIPIOS FUNDAMENTALES PARA RECORDAR

GENERALIZACIONES FUNDAMENTALES

✻ Los sistemas políticos, sociales y económicos a menudo están vinculados.
✻ El cambio político puede ser revolucionario (rápido) o evolutivo (lento).
✻ La experiencia de una guerra puede llevar a las naciones a la cooperación pacífica.
✻ La cooperación regional es una de las formas de contender con las dificultades económicas.

TERMINOS Y CONCEPTOS FUNDAMENTALES

Teoría de contrato social, socialismo, herencia judeocristiana, secular, sociedad postindustrial.

PERSONAJES PRINCIPALES

Las contribuciones de muchos individuos importantes en el desarrollo europeo ya se describieron en la sección de Sucesos Históricos Importantes en este capítulo. Aparte de ellos, hay un cierto número de otras personas que tuvo un impacto profundo en el desarrollo de Europa y de la civilización occidental. A seguir, algunas de estas personas se encuentran agrupadas de acuerdo a los campos de su actividad.

— HOMBRES DE CIENCIA E INVENTORES —

JAMES WATT (1736-1819)

Watt tuvo un papel vital en la revolución industrial al inventar la máquina de vapor. La máquina de vapor proporcionó una gran cantidad de energía que aumentaba la productividad industrial.

TOMAS MALTHUS (1766 -1834)

Malthus creía que la población tiende a aumentarse con más rapidez que el abastecimiento de alimentos. Sostenía que la raza humana estaba condenada a vivir en la pobreza y cercana a la muerte de hambre. La obra de Malthus fue leída por muchos, e influyó el pensamiento de Carlos Marx y de Carlos Darwin.

MIGUEL FARADAY (1791-1867)

Faraday descubrió cómo convertir la energía mecánica en electricidad. Este proceso llevó a la invención del motor eléctrico.

CARLOS DARWIN (1809 -1882)

En su libro "Del Origen de las Especies" explicaba que las plantas y los animales evolucionan lentamente de las formas más sencillas de vida a las más complejas. Darwin teorizaba que las diferencias entre las especies se deben a la **selección natural** y la **supervivencia de los más aptos**.

LUIS PASTEUR (1822-1895)

Pasteur reconoció que los gérmenes invisibles causan las enfermedades. Desarrolló una técnica de inoculaciones, usada para prevenir el cólera. Otros investigadores usaron sus ideas para desarrollar inoculaciones contra otras enfermedades.

SIGMUND FREUD (1856 -1939)

Freud originó **sicoanálisis**, un atentado de comprender la conducta del individuo al examinar sus procesos mentales inconscientes. Sus ideas sobre la sicología formaron la base de la siquiatría moderna, que completamente revolucionó el estudio y el trato de las enfermedades mentales.

GUILLERMO MARCONI (1874-1937)

Marconi inventó el telégrafo inalámbrico (sin hilos). Este descubrimiento reveló que las ondas electro-magnéticas invisibles pasan a través del espacio y que se podrían usar para enviar y recibir mensajes. Esto luego llevó a tales inventos como la radio y la televisión.

ALBERTO EINSTEIN (1879-1955)

A Einstein se lo considera uno de los más grandes hombres de ciencia del siglo XX. Su **teoría de la relatividad** mostró que el tiempo y el espacio son relativos y que la materia y la energía son intercambiables.

Einstein demostró que una pequeña cantidad de materia puede librar una tremenda cantidad de energía. Sus teorías formaron la base para el desarrollo de la energía nuclear y de las armas atómicas.

ENRIQUE FERMI (1901 - 1954)

Fermi recibió el premio Nóbel en física por inventar el primer reactor nuclear y así dio principio a la edad atómica. La nuclear en cadena era el fundamento para la producción de armas atómicas.

Los hombres de ciencia estudiados previamente incluyen a: Copérnico, Francis Bacon, Galileo e Isaac Newton.

—JEFES POLITICOS—

CARLOMAGNO (742 - 814)

Carlomagno por un breve tiempo unificó el oeste de Europa bajo su dominnio como emperador de Occidente del Sacro Imperio Romano a principios de la Edad Media. Carlomagno fomentó el renacimiento de la erudición europea después de la edad del estancamiento.

MARGARET THATCHER (1925-PRESENTE)

Thatcher es la premier de Inglaterra. Al ponerse a cargo de una nación con problemas económicos, restauró cierto bienestar económico a su país, reduciendo los gastos del gobierno; conteniendo el poder de los sindicatos obreros británicos y reduciendo el papel del gobierno en la economía. Oponente del socialismo, Thatcher vendió muchas de las industrias estatales británicas, que se convirtieron en compañías privadas que producen ganancias. Apoya firmemente la continuación de la participación de Inglaterra en la O.E.C.E., aunque no siempre estaba de acuerdo completo con la política de otros gobernantes europeos. Hacia el fin de 1990, Thatcher renunció su puesto de primer ministro cuando su partido político le negó su apoyo.

HELMUT KOHL (1930-PRESENTE)

Kohl era el canciller de la Alemania Occidental. Bajo su dirección entusiástica, la Alemania Occidental y la Oriental se unificaron en un solo país en 1990. Kohl era capaz de superar la resistencia internacional al proceder con rapidez y de allanar los temores de la Alemania Oriental prometiendo ayuda económica imponente. Kohl tiene la visión de una Alemania económicamente poderosa dentro de un próspero Mercado Común Europeo.

Los personajes políticos de importancia presentados anteriormente incluyen a: Alejandro el Grande, Julio César, César Augusto, Luis XIV, Metternich, el conde de Cavour, Bismarck, Mussolini y Hitler.

—PINTORES, MUSICOS, PENSADORES Y ESCRITORES—

AUGUSTO RENOIR, EDGAR DEGAS Y CLAUDIO MONET

Estos pintores del fin del siglo XIX estaban especialmente interesados en captar la cualidad de la luz en la tela y experimentaban con la separación de los colores, que luego se combinarían en la vista del espectador. Sus pinturas tienen la vibración que captura la animación de la vida moderna. Esta forma de pintura es conocida como **impresionismo**.

PABLO PICASSO (1881-1973)

Picasso era la persona principal en una nueva manera de enfoque en el arte moderno. Este tipo de arte, llamado **cubismo**, representaba los objetos familiares fracturándolos en sus formas geométricas - cubos, conos y esferas. Picasso abrió el paso al arte moderno abstracto.

JUAN SEBASTIAN BACH, WOLFGANG AMADEUS MOZART, LUDWIG VAN BEETHOVEN

Bach, Mozart y Beethoven se encuentran entre los más grandes compositores. Compusieron sinfonías, conciertos, sonatas, misas y muchos otros tipos de música. Su música sigue dando placer a millones de personas hasta en el presente.

Mozart, uno de los compositores más grandes del mundo

Los pintores, músicos, pensadores y escritores presentados anteriormente incluyen a: Sócrates, Platón, Aristóteles, de Vinci, Miguel Angel, Shakespeare, Maquiavelo, Martín Lutero, John Locke, Voltaire y Rousseau.

PRINCIPIOS FUNDAMENTALES PARA RECORDAR

GENERALIZACIONES FUNDAMENTALES

✱ El desarrollo tecnológico a menudo puede traer al mundo cambios tanto positivos como negativos.

✱ El arte refleja la época.

✱ Muchos líderes cambiaron la historia de su nación por sus prácticas políticas, económicas o sociales.

TERMINOS Y CONCEPTOS FUNDAMENTALES

Supervivencia de los más aptos, teoría de la relatividad, sicoanálisis, impresionismo, cubismo.

CUESTIONES PRINCIPALES

DEL MERCADO COMUN A UNA EUROPA UNIFICADA

El éxito del Plan de Marshall y de la O.T.A.N. hizo que las naciones europeas buscaran la cooperación en otros campos. En 1951, seis naciones europeas decidieron compartir sus recursos de hulla y de hierro. Esta cooperación era tan lograda que en 1957 las llevó a formar la Organización Europea de Cooperación Económica (O.E.C.E.) o el Mercado Común.

PROPOSITOS

El Mercado Común trataba de eliminar los derechos de aduana en el comercio entre los países miembros y de crear aranceles para los productos de los que no lo eran. El Mercado Común también trataba de eliminar otras restricciones entre sus miembros.

AUMENTA EL NUMERO DE MIEMBROS

Al principio, Gran Bretaña no era miembro del Mercado Común, y en los años 1960, los ingleses trataron de hacerse miembros, pero quedaron bloqueados por Francia. En 1973, Irlanda, Dinamarca y Gran Bretaña finalmente entraron en el Mercado Común. En los años 1980, Grecia, España y Portugal les siguieron como nuevos miembros.

COMO FUNCIONA

La mayoría de aranceles entre los países miembros quedó eliminada. Los jefes de las naciones en el Mercado Comúun se consultan antes de hacer decisiones económicas. Los países europeos individuales aún conservan su propia moneda, su gobierno y su lengua.

EL FUTURO

Para el 1992, Europa se convertirá en un verdadero Mercado Común cuando se eliminarán todas las barreras entre los miembros de la O.E.C.E.. Ya no habrá oficiales de aduana en las fronteras de Europa, y un viaje de Francia a Alemania se parecerá a un viaje entre Nueva York y Nueva Jersey. Los europeos esperan que esto les permitirá ponerse al nivel de los Estados Unidos y del Japón como potencia económica mundial de importancia. Sin embargo, es difícil para los países miembros del Mercado Común, con una larga historia de independencia, ceder su poder económico y político independiente.

LA DIVISION Y LA REUNIFICACION DE ALEMANIA

Después de la Segunda Guerra Mundial, Alemania quedó dividida en diferentes zonas de ocupación por los Estados Unidos, Gran Bretaña, Francia y la Unión Soviética. Para el año 1948, las disputas frecuentes entre la Unión soviética y los tres aliados occidentales llevaron a la fusión de las tres zonas occidentales en la nueva República de Alemania del Oeste.

EL BLOQUEO DE BERLIN

Berlín, la antigua capital de Alemania, también fue ocupada por las cuatro potencias aliadas aunque está situada 110 millas dentro de la zona de ocupación soviética. Para contrarrestar la formación de Alemania del Oeste, los soviéticos cerraron todas las carreteras que llevan a Berlín. Los aliados occidentales comenzaron el abastecimiento aéreo del sector occidental aislado. Este procedimiento fue tan logrado que dentro de un año se levantó el bloqueo soviético.

LA MURALLA DE BERLIN

En 1949, la Unión Soviética formó la República Alemana del Este en su zona de ocupación. El descontento general de los que vivían allí llevó a miles de personas a escapar a Berlín del oeste democrático. Para detener esta corriente hacia el oeste, la Unión Soviética hizo que Alemania del Este construyera en 1961, un muro que separase el este del oeste de Berlín. A lo largo de toda la frontera que separa a Alemania del Este de la Alemania del Oeste se construyeron murallas y cercos parecidos. Por 28 años la muralla de Berlín sirvió de recuerdo constante de la división de Europa.

LA REUNIFICACION

En noviembre de 1989 la muralla de Berlín quedó derribada. Como resultado de la nueva política de Gorbachev de glasnost y de la reconciliación del Este con el Oeste, el gobierno de Alemania del Este eliminó todas las restricciones de viajes e hizo aberturas en el muro, haciéndolo más fácil de atravesar por los alemanes. En poco tiempo la muralla quedó derribada.

■ A pesar de cierta resistencia internacional, el canciller de la Alemania Occidental, Helmut Kohl, apremiaba la pronta reunificación de Alemania. Cuando los alemanes del este eligieron un gobierno que favorecía la reunificación, los planes avanzaron con rapidez.

■ En julio de 1990 la Alemania Oriental adoptó la moneda de la Alemania Occidental, uniendo económicamente a los dos países.

■ La Unión Soviética, al encontrarse frente a sus propios problemas internos, accedió a retirar las tropas soviéticas de la Alemania Oriental y a permitir que la Alemania reunificada permaneciera en la OTAN.

■ El canciller Kohl prometió reducir las fuerzas militares de la Alemania unificada para que no presentaran una amenaza a otras naciones.

■ Alemania quedó oficialmente reunificada en octubre de 1990.

La Alemania unificada se encuentra ante muchos obstáculos. El más grande es el decaimiento completo de la economíadel este de Alemania.

LA GUERRA CIVIL EN IRLANDA DEL NORTE

En el siglo XVI Irlanda cayó bajo el dominio de Inglaterra. En aquel tiempo, Inglaterra se hizo protestante mientras que el pueblo de Irlanda permaneció católico. Desde entonces, Inglaterra mantuvo su dominio en Irlanda por la fuerza. En el siglo XVII, se establecieron pobladores protestantes de Escocia en Irlanda en un atentado de mantener el dominio. En 1922, finalmente se otorgó la independencia a la República de Irlanda. Sin embargo, algunas provincias en el norte de Irlanda, donde la mayoría de la población era protestante, optaron por permanecer como parte de Gran Bretaña.

EL PROBLEMA

La minoría católica en el norte estaba desilusionada ante la división de Irlanda y no se fiaba de los protestantes. Sosteniendo que había discriminación religiosa y quebrantamiento de derechos humanos, los católicos exigieron más poder político y más sufragio en el gobierno. Cuando estas demandas fueron rechazadas, los católicos en la Irlanda del Norte exigieron ser unidos con la República de Irlanda. Y cuando se encontraron con otra negativa británica, los grupos radicales de ambos lados reaccionaron con violencia. Se formó el "I.R.A." (ejército republicano irlandés) para unir a Irlanda.

IRLANDA DEL NORTE EN EL PRESENTE

Desde entonces una guerra civil arrasa las calles de Irlanda del Norte. Un ejército de soldados británicos fue enviado para tratar de reponer el orden y sigue estacionado allí. Los católicos ven a estos soldados como un ejército de ocupación. Un acuerdo de 1985 para más cooperación entre Inglaterra y la República de Irlanda no resolvió el problema. La situación sigue sin solución. Las posiciones en ambos lados parecen haberse endurecido y cada día trae renovados actos de terrorismo y de violencia.

PRINCIPIOS FUNDAMENTALES PARA RECORDAR

GENERALIZACIONES FUNDAMENTALES

✱ Los aliados del tiempo de la guerra a menudo se encuentran como adversarios en tiempos de paz.

✱ Muchas naciones y regiones sufren conflictos interiores entre grupos en desacuerdo.

TERMINOS Y CONCEPTOS FUNDAMENTALES

Mercado Común, muralla de Berlín, I.R.A.

RESUMEN DE TU COMPRENSION

Direcciones: comprueba lo bien que entendiste lo estudiado sobre la Europa del oeste al responder a las preguntas siguientes.

DEFINICIONES Y CONCEPTOS FUNDAMENTALES

En una hoja aparte, define brevemente los siguientes términos y conceptos.

Europa Occidental	Revolución industrial
Ciudad-estado	Comunismo
Democracia	Nacionalismo
Paz Romana	Imperialismo
Feudalismo	Imperialismo

Renacimiento	Colonialismo
Reforma	Colonialismo
Revolución comercial	Sociedad de las Naciones
Mercantilismo	Totalitarismo
Capitalismo	Plan de Marshall
Absolutismo	Apaciguamiento
Ilustración	Holocausto
Método científico	Mercado Común
Revolución Francesa	O.T.A.N.

FACTORES GEOGRAFICOS

A menudo los factores geográficos y climáticos influyen en el desarrollo de una sociedad. Resume tu comprensión de esta idea al completar el cuadro siguiente:

SOCIEDAD	FACTORES GEOGRAFICO-CLIMATICOS	EFECTO EN LA SOCIEDAD
LA CIVILIZACION GRIEGA ANTIGUA		
LA ROMA CLASICA		
LA ITALIA DEL RENACIMIENTO		
LA GRAN BRETAÑA COLONIAL		

PERSONAJES IMPORTANTES

Los individuos a menudo influyen en la vida política, social y económica de su país. Imagínate que estás a cargo de preparar un certificado de reconocimiento a los individuos de la lista dada. Indica el nombre de cada persona y el papel que tuvo en los cambios sociales, políticos o económicos de su país o región.

Individuos

Leonardo de Vinci
Martín Lutero
John Locke
Napoleón
Carlos Marx
Adam Smith
Bismarck

Se Otorga Este Certificado

a _____

por haber _____

_____

EPOCAS HISTORICAS PRINCIPALES

Generalmente los historiadores están de acuerdo al dividir la historia europea en épocas distintas. Cada época se caracteriza por ciertas ideas o convicciones dominantes. Resume tu comprensión de estas épocas completando el cuadro que sigue:

EPOCA	DESCRIPCION DE LAS IDEAS/CONVICCIONES PRINCIPALES
EL FEUDALISMO (500—1500)	
EL RENACIMIENTO (1400—1600)	
LA REFORMA (1500—1600)	
LA ILUSTRACION (1700—1800)	
LA EPOCA DEL ABSOLUTISMO (1600—1750)	
LA EPOCA DEL TOTALITARISMO (1919—1945)	
LA EPOCA DE LAS SUPERPOTENCIAS (1945—PRESENTE)	

REVOLUCIONES DE IMPORTANCIA

Las grandes revoluciones no sólo cambian la sociedad que las produce: cambian el mundo. Resume tu comprensión de este principio al completar el cuadro siguiente:

REVOLUCION	CAMBIOS PRINCIPALES
LA REVOLUCION COMERCIAL	
LA REVOLUCION CIENTIFICA	
LA REVOLUCION FRANCESA	
LA REVOLUCION INDUSTRIAL	

IDEOLOGIAS

Ciertas ideas son tan potentes que tienen influencia e impacto de alcance mundial. Resume tu comprensión de esto al completar el cuadro dado:

IDEA	DESCRIPCION	INFLUENCIA
DEMOCRACIA		
MERCANTILISMO		
CAPITALISTMO		
NACIONALISMO		
IMPERIALISMO		
DARVINISMO SOCIAL		

COMPRUEBA TU COMPRENSION

Comprueba tu comprensión de esta unidad al responder a las preguntas que siguen. Haz un círculo alrededor del número que precede la expresión que responde correctamente cada declaración o pregunta. Después de las preguntas de respuestas breves dirígete a los ensayos.

DESARROLLO DE DESTREZAS: INTERPRETACION DE UN MAPA

Basa tus respuestas a las pregunas 1 - 3 en el mapa dado y en tu conocimiento de estudios sociales.

1 De acuerdo al mapa, Francia está directamente al oeste de

    1 España   3 Austria - Hungría

    2 Suecia   4 Gran Bretaña

2 ¿Cuál conjunto de países componían las Potencias Centrales?

    1 Francia y Rusia   3 Alemania y Austria - Hungría

    2 Turquía y Bulgaria   4 Noruega y Suecia

3 ¿Cuál es el título más acertado para el mapa?

    1 Europa durante la Revolución Francesa (1789)

    2 El Eje de Roma - Berlín (1936)

    3 Europa durante la Primera Guerra Mundial (1914 - 1918)

    4 Italia y el Renacimiento (los años 1500)

DESARROLLO DE DESTREZAS:
INTERPRETACION DE UNA GRAFICA DE LISTAS

Basa tus respuestas a las preguntas 4 y 5 en la gráfica dada y en tu conocimiento de estudios sociales.

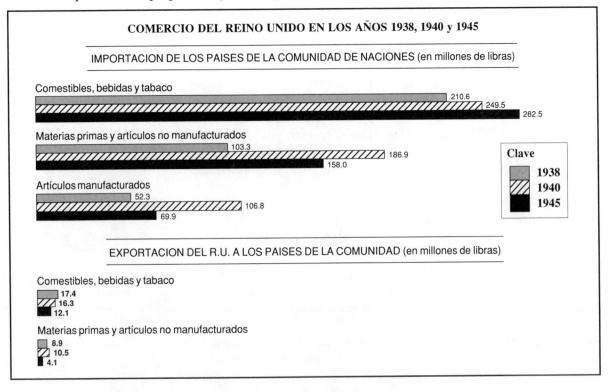

4 ¿Cuál es la categoría de importación más grande en la gráfica?
- 1 Comestibles, bebidas y tabaco en 1945
- 2 Artículos manufacturados en 1940
- 3 Materias primas y artículos no manufacturados en 1938
- 4 Artículos manufacturados en 1938

5 ¿Cuál es la declaración más acertada?
- 1 En 1945, el Reino Unido exportaba más de lo que importaba de los países de la Comunidad de Naciones.
- 2 La importación de comestibles, bebidas y tabaco de los países de la Comunidad aumentaron del 1938 al 1945.
- 3 La exportación de comestibles a los países de la Comunidad es más grande que la exportación de bebidas y tabaco.
- 4 El Reino Unido exporta más materias primas que importa de los países de la Comunidad.

6 ¿Cuál término político se asocia con más certeza en referencia a la época de la Grecia antigua?
- 1 ciudades-estado
- 2 Carta Magna
- 3 el derecho divino de los reyes
- 4 comunismo

7 ¿Cuál sistema político era caracterizado por el intercambio de tierras por servicio militar?
- 1 tribalismo
- 2 imperialismo
- 3 feudalismo
- 4 nacionalismo

8 Un acuerdo entre dos personas donde una de ellas hace concesiones a la otra para mantener la paz, se parece más al concepto de la política externa

    1 de apaciguamiento   3 de división y conquista

    2 de aislacionismo   4 de balanza del poder

9 ¿Cuál acción sería la más característica de un gobierno democrático?

    1 el establecimiento de enseñanza bajo el control de la iglesia

    2 la extensión del derecho del voto a los que tienen 18 años

    3 el dominio gubernamental de las noticias

    4 aumento del presupuesto militar

10 ¿Cuál suceso tuvo lugar durante la Revolución Francesa?

    1 el Terror   3 la invención de la máquina a vapor

    2 el bombardeo de Hiroshima   4 la caída del Imperio Romano

11 ¿Cuál pareja compartía las mismas ideas políticas?

    1 Hitler/Gandhi   3 Lenin/Adam Smith

    2 Marx/Engels   4 Luis XIV/John Locke

12 El solar, la comunidad y el kibutz son todos ejemplos de

    1 organizaciones económicas   3 legislaturas políticas

    2 armas militares   4 edificios religiosos

13 El feudalismo se desarrolló en la Europa medieval porque proporcionaba

    1 orden y estabilidad   3 un código uniforme de leyes

    2 un fuerte gobierno central   4 mercados económicos comunes

14 ¿Cuál individuo está correctamente pareado con el campo en el cual se distinguió?

    1 Margaret Thatcher/música   3 Albert Einstein/literatura

    2 Leonardo de Vinci/pintura   4 Sir Isaac Newton/escultura

15 El papel de los caballeros de la Edad Media en Europa era más parecido a la función de un

    1 intocable (paria) en la India

    2 samurai en el Japón

    3 bolchevique en la U.R.S.S.

    4 sacerdote budista en Vietnam

16 El estudio de la pintura, de la música y de la literatura de Europa ayudaría más en la comprensión de su

    1 progreso económico   3 desarrollo politico

    2 tradicion cultural   4 adelanto tecnológico

17 La diferencia fundamental entre las teorías del capitalismo y del comunismo se encuentra en su punto de vista sobre

    1 la propiedad de los medios de producción

    2 el establecimiento de sindicatos obreros

    3 la fuerza militar

    4 el seguro social

18 ¿Cuál es la frase asociada con más frecuencia con el movimiento comunista?
1 "Sangre y hierro"
2 "Trabajadores del mundo: únanse"
3 "Libertad, igualdad, fraternidad"
4 "Todos los hombres fueron creados iguales"

19 "Las naciones forman alianzas para prevenir que un país se vuelva todopoderoso y dominante."
¿A qué concepto se refiere esta declaración?
1 la balanza del poder   3 el mercantilismo
2 la interdependencia económica   4 el apartheid

20 ¿Qué titulares de periódico podían haber aparecido durante la Reforma?
1 "Miguel Angel Completa Pintura de Capilla Sistina"
2 "Carlos Marx Ataca el Capitalismo"
3 "Martín Lutero se Pronuncia Contra Venta de Indulgencias"
4 "John Locke Invoca que el Pueblo Elija un Rey Nuevo"

21 ¿Cuál de las organizaciones está correctamente pareada con su propósito principal?
1 O.T.A.N. - defender a la Europa Occidental
2 Mercado Común - ponerle fin a la contaminación industrial
3 O.E.A. - resolver disputas entre naciones europeas
4 La Sociedad de las Naciones - hacer préstamos a los países del Tercer Mundo

22 ¿Cuál era el propósito principal de la política externa de las naciones de la Europa Occidental en los años 1950 - 1980?
1 la contención del comunismo
2 el desarme internacional
3 la expansión territorial
4 la protección de los derechos humanos

23 En un esquema, uno de los siguientes es el tema principal y los otros son secundarios. ¿Cuál es el tema principal?
1 Los problemas de la Europa Occidental en el presente
2 La división católico-protestante en Irlanda
3 La expansión del Mercado Común
4 Las relaciones con la Europa Oriental

24 "Nuestro único propósito en la tierra es de servirle a Dios." ¿Cuál ambiente histórico se describe mejor con esta cita?
1 Atenas en el siglo V
2 Europa occidental en el siglo XII
3 El Japón en el siglo XX
4 La U.R.S.S. en el siglo XIX

25 ¿En qué caso el primer suceso es la causa del segundo?
1 El bombardeo de Pearl Harbor - el fin de la Primera Guerra Mundial
2 La caída del Imperio Romano - el desarrollo del feudalismo en Europa
3 La invención de la máquina a vapor - el principio de las cruzadas
4 El Terror - el fin del Holocausto

ENSAYOS

1 La geografía de un país a menudo influye y da forma al desarrollo de este país.

PAISES

Egipto antiguo
Grecia antigua
Roma antigua
Gran Bretaña: 1950 - presente
Arabia Saudita: 1950 - presente
El Japón: 1950 - presente

Parte A

1. Escoge *un* país de la lista dada: _____

Enumera *dos* modos en que la geografía influyó y dio forma a su desarrollo.

a. _____   b. _____

2. Escoge *otro* país de la lista: _____

Enumera *dos* modos en que la geografía influyó y dio forma a su desarrollo.

a. _____   b. _____

Parte B

Basa tu respuesta a la parte B en la respuesta a la parte A.

En una hoja aparte, escribe un ensayo explicando cómo la geografía de un país puede influir y dar forma a su desarrollo.

2 Los adelantos científicos y tecnológicos a menudo tienen un efecto extenso en la sociedad.

ADELANTOS CIENTIFICOS Y TECNOLOGICOS

La prensa
El método científico
La máquina a vapor
La energía nuclear
La computadora

Parte A

1. Escoge *un* adelanto de la lista dada.

Define ese adelanto particular científico o tecnológico.

Relata una forma en que este adelanto ayudó a cambiar la sociedad.

2. Escoge *otro* adelanto de la lista dada.

Define ese adelanto particular científico o tecnológico.

Relata una forma en que este adelanto ayudó a cambiar la sociedad.

Parte B

Basa tu respuesta a la parte B en la respuesta en la parte A.

En una hoja aparte, escribe un ensayo explicando cómo los adelantos científicos y tecnológicos tuvieron un efecto extenso en la sociedad.

3 Algunos individuos y sus ideas tuvieron gran influencia en los sucesos históricos del mundo. Cada persona en la lista está pareada con los sucesos históricos en las que tuvo influencia.

INDIVIDUO/SUCESO

Sócrates / la filosofía griega
Martín Lutero / la Reforma
Juan Jacobo Russeau / la Revolución Francesa
Carlos Marx / la teoría del comunismo
Otto von Bismarck / el nacionalismo
Sigmund Freud / el desarrollo de la sicología
Adolfo Hitler / la Segunda Guerra Mundial

Parte A

1. Escoge a *un* individuo de la lista dada.

Relata cómo ese individuo y sus ideas influyeron en el suceso con el cual está pareado.

2. Escoge a *otro* individuo de la lista.

Relata cómo ese individuo y sus ideas influyeron en el suceso con el cual está pareado.

Parte B

Basa tu respuesta a la parte B en la respuesta de la parte A.

En una hoja aparte, escribe un ensayo explicando cómo ciertas personas y sus ideas influyeron profundamente en los sucesos históricos del mundo.

4 La gente vivía bajo muchos diferentes tipos de sistemas políticos.

SISTEMAS POLITICOS

Democracia
Feudalismo
Monarquía por derecho divino
Democracia representativa
Totalitarismo
Teocracia

Escoge *cuatro* sistemas políticos de la lista. En cada una de tus selecciones describe cómo el sistema gobierna una sociedad. Asegúrate de incluir un ejemplo histórico en cada caso para apoyar tu respuesta.

5 Las revoluciones son estos grandes sucesos que no sólo cambian las condiciones en un país dado, pero cuya influencia se siente a través del mundo.

REVOLUCIONES

La revolución científica
La Revolución Francesa
La Revolución Rusa
La revolución industrial
La Revolución China
La Revolución Cubana
La Revolución Iraniana

Escoge *tres* revoluciones de la lista dada. En el caso de *cada una* de las revoluciones escogidas:

■ Describe los cambios que tuvieron lugar.

■ Discute la influencia de alcance mundial de dicha revolución.

6 Los cambios acarreados por La Primera y la Segunda Guerra Mundial eran momentos críticos en la historia del mundo.

CAMBIOS

Los nuevos armamentos
El establecimiento de organizaciones para la paz
La emergencia de gobiernos totalitarios
La pérdida de posesiones territoriales
La división de Europa en territorios del este y del oeste

Escoge *dos* cambios. En el caso de *cada uno*:

■ Describe el cambio.

■ Muestra hasta qué punto este cambio era un momento crítico en la historia del mundo.

CAPITULO 12

CUESTIONES DE ALCANCE MUNDIAL

En el presente el mundo está experimentando cambios a un paso rápido jamás visto antes. Estos cambios resultaron en un mundo más **interdependiente** que en cualquier otro tiempo de la historia de la humanidad. Esta interdependencia "encogió" el globo, convirtiéndolo en una **aldea mundial**—un mundo no limitado por meros confines nacionales. Tal como el mundo llegó a ser más "pequeño", los problemas y cuestiones de una parte del mundo van teniendo un impacto más grande en otras regiones. En esta sección vamos a examinar algunos de estos problemas y cuestiones fundamentales.

EL EXCESO DE POBLACION

EL PROBLEMA

La población del mundo aumenta a una razón alarmante. En 1800, la población del mundo era de un billón de personas. En el año 1900, este número quedó doblado, y en el año 1975 volvió a doblarse. En el presente hay más de 5 billones de personas. Si esta natalidad continúa al mismo paso, en el año 2000 la población del mundo pasará los 10 billones. Tal crecimiento, especialmente en los países en desarrollo, amenaza con agotar la abilidad de esos países de proveer viviendas, combustible y alimentación. Aunque muchas naciones están tratando de contender con el problema de la población excesiva, sus ciudadanos siguen teniendo familias grandes. La razón para esta inconsistencia es que en muchas sociedades, una prole numerosa representa una forma de prestigio social, una fuente de labor y al fin la manutención para los padres en su vejez.

SOLUCIONES POSIBLES

Muchas naciones en desarrollo van instituyendo programas que limitan el aumento de la población. Las Naciones Unidas y otras agencias públicas y privadas están extendiendo sus esfuerzos en instruir a la gente sobre la planificación de la familia—enseñándole métodos usados en la limitación de la natalidad, introduciendo nuevas formas de tales y ofreciendo recompensas a los que tengan familias más reducidas.

EL HAMBRE Y LA DESNUTRICION

EL PROBLEMA

A diario, grandes números de niños se mueren de hambre. En realidad, sólo unas pocas naciones son capaces de producir más alimento del que necesitan. Desgraciadamente, esas pocas naciones constituyen una pequeña fracción de la población total del mundo. Para el resto del mundo, especialmente para las naciones en desarrollo de Asia, de Africa, de la América Latina y del Oriente Medio, el hambre y la desnutrición son condiciones de la vida diaria. A menudo, cada adelanto en la producción de más alimentos se encuentra con un mayor aumento de la población.

SOLUCIONES ATENTADAS

Según va progresando la tecnología, se hacen adelantos en la producción de cosechas más grandes en tiempo más corto. Se van perfeccionando nuevos cultivos de alto rendimiento, mejores abonos e insecticidas menos peligrosos. Sin embargo, el hambre es inevitable a menos que el aumento de la población llegue a contenerse.

LA CRECIENTE DISTANCIA ENTRE LAS NACIONES EN DESARROLLO Y LAS DESARROLLADAS

EL PROBLEMA

Tres cuartas partes de la población del mundo viven en las naciones en desarrollo del **Tercer Mundo** (Africa, Asia y la América Latina). Aunque el hambre, el analfabetismo y la pobreza existen en todos los países, la distancia entre las naciones pobres y las ricas se va aumentando. Por ejemplo, en Suecia todos los jóvenes tienen la garantía de una educación universitaria gratuita, mientras muchos países en desarrollo no son capaces de proveer la enseñanza elemental más sencilla a grandes segmentos de su población. Muchas naciones pobres ven la riqueza y los recursos de naciones más ricas y quieren, de un salto, encontrarse en su posición.

SOLUCIONES POSIBLES

Las naciones industrializadas del mundo van haciéndose más sensitivas a las necesidades y a los problemas de las naciones en desarrollo. Las naciones más ricas van aumentando sus esfuerzos de ayudar a las naciones más pobres. A menudo envían ayuda y consejeros, y establecen agencias de auxilio para mejorar la enseñanza y para elevar el nivel de vida. Un obstáculo importante al alcance de la prosperidad son las deudas del Tercer Mundo: el hecho es que las naciones en desarrollo deben 1.2 de trillón de dólares a las naciones industrializadas. Como resultado, muchos economistas creen que para que haya un verdadero progreso, una porción más grande de las riquezas del mundo tiene que ser invertida en las economías de las naciones en desarrollo.

LA CONTAMINACION DEL MEDIO AMBIENTE

EL PROBLEMA

Camino a la prosperidad, pocas naciones prestaban atención suficiente a la protección del medio ambiente. Esto creó una crisis creciente en el aire, el agua, el suelo y los recursos naturales del globo. Según se van desarrollando los países, y aumenta la población del mundo, la contaminación del ambiente se va convirtiendo en una amenaza más grande. Aunque el problema afecta a cada rincón de la tierra, es especialmente severo en las sociedades extensamente industrializadas.

■ **LA CONTAMINACION DEL AIRE.** A menudo, el desarrollo industrial queda acompañado por el aumento de materias contaminadoras descargadas en el aire. Estas materias producen problemas tales como la **lluvia ácida** y aumentan el número de personas que sufren de enfermedades del sistema respiratorio. Otra amenaza seria a nuestro medio ambiente es el desgaste de la capa de ozono que protege la tierra de los efectos perjudiciales de la radiación solar. Algunos hombres de ciencia pronostican que a causa del exceso de materias contaminadoras en la atmósfera, la temperatura de la tierra será unos grados más alta para la mitad del siglo que viene. Este **efecto de invernáculo**, como se denominó esta tendencia, tendrá consecuencias dañinas porque puede causar un excesivo derretimiento de las capas de hielo en los polos.

Perfil de la ciudad de Nueva York al anochecer, oscurecido por el aire viciado

■ **LA CONTAMINACION DEL AGUA.** La gente se va mudando del campo a las ciudades que se van atestando, haciendo más difícil el proceso de deshacerse de aguas inmundas y de desechos. A menudo, esto lleva al vaciamiento de dichos en las aguas que rodean una ciudad, así contaminando el agua potable y amenazando la salud y la seguridad de todos los miembros de esa sociedad.

■ **LA CONTAMINACION DEL SUELO**. Según los agricultores tratan de hacer sus tierras más productivas para alimentar la población creciente del mundo, usan abonos más potentes e insecticidas más tóxicos. Esto puede tener efectos secundarios perjudiciales. Por ejemplo, el pesticida DDT era eficaz en matar los insectos dañinos, pero también mataba pájaros y peces y causaba cáncer en algunas personas. Además, las sustancias químicas a menudo causan la erosión del suelo.

SOLUCIONES POSIBLES

La contaminación es un problema mundial. Según fue empeorando la situación, de desarrolló más conciencia de la necesidad de conservar y proteger el medio ambiente. A través de todo el mundo se hicieron comunes los programas de educación y de conciencia pública. Sin embargo, la humanidad todavía no se mostró capaz de tomar las medidas necesarias para contener la contaminación del ambiente.

LAS CUESTIONES DE ADMINISTRACION DE RECURSOS Y DE ENERGIA

EL PROBLEMA

Los recursos naturales de la tierra no son sin límites. Pero como más y más naciones se van industrializando, va aumentando la demanda para esos recursos limitados y para fuentes de energía. Uno de esos recursos limitados es el petróleo. Desde el boicoteo árabe del petróleo de los años 1970, el mundo se hizo penosamente conciente de lo que sería vivir sin la amplia provisión de energía para poner en marcha los automóviles y para alumbrar las viviendas. Al presente las más fuentes de energía consisten de combustibles minerales, y según se vayan agotando, es necesario encontrar otras alternativas.

SOLUCIONES POSIBLES

Hay una búsqueda constante de fuentes alternas de energía. Hay un aumento en los atentados de captar la energía del sol, del viento y de la fisión nuclear. Esto resultó en un tremendo aumento del número de plantas de energía nuclear en el mundo. El accidente en **Chernobyl** en 1986, mostró sin embargo, que las nuevas fuentes de energía pueden producir nuevos problemas. Este accidente nuclear tuvo efectos perjudiciales que se extendieron más allá de las fronteras de la Unión Soviética.

EL CAMBIO DE LA ESTRUCTURA DEL PODER: LA REDUCCION DE ARMAMENTOS

EL PROBLEMA

Cuando los Estados Unidos dejaron caer dos bombas atómicas en Japón en 1945, comenzó la edad atómica. A poco tiempo, la Unión Soviética desarrolló sus propias armas atómicas. En la competición entre las dos superpotencias por la posición predominante en el mundo, se fueron desarrollando más y más armas mortíferas.

■ **LA COMPETICION EN LOS ARMAMENTOS**. Las armas de hoy son más avanzadas y más mortíferas que nunca. Por ejemplo, un proyectil dirigido ("I.C.B.M.") puede ahora viajar alrededor del mundo en unos minutos y tiene una gran capacidad de destrucción. Esas armas son capaces de destruir el mundo que conocemos. Las naciones a través del globo tratan de mantener una posición dominante al construir armas cada vez más grandes, más potentes y más mortíferas.

■ **LA PROLIFERACION NUCLEAR.** Los arsenales nucleares de las superpotencias presentan una amenaza seria al futuro bienestar del mundo. Además, las armas nucleares ya no se encuentran sólo en posesión de las superpotencias. Gran Bretaña, Francia, la India y China se juntaron al grupo creciente de las naciones que poseen armas nucleares; Israel y Africa del Sur probablemente las tienen también. Esta expansión de armas nucleares entre las potencias menores se llama proliferación nuclear. Con más y más naciones que desarrollan armamentos nucleares el mundo se vuelve más peligroso.

SOLUCIONES POSIBLES

Se van tomando muchas medidas hacia la reducción de armamentos y el **desarme** nuclear. La amenaza de un holocausto nuclear en el mundo incitó a las superpotencias a intentar un desarme limitado en el tratado sobre la limitación de armas estratégicas "S.A.L.T.". En 1988, Gorbachev y Reagan accedieron a desarmar algunas de las armas nucleares ya existentes. Gorbachev y Bush debatieron otros planes de reducción de armamentos en Malta en diciembre de 1989. Además, las Naciones Unidas a menudo tienen conferencias cuyo propósito es el desarme universal.

LAS CUESTIONES DE SALUD: EL SIDA

EL PROBLEMA

El síndrome de inmuno deficiencia adquirida (**SIDA**) es un virus que previene que el sistema interno de defensa en un individuo siga combatiendo las infecciones. Se sabe muy poco acerca de dónde o cómo empezó esta afección. El SIDA rápidamente se va convirtiendo en uno de los problemas más serios de la sociedad moderna. En la próxima década, se estima que el SIDA puede infectar a más de 100 millones de personas a través del mundo.

SOLUCIONES POSIBLES

A pesar de que aún no haya un remedio para el SIDA, se hace mucho para decelerar el esparcimiento de este virus mortífero. Por medio de programas especiales se educa a la gente acerca de los peligros de esta enfermedad, y se gasta cada vez más en la investigación para encontrar un remedio.

LAS CUESTIONES TECNOLOGICAS: EL MUNDO QUE SE TRANSFORMA

EL PROBLEMA

Vivimos en un mundo que pasa por cambios constantes. Un factor importante que produce esta transformación es el constante adelanto en la **tecnología**. El aprender a amoldarse a un mundo técnicamente avanzado a menudo trae problemas serios a la sociedad. En Irán, por ejemplo, los jefes fundamentalistas musulmanes se oponen radicalmente a la influencia que las ideas y la tecnología occidental tuvieron en sus tradiciones. Y de hecho, es verdad que los cambios tecnológicos pueden tener efectos tanto positivos como negativos:

■ **LA REVOLUCION DE LAS COMPUTADORAS.** Una característica del fin del siglo XX es el desarrollo de la computadora. En su primera etapa, una computadora requería un vasto edificio para almacenar su grupo de memoria. En el presente, con la invención de la **ficha de silicio**, las computadoras que pueden hacer millones de cálculos en sólo unos segundos son bastante pequeñas para poder ponerse en las rodillas. Las computadoras libran a los humanos del papeleo que en un tiempo exigía miles de horas de parte de centenares de personas. Como con toda tecnología nueva y avanzada, algunos tienen problemas con amoldarse. Además, hay personas que temen que las grandes cantidades de informes, almacenados en las computadoras, pueden llevar a abusos de los derechos a la discreción personal.

■ **LA AUTOMATIZACION.** El uso de las máquinas para llevar a cabo tareas complejas se hizo más fácil con la computadora. Ahora los robots, dirigidos por computadoras, pueden hacer el trabajo de manufactura que antes requería trabajadores diestros. Esto nos da productos más baratos, pero reduce el número de puestos en las fábricas. Algunos economistas creen que nuevos empleos se van creando con la misma rapidez con la que se eliminan los antiguos, pero en diferentes campos.

■ **LA REVOLUCION EN LA MEDICINA.** En la medicina, los adelantos importantes parecen ocurrir a diario. Sólo hace unos años, los trasplantes de corazón se anunciaban en los titulares de la prensa, hoy son bastante comunes. Se espera que la medicina del futuro encuentre curas para el cáncer, el SIDA y la pérdida de memoria entre los ancianos. Desgraciadamente, los costos médicos van subiendo a una razón alarmante, y algunas sociedades no pueden permitirse el gasto. Los adelantos en la medicina también contribuyen a la crisis del aumento de la población.

■ **LA REVOLUCION VERDE.** En los años 1960 se desarrollaron las semillas de arroz y de trigo de alta producción. Combinando estos adelantos con los nuevos tipos de abonos y mejores métodos de irrigación, se produjo mayor cantidad de alimentos para el mundo. Sin embargo, esta revolución de métodos trajo algunos problemas. Muchos campesinos en las naciones en desarrollo eran incapaces de beneficiarse totalmente de esa revolución verde porque les faltaban la pericia, la maquinaria, los insecticidas y los abonos necesarios para aumentar sus cosechas. Finalmente, la población creciente consume la producción adicional.

■ **LOS ADELANTOS EN EL TRANSPORTE Y EN LAS COMUNICACIONES.** Cuando la industria adaptó el motor de combustión interna a los automóviles, a los barcos y a los aviones, el impacto en la vida de la gente era enorme. El auto permite a uno llegar al lugar destinado en horas en vez de días. Desgraciadamente, el aumento en el uso de los autos también trajo a muchas ciudades del mundo contaminación del aire, niebla mezclada con humo y carreteras atestadas. En el campo de las comunicaciones, los inventos tales como el teléfono, la radio y la televisión permitieron las comunicaciones casi instantáneas alrededor del mundo, agregando al concepto de la "aldea mundial". La gente está ahora mejor informada

Un sistema moderno de carreteras en Falls Church, Virginia

que nunca, pero tiene dificultad en hacer frente a la creciente cantidad de informes, muchos de los cuales son sin importancia.

■ **EL ESPACIO: LA NUEVA FRONTERA**. En 1957, los soviéticos pusieron en el espacio un satélite artificial, el Sputnik I, comenzando el principio de la "**competición en el espacio**" entre la Unión Soviética y los Estados Unidos. Desde aquel tiempo los dos países llevaron a cabo proyectos complejos, enviando al espacio a sus astronautas en números crecientes. La investigación del espacio trae consigo gran prestigio nacional, ventajas militares y un aumento en las capacidades en las comunicaciones. La exploración del espacio, acarrea sin embargo, vasta expendición de fondos. Algunos argumentaron que este dinero sería mejor gastado en tales cosas como las investigaciones en la medicina, adelantos en la educación y ayuda a los pobres.

LA TENDENCIA HACIA UNA ALDEA MUNDIAL

Desde el fin de la Segunda Guerra Mundial, el mundo se volvió más interdependiente. Esta nueva interdependencia en el globo trajo más difusión cultural que nunca.

■ **LA LENGUA**. Cuando los europeos se pusieron a establecer colonias, trajeron consigo sus costumbres y sus idiomas. Como consecuencia, en muchas partes del mundo se hablan el español, el francés y el inglés. En el presente, esta tendencia continúa, y muchas palabras de un idioma se convierten en parte de la lengua de otros pueblos. Esto se debe a los programas de televisión y otros adelantos en las comunicaciones.

■ **LAS INSTITUCIONES**. Muchos países en desarrollo buscan modelos en las economías e instituciones gubernamentales de las naciones desarrolladas. Por ejemplo, las constituciones y los cuerpos legislativos del oeste quedaron adoptados por muchos países en desarrollo.

■ **LA TECNOLOGIA**. La tecnología se esparce ahora con rapidez, de una sociedad a otra. El comienzo de métodos de automatización en el Japón, rápidamente se hace parte de la fabricación en cadena en los Estados Unidos.

■ **LAS COSTUMBRES**. El entretejerse de las costumbres puede observarse en la moda, la música y los deportes de las diferentes sociedades. Por ejemplo, en los años 1960 el distintivo cuello de chaqueta al estilo Nehru se convirtió en un antojo de la moda en el mundo occidental. En los años 1990, la música grabada por un grupo norteamericano podrá cantarse por los jovencitos en Africa.

Algunas sociedades ven esta mezcla de culturas diferentes como una amenaza a la estructura fundamental de su propia sociedad y de sus tradiciones. En particular, temen la influencia desorganizadora de la tecnología que trae nuevos métodos de hacer las cosas. Cuando hay recelo y oposición fuerte, estos a menudo son seguidos por los desacuerdos y la violencia.

PRINCIPIOS FUNDAMENTALES PARA RECORDAR

GENERALIZACIONES FUNDAMENTALES
✳ Los problemas de una parte del mundo a menudo tendrán influencia en otras regiones.
✳ Los adelantos en la tecnología tienen resultados tanto positivos como negativos.

TERMINOS Y CONCEPTOS FUNDAMENTALES
interdependencia, "aldea mundial", lluvia ácida, efecto de invernáculo, Chernobyl, proliferación nuclear, desarmamiento, SIDA, tecnología, revolución de computadoras, fichas de silicio, automatización, revolución verde, competición en el espacio.

COMPRUEBA TU COMPRENSION

Comprueba tu comprensión de este capítulo contestando a las preguntas que siguen. Haz un círculo alrededor del número que precede la palabra o expresión que constituye la respuesta correcta a cada pregunta o declaración. Después de las preguntas de respuestas múltiples, dirígete a los ensayos.

1   lluvia ácida
       efecto de invernáculo
       capa de ozono

       Las expresiones dadas se asocian con
       1 prácticas en la agricultura   3 armamentos modernos
       2 cuestiones del medio ambiente   4 fuentes de energía

2 La razón principal de la preocupación por la futura falta de fuentes de energía en el mundo es
       1 la disminución del costo de las fuentes alternas en comparación con el costo de combustibles de origen mineral
       2 que los combustibles minerales se van agotando
       3 la insuficiencia del capital invertido en la energía
       4 el aumento en la participación del gobierno en la construcción de plantas de energía nuclear

3 El mejor ejemplo del concepto de la interdependencia internacional es
       1 el aumento del nacionalismo en los países en desarrollo
       2 la emergencia de gobiernos democráticos a través del mundo
       3 la ayuda que se da a la gente de otras partes del mundo
       4 una colonia que rompe todo vínculo con la madre patria

4 Una producción insuficiente en la agricultura de un país en desarrollo a menudo se puede atribuir a
       1 un rápido aumento de la población   3 la falta de viviendas
       2 la energía nuclear   4 la contaminación del ambiente

5 "Hoy el mundo es una aldea mundial." ¿Qué se entiende por esto?

    1 La mayoría de la gente vive hoy en pequeñas aldeas.

    2 Los problemas de una parte del mundo pueden influir en otras regiones.

    3 Hay una tendencia que la gente se mude de los centros urbanos a las aldeas.

    4 El mundo está en dirección de crear un solo gobierno.

6 ¿Cuál es la declaración más exacta acerca de la proliferación nuclear?

    1 Las alianzas militares contribuyen a la limitación de armamentos nucleares.

    2 Aumentó el número de países que tienen armas nucleares.

    3 Las armas de rayos laser pronto permitirán la defensa contra las armas nucleares.

    4 Las armas nucleares se vuelven menos peligrosas en el presente.

7 ¿Cuál de los siguientes expresa una opinión más bien que un hecho?

    1 En 1800 la población del mundo era de 1 billón de personas.

    2 Tres cuartos de la población del mundo viven en los países en desarrollo.

    3 El SIDA representa el peligro más grande para la humanidad.

    4 La Unión Soviética fue el primer país que lanzó un satélite en el espacio.

8 En un esquema, uno de los siguientes es el tema principal y los otros son secundarios. ¿Cuál es el tema principal?

    1 Los usos de la computadora en el trabajo

    2 Los adelantos recientes en la medicina hacen que la gente tenga una vida más larga

    3 Los efectos de la tecnología moderna en el mundo

    4 El impacto del motor de combustión interna

9 ¿Cuál de los factores siguientes explica mejor el tremendo crecimiento de la población en los países en desarrollo?

    1 La necesidad para fuerzas militares más grandes y más poderosas

    2 Los adelantos que tienen lugar en la tecnología del espacio

    3 Los hijos representan una fuerza de trabajo para la familia

    4 La influencia decreciente de las instituciones religiosas

10 ¿Cuál de estos problemas mundiales es la causa de los otros tres?

    1 la contaminación del ambiente

    2 el tremendo aumento de la población

    3 las carestías de energía

    4 el hambre y la desnutrición

ENSAYOS

1 Algunos sociólogos hicieron pronósticos acerca del futuro del mundo.

PRONOSTICOS

■ La tecnología en la agricultura hará posible que se produzca lo suficiente para alimentar a toda la población del mundo.

■ El exceso de población seguirá aumentando a una razón alarmante.

■ Se eliminará la distancia entre las naciones en desarrollo y las desarrolladas.

■ La contaminación causada por la industria se eliminará en la mayoría de los países industrializados.

■ Una nueva fuente de energía resolverá la crisis mundial de la energía.

■ En la próxima guerra mundial se usarán armamentos nucleares.

■ Se encontrará un remedio para contener la difusión del SIDA.

■ El mundo seguirá volviéndose más interdependiente.

Escoge *dos* pronósticos de la lista dada. En el caso de cada una de las predicciones escogidas, explica por qué crees que lo pronosticado sucederá o no. Recuerda que debes usar evidencia histórica específica para apoyar tu explicación.

2 El bosquejo que sigue representa ciertas cuestiones mundiales.

¿Cuál es la idea principal representada en el dibujo?

■ Escoge *dos* de las cuestiones representadas en el bosquejo. Para cada una de las escogidas, discute una razón por la que esto es un problema mundial.

■ Discute una solución posible que podría aplicarse a uno de los problemas mundiales que escogiste.

CAPITULO 13

COMPROBACION FINAL

Ahora que tuviste la oportunidad de repasar la materia del curso y las diferentes estrategias de tomar pruebas, toma estas pruebas finales. Estas deben ayudarte a enfocar los temas que quizás debieras estudiar más. ¡Buena suerte!

PRUEBA 1

PARTE I

Direcciones: Contesta a todas las 50 preguntas de esta parte. Haz un círculo alrededor del número que precede la palabra o expresión que mejor completa la declaración o responde a la pregunta.

Basa tus respuestas a las preguntas 1 a 7 en el mapa que sigue y en tu conocimiento de los estudios sociales.

EQUATOR

1 ¿En qué dirección general viajarías si fueras del punto F al B?
    1 norte   3 sur
    2 este   4 oeste

2 El ecuador cruza los continentes de
    1 América del Norte y Asia   3 América del Norte y del Sur
    2 América del Sur y Africa   4 América del Sur y Europa

3 Si viajaras en avión, directamente de Europa a los Estados Unidos, ¿qué océano atravesarías?
    1 Atlántico   3 Pacífico
    2 Indico   4 Arctico

4 ¿En qué continente está situado el Brasil?
    1 América del Norte   3 Europa
    2 América del Sur   4 Asia

5 ¿En cuál región hubo gran hambre y carestía durante los años 1980?
    1 C   3 A
    2 B   4 F

6 ¿En cuál región está situada la selva amazónica?
    1 E   3 A
    2 B   4 C

7 ¿En cuál región hay constantes luchas entre los musulmanes y los cristianos desde los años 1970?
    1 H   3 C
    2 F   4 D

8 ¿Cuál época vino después de las otras?
　　1 el Renacimiento　　　　　3 el Imperio Romano
　　2 la Revolución Rusa　　　　4 la Reforma

9　　El país A vende la mayoría de sus recursos naturales al país B
　　El país B importa la mayoría de los productos manufacturados del país A
　　La mayoría de las empresas en el país A es propiedad de personas del país B

　　¿Cuál es el concepto mejor ilustrado por estas afirmaciones?
　　1 comunismo　　　　　　　3 imperialismo
　　2 apartheid　　　　　　　　4 machismo

10 Miguel Angel, Maquiavelo y Galileo se asocian con
　　1 la Edad Media　　　　　　3 la Ilustración
　　2 el Renacimiento　　　　　 4 la revolución industrial

11 ¿Cuál suceso tuvo lugar durante el gobierno de Mao Tse-Tung?
　　1 La revolución cultural
　　2 El comercio con el Imperio Romano
　　3 El bombardeo de Hiroshima
　　4 La guerra del Opio

12 ¿Cuál afirmación refleja mejor el punto de vista de Confucio?
　　1 Se debe respetar a los mayores.
　　2 Trabajadores del mundo, ¡únanse!
　　3 Todos los humanos tienen ciertos derechos fundamentales.
　　4 El hombre es la medida de todo.

13 El resultado inmediato de la política de libre acceso en China era que
　　1 el Japón invadió a China
　　2 Los Estados Unidos y otros países comerciaban con China
　　3 Chiang Kai-Chek se refugió en Taiwan
　　4 Deng Xiaoping aplastó el alzamiento de los estudiantes

14 La idea fundamental de la filosofía comunista es la existencia
　　1 del motivo de lucro
　　2 de la libertad de prácticas religiosas
　　3 de la lucha de las clases
　　4 del cambio pacífico

15 ¿Cuál es la mejor explicación para el aumento tan rápido en la población de China?
　　1 Se prohiben los programas de limitación de natalidad.
　　2 Los adelantos económicos permiten que la gente tenga más hijos.
　　3 La cultura tradicional apoya la idea de familias grandes.
　　4 Los hospitales son los mejores del mundo.

Basa tus respuestas a las preguntas 16 a 18 en la caricatura política que sigue y en tu conocimiento de estudios sociales.

16 La persona sentada en la mesa representa a
1 José Stalin   3 Carlos Marx
2 Adolfo Hitler   4 John Locke

17 ¿Qué concepto de política externa se representa en la caricatura?
1 la "detente"   3 la perestroika
2 el apaciguamiento   4 la contención

18 ¿Qué suceso tuvo lugar un año después de la situación presentada en la caricatura?
1 El principio de la Segunda Guerra Mundial
2 El establecimiento de la Sociedad de las Naciones
3 La Revolución Rusa de 1917
4 Checoslovaquia se hizo parte de Gran Bretaña

19 La razón principal por la que el Japón está preocupado con las luchas y la inquietud en el Oriente Medio es que el Japón
1 tiene una población musulmana grande
2 depende del petróleo del Oriente Medio
3 tiene fuerzas militares en esa región
4 tiene una alianza política con Israel

20 ¿Cuál de las aseveraciones siguientes mejor explica el éxito económico reciente del Japón?
1 Tiene abundancia de recursos naturales.
2 Tiene países satélites bajo su control.
3 Pone énfasis en la tecnología moderna en sus industrias.
4 Se beneficia de tener muchos grupos étnicos.

21 ¿Cuál término mejor describe las relaciones del Japón con el mundo en los tiempos anteriores a 1850?
1 aislacionista   3 expansionista
2 militarista   4 imperialista

22 ¿Cuál aseveración sobre el sistema de castas es la más acertada?
        1 Sudáfrica usa las castas para la separación de las razas.
        2 Se basa en la creencia que todos los humanos fueron creados iguales.
        3 Es una organización económica que fija los precios del petróleo.
        4 Mantiene que la gente nace en una cierta clase social y debe permanecer en ella.

23 Martin Luther King y Mahatma Gandhi se parecían porque los dos creían en el concepto
        1 del machismo   3 de resistencia pasiva
        2 de detente   4 del imperialismo

24 La creencia en la reencarnación es uno de los credos fundamentales del
        1 hinduísmo   3 judaísmo
        2 islam   4 sintoísmo

25 Los vientos fuertes que traen abundantes lluvias al Sur y al Sudeste de Asia se llaman
        1 tifones   3 sabanas
        2 tundra   4 monzones

26 ¿Cuál de los jefes está correctamente pareado con su adversario político?
        1 Marcos/Aquino   3 Luis XIV/Luis XVI
        2 Lenin/Stalin   4 Hitler/Mussolini

Basa tu respuesta a las preguntas 27 y 28 en la gráfica lineal y en tu conocimiento de estudios sociales.

PERSONAL MILITAR DE NICARAGUA

27 ¿En qué año eran más numerosas las fuerzas militares en Nicaragua?
        1 1979   3 1983
        2 1980   4 1981

28 Los informes presentados en la gráfica lineal reflejan los efectos
        1 del problema de narcóticos en la América Latina
        2 de las luchas entre los contras y los sandinistas
        3 del quebrantamiento de los derechos del hombre en Sudamérica
        4 del flujo de inmigrantes a los Estados Unidos

29 El nombre que se da a la práctica de separar las razas en Sudáfrica es
   1 apartheid
   2 jihad
   3 esclavitud
   4 colectivismo

30 ¿Cuál de los titulares de periódico refleja mejor los sucesos en Africa durante los años 1980
   1 "Enormes Adelantos Económicos para el Continente"
   2 "Los Más Países se Vuelven Democráticos"
   3 "Apartheid Termina en Sudáfrica"
   4 "Hambre y Carestía Agobian Este de Africa"

31 Un partidario de la idea de que todos los hombres se crearon iguales probablemente estará en oposición a la práctica
   1 del apartheid
   2 de "dividir y conquistar"
   3 del mercantilismo
   4 de detente

32 Simón Bolívar y Robert Mugabe se parecen en que ambos eran
   1 laureados del Premio Nóbel de la Paz
   2 generales en la Segunda Guerra Mundial
   3 jefes de sus países respectivos
   4 artistas del Renacimiento

33 El propósito principal de la política de buen vecino y de la Alianza para el Progreso era de
   1 mejorar las relaciones entre los Estados Unidos y la América Latina
   2 establecer una organización mundial de paz
   3 aumentar la producción agrícola de los países asiáticos
   4 disminuir la pobreza en Africa

34 Una fuente primaria de informes sobre las civilizaciones americanas indígenas podría(n) ser
   1 un texto sobre el Brasil
   2 unos artefactos de un templo azteca
   3 un artículo de enciclopedia sobre Cuba
   4 una película sobre el río Nilo

35 ¿Cuál libro de referencia sería más útil para un viajero europeo en el Oriente Medio durante el siglo XIX?
   1 un diccionario
   2 una enciclopedia
   3 un almanaque
   4 un atlas

Basa tus respuestas a las preguntas 36 y 37 en la gráfica que sigue y en tu conocimiento de estudios sociales.

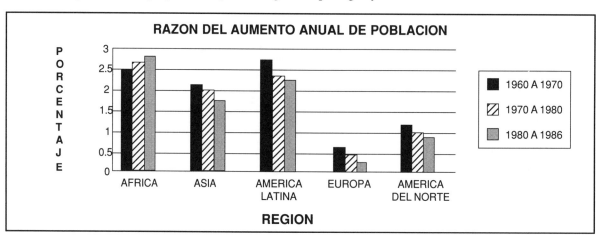

RAZON DEL AUMENTO ANUAL DE POBLACION

36 ¿Cuál continente tuvo el aumento anual más reducido durante el período de 1980-86?
    1 Asia   3 América del Sur
    2 Europa   4 Africa

37 ¿Cuál continente tuvo un aumento en la razón del crecimiento de la población en todos los períodos indicados?
    1 Asia   3 América del Norte
    2 Africa   4 Europa

---

38 La función más importante de la OPEC es de
    1 reglamentar el precio del petróleo a través del mundo
    2 establecer una patria para los refugiados palestinos
    3 mejorar las condiciones de vida para los negros de Sudáfrica
    4 aumentar la libertad de religión en el Oriente Medio

39 ¿Cuál de los jefes probablemente estaría a favor de basar un gobierno en la observación estricta de la ley islámica?
    1 Margaret Thatcher   3 Ayatollah Khomeini
    2 Robert Mugabe   4 Fidel Castro

40 Una creencia importante de la religión musulmana es que
    1 la vaca es un animal sagrado   3 hay un solo Dios
    2 la naturaleza es el Bien Supremo   4 el emperador es un dios

41 ¿Cuál era un objetivo importante tanto para Pedro el Grande como para Catalina la Grande?
    1 la occidentalización   3 la colectivización
    2 la detente   4 la glasnost

42   "Nicolás II Derribado"
          "Triunfan los Bolcheviques"
          "Lenin Asume Poder"

          Estos titulares de periódico hubieran aparecido con más probabilidad durante
    1 la caída de Roma   3 la Revolución Rusa
    2 la Revolución Francesa   4 la Segunda Guerra Mundial

43 Glasnost y perestroika son términos asociados con
    1 Pedro el Grande   3 Stalin
    2 Lenin   4 Gorbachev

44 El resultado principal de la Revolución Rusa de 1917 era que
    1 se aumentó el trato entre el Japón y la Unión Soviética
    2 Rusia llegó a ser el primer país comunista
    3 la rusificación vino a ser la política oficial del gobierno zarista
    4 el islam llegó a ser la religión oficial

Basa tus respuestas a las preguntas 45 y 46 en la gráfica cronológica que sigue y en tu conocimiento de estudios sociales.

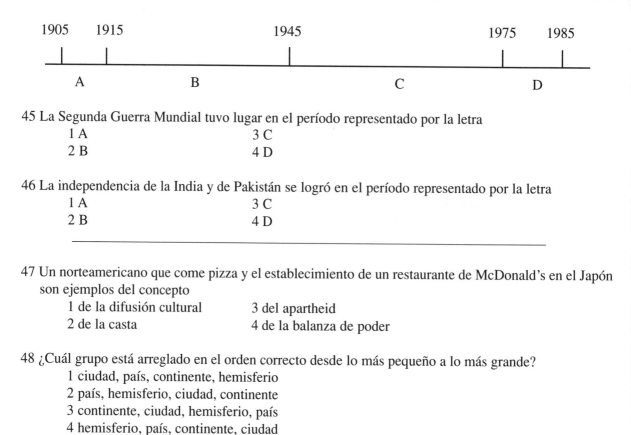

```
1905    1915                    1945                        1975    1985
  |       |                      |                            |       |
     A          B                      C                          D
```

45 La Segunda Guerra Mundial tuvo lugar en el período representado por la letra
    1 A   3 C
    2 B   4 D

46 La independencia de la India y de Pakistán se logró en el período representado por la letra
    1 A   3 C
    2 B   4 D

---

47 Un norteamericano que come pizza y el establecimiento de un restaurante de McDonald's en el Japón son ejemplos del concepto
    1 de la difusión cultural   3 del apartheid
    2 de la casta   4 de la balanza de poder

48 ¿Cuál grupo está arreglado en el orden correcto desde lo más pequeño a lo más grande?
    1 ciudad, país, continente, hemisferio
    2 país, hemisferio, ciudad, continente
    3 continente, ciudad, hemisferio, país
    4 hemisferio, país, continente, ciudad

49 Uno de los obstáculos más importantes al desarrollo económico en la mayoría de los países en desarrollo es la falta de
    1 tierras de cultivo   3 materias primas
    2 capital de inversión   4 trabajadores sin pericia

50 ¿Cuál grupo de fechas está arreglado en orden cronológico correcto?
    1 410 d.J.C., 239 d.J.C., 145 d.J.C., 23 d.J.C.
    2 231 a.J.C., 123 d.J.C., 46 a.J.C., 1990 d.J.C.
    3 23 a.J.C., 65 a.J.C., 267 a.J.C., 389 a.J.C.
    4 345 a.J.C., 10 a.J.C., 245 d.J.C., 1245 d.J.C.

PARTE II

RESPONDE A DOS PROBLEMAS DE ESTA PARTE

1 Las características físicas de un país afectan su desarrollo.

País

Egipto antiguo
China antigua
Gran Bretaña, 1770-1900
Japón, 1950-Presente
Arabia Saudita, 1950-Presente

Parte A

Escoge *un* país de la lista dada: _____

Enumera *dos* modos en que la geografía influyó en su desarrollo.

1. _____

2. _____

Escoge *otro* país de la lista dada: _____

Enumera *dos* modos en que la geografía influyó en su desarrollo.

1. _____

2. _____

Parte B

Basa tu respuesta a la Parte B en la respuesta a la Parte A.

En una hoja aparte, escribe un ensayo explicando cómo las características físicas de un país pueden afectar su desarrollo. Presenta ejemplos para demostrar tu posición.

2 Las naciones en desarrollo tienen problemas semejantes que dificultan su desarrollo económico.

Parte A

Enumera *dos* problemas que dificultan el desarrollo económico.

1. _____

2. _____

Parte B

Basa tu respuesta a la Parte B en la respuesta a la Parte A.

En una hoja aparte, escribe un ensayo explicando cómo las naciones en desarrollo tienen problemas que estorban su desarrollo económico.

3 Muchos individuos llegaron a cambiar el curso de la historia.

Individuos

Adolfo Hitler
Desmond Tutu
Mao Tse-Tung
Mahatma Gandhi
Fidel Castro
Ayatollah Khomeini
Carlos Marx

Parte A

Escoge a *un* individuo de la lista dada: _____

Indica cómo las ideas o acciones de esta persona afectaron el curso de la historia.

_____

Escoge a *otro* individuo de la lista dada: _____

Indica cómo las ideas o acciones de esa persona afectaron el curso de la historia.

_____

Parte B

Basa tu respuesta a la Parte B en la respuesta a la parte A.

En una hoja aparte, escribe un ensayo explicando cómo las ideas o acciones de un individuo pueden influir en el curso de la historia. Presenta ejemplos para ilustrar tus conclusiones.

4 Las creencias religiosas de un pueblo a menudo influyen en su cultura nacional.

Religión / país

Hinduísmo / la India
Islam / Irán
Budismo / China
Sintoísmo / el Japón
Judaísmo / Israel

Parte A

Escoge *una* religión de la lista dada: _____

Designa *una* creencia importante de esa religión.

_____

Escoge *otra* religión de la lista dada: _____

Designa *una* creencia importante de esa religión.

Parte B

Basa tu respuesta a la Parte B en la respuesta a la Parte A.

En una hoja aparte, escribe un ensayo explicando cómo las creencias religiosas de un pueblo a menudo influyen en su cultura nacional. Presenta ejemplos para ilustrar tus conclusiones.

PRUEBA 2

PARTE I

Direcciones (1-48): Contesta a todas las preguntas de esta parte. Haz un círculo alrededor del número que precede la palabra o expresión que completa la declaración o constituye la respuesta correcta a la pregunta.

1 Las características principales de un sistema económico capitalista son
    1 los sindicatos obreros fuertes y precios fijos
    2 cuotas de exportación y dominio gubernamental de las industrias fundamentales
    3 propiedad privada y el motivo del lucro
    4 planificación central por el gobierno y empleo para todos

2 ¿Cuál es la convicción compartida por los gobiernos totalitarios?
    1 Las constituciones escritas y las elecciones libres son necesarias para el funcionamiento apropiado de la sociedad.
    2 Los derechos de los disidentes deben ser respetados.
    3 Debe garantizarse los derechos humanos a todos los ciudadanos.
    4 Los requisitos del estado son más importantes que los derechos de los individuos.

3 ¿Cuál aseveración es la más acertada acerca de la trata de esclavos desde el siglo XV al XIX?
    1 La trata estaba limitada a Africa del este.
    2 Los comerciantes de esclavos traían marfil y madera a Africa.
    3 La trata de esclavos incluía a mercaderes negros, árabes y europeos.
    4 La mayoría de los esclavos fue llevada de Africa a Europa.

4 Muchas naciones africanas modernas tienen dificultad en unificar a su pueblo porque la gente
    1 tiene fuertes vínculos tribales
    2 aún es leal a su antigua potencia colonial
    3 no desea quedarse en Africa
    4 no quiere aceptar representantes de autoridad

5 Las presentes fronteras políticas de las naciones africanas fueron influidas principalmente por
   1 las características topográficas del continente
   2 las configuraciones de colonias europeas
   3 los grupos tradicionales de lenguas africanas
   4 la situación de los antiguos reinos tribales africanos

6 ¿Cuál aseveración es acertada con respecto a la práctica del apartheid en la República Sudafricana?
   1 Fue alentada por otras naciones.
   2 Es el resultado de las pruebas de mejorar las condiciones de los negros que viven en los territorios natales.
   3 Tiene raíces en el imperialismo europeo en Africa.
   4 Resultó en trato separado pero igual de los blancos y negros.

Basa tus respuestas a las preguntas 7 y 8 en las declaraciones que siguen y en tu conocimiento de los estudios sociales.

"Los dulces de Bengala son los mejores en la India. No aguanto los dulces de Bombay o de Delhi."
— Funcionario público de Bengala

"La política se entiende sólo en Uttar Pradesh. El Uttar Pradesh el el corazón político de la India."
— Periodista de Uttar Pradesh

"¿Vivir en el Sur? ¡Nunca! ¡Sus idiomas son imposibles y sólo se come arroz, arroz, arroz!"
— Ingeniero de Punjab

7 Estas declaraciones indican que los que las hicieron tienen
   1 prejuicios regionales
   2 un sentido de patriotismo
   3 fuertes creencias religiosas
   4 tendencias socialistas

8 Una conclusión válida a la que se llega a base de estas declaraciones es que la India es una nación caracterizada por
   1 unidad política
   2 movimiento social
   3 prosperidad económica
   4 diversidad cultural

9 En la India, el papel tradicional de las mujeres cambió durante el siglo XX a causa
   1 del impacto del aumento de la urbanización
   2 de los efectos de persecuciones religiosas
   3 del uso de la resistencia pasiva
   4 del aumento de la inquietud política

10 ¿Cuál condición estimuló más el desarrollo económico de la India en los años 1980?
   1 una pequeña población urbana
   2 el aumento en la mortalidad infantil
   3 el aumento del capital de inversión
   4 la diversidad de lenguas

11 En el siglo XX, la mayoría de las naciones en el Sureste de Asia tenía
   1 luchas por la independencia
   2 un alto nivel de vida
   3 inestabilidad política
   4 tolerancia hacia las minorías étnicas

12 ¿Cuál es la causa de la gran concentración de habitantes en las regiones orientales de la República Popular China?
   1 La capital china está en el este.
   2 La mayor parte de las tierras fértiles de cultivo se encuentran en el este.
   3 La mayoría de los yacimientos de petróleo está en el valle del río Yangtze.
   4 Disminuyó el comercio por rutas de tierra con los vecinos de China.

13 Durante el siglo XIX, las naciones occidentales pudieron dominar partes de China principalmente porque
   1 los chinos tenían una fuerte tradición pacífica
   2 a China le faltaba la tecnología militar necesaria para poner alto a estas empresas
   3 se prometió ayuda a las industrias de China
   4 los chinos no tenían una fuerte identidad cultural

14 Durante la revolución comunista en China, muchos campesinos apoyaban a los comunistas porque estos prometieron
   1 reforma agraria
   2 un tratado de paz con el Japón
   3 una república federal
   4 ayuda de parte de las naciones industriales

15 En China, las expresiones "marcha larga," "librito rojo" y "gran salto hacia adelante" se asocian estrechamente con
   1 las prácticas económicas de Kuo Ming Tang
   2 la expusión de los forasteros durante la rebelión de los Boxers
   3 la política externa bajo Deng Xiaoping
   4 la jefatura de Mao Tse-Tung

16 El desarrollo de la economía japonesa desde la Segunda Guerra Mundial se logró a pesar del hecho de que el Japón tiene
   1 poca tecnología moderna
   2 baja productividad de los trabajadores
   3 pocos recursos naturales
   4 alto desempleo

17 Desde los principios de los años 1970, la política externa del Japón se hizo más independiente de la de los Estados Unidos porque
   1 el Japón se opone a la política de detente de los Estados Unidos con respecto a los países comunistas
   2 el Japón surgió como una superpotencia económica
   3 los Estados Unidos se negaron a cumplir con su compromiso de defender al Japón
   4 el Japón es tan fuerte militarmente que ya no necesita a los Estados Unidos para su protección

18 ¿Cuál aseveración sobre las civilizaciones antiguas americanas expresa una teoría histórica más bien que un hecho histórico?

    1 Los incas no tenían una lengua escrita.

    2 La difusión de enfermedades causó la caída del imperio maya.

    3 Los sacrificios humanos eran un elemento de la religión azteca.

    4 La Pirámide del Sol se encontraba en Teotihuacán.

19 En la América Latina, el énfasis en el papel de las fuerzas militares y la fuerza de la religión católica tienen su origen en

    1 las antiguas organizaciones de aldeas indígenas

    2 los intercambios culturales con los Estados Unidos

    3 las prácticas inglesas en el Nuevo Mundo

    4 el dominio colonial español

20   "Juarez Derrota Tropas Francesas en México"

      "Bolívar Encabeza Revolución en Sudamérica"

      "San Martín Libera Argentina"

      Estos titulares de periódico se refieren al surgimiento del

    1 colonialismo

    2 nacionalismo

    3 marxismo

    4 mercantilismo

Basa tus respuestas a las preguntas 21 y 22 en la gráfica que sigue y en tu conocimiento de los estudios sociales.

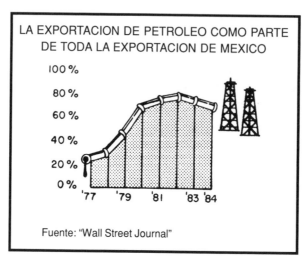

LA EXPORTACION DE PETROLEO COMO PARTE DE TODA LA EXPORTACION DE MEXICO

Fuente: "Wall Street Journal"

21 ¿Cuál declaración es mejor apoyada por los datos de la gráfica?

    1 El porcentaje de la exportación mexicana de petróleo fue disminuyendo desde 1982.

    2 Desde 1977, más de un 60 de la exportación anual de México era el petróleo.

    3 La exportación mexicana de petróleo llegó a su máximo en 1984.

    4 México comenzó a exportar petróleo en 1977.

22 ¿A qué situación se puede atribuir la tendencia mostrada en la gráfica?

  1 el aumento de natalidad en México

  2 el aumento del valor del dólar estadounidense

  3 el cambio en las condiciones del mercado de petróleo

  4 el aumento de las sumas de dinero que México debe a los países extranjeros

23 En el Oriente Medio durante la época neolítica, el desarrollo de la agricultura resultó en

  1 el establecimiento de poblados fijos

  2 la vuelta a la vida nómada

  3 el surgimiento de la caza como ocupación importante

  4 un aumento de la dependencia en la exportación de petróleo

24 El cristianismo y el islam se parecen en que ambos

  1 son religiones politeístas

  2 predican la no-violencia estricta

  3 tienen las mismas fiestas religiosas

  4 tienen raíces en el judaísmo

25 En los años 1970, cuando Irán era gobernado por el sha, Ayatollah Khomeini criticaba principalmente

  1 la amistad del sha con la Unión Soviética

  2 la vuelta a la ley islámica tradicional

  3 la falta de derechos políticos y sociales para las mujeres

  4 las influencias no-islámicas en la cultura y economía

26 En los años 1980, la fuente principal de conflico entre Israel y los árabes palestinos era

  1 la presencia de buques israelís en el Canal de Suez

  2 la interferencia de Libia en los asuntos del Oriente Medio

  3 la exigencia de los árabes palestinos de su propia patria

  4 el apoyo soviético de grupos radicales árabes en los territorios ocupados

27 ¿Cuál es la civilización antigua que estableció los fundamentos de la democracia occidental?

  1 los fenicios

  2 los egipcios

  3 los súmeros

  4 los griegos

28 El sistema político del antiguo Imperio Romano se caracterizó por

  1 un gobierno central fuerte

  2 el gobierno por una coalición de emperadores y jefes religiosos

  3 el sufragio universal en las elecciones nacionales

  4 una estricta adherencia a los principios constitucionales

29 En Europa, un efecto de las cruzadas, de duración prolongada era

  1 el fortalecimiento del sistema feudal

  2 la aceptación de las prácticas religiosas musulmanas

  3 el aumento de demanda de productos del Oriente

  4 más aislamiento europeo

30 Los humanistas del Renacimiento diferían de los filósofos tradicionales de la Edad Media en su
    1 interés de la vida espiritual de la gente
    2 falta de interés en la cultura griega y romana
    3 rechazamiento de los principios cristianos
    4 énfasis en la importancia del individuo

31 ¿Cuál era un resultado de la revolución comercial?
    1 la disminución del desarrollo de la población en Europa
    2 el movimiento del poder del oeste de Europa al este
    3 la expansión del feudalismo a través de la Europa occidental
    4 la expansión de la influencia europea en territorios de ultramar

32 Las Noventa y Cinco Tesis de Martín Lutero eran un llamado a
    1 rebelión religiosa contra los príncipes alemanes
    2 reformas dentro de la Iglesia católica romana
    3 mayor autoridad del papa
    4 cruzadas para esparcir el cristianismo

33 Un resultado importante de la Revolución Francesa era que
    1 Francia gozó de un largo tiempo de paz y prosperidad
    2 la Iglesia quedó restaurada a su antigua función y poder dentro del gobierno francés
    3 el poder político se movió a la burguesía
    4 Francia perdió su sentimiento de nacionalismo

34 ¿Cuál grupo en Europa se benefició más con la industrialización en el siglo XIX?
    1 los agricultores rurales
    2 la clase media
    3 los obreros de fábricas
    4 el clero

35 La idea principal de Carlos Marx y Federico Engels expresada en el "Manifiesto Comunista" es que el proletariado
    1 necesitaría ayuda extranjera para lograr sus propósitos revolucionarios
    2 tenía que cooperar con los capitalistas para controlar los medios de producción
    3 debería permitir que los capitalistas controlaran los medios de producción
    4 tenía que unirse para derribar la clase capitalista

36 La Carta Magna, la Ley de Reforma de 1832 y el Acto del Parlamento de 1911 eran todas medidas con las cuales Gran Bretaña
    1 evolvió hacia los principios democráticos
    2 extendió el imperialismo británico
    3 creó una sociedad sin clases
    4 fomentó prácticas del socialismo

Basa tu respuesta a la pregunta 37 en la caricatura que sigue y en tu conocimiento de estudios sociales.

K. R. Chamberlain
Masses. Jan. 1915.
En Petrogrado.
Oficial ruso: "¿Por qué estas fortificaciones, su Majestad?
¡Seguramente los alemanes no llegarán hasta aquí!'
El zar: 'Pero ¿cuando regrese nuestro propio ejército - ?'"

37 ¿Cuál es la idea principal de la caricatura?

    1 Rusia gastó demasiado en la defensa durante la Primera Guerra Mundial.

    2 El zar esperaba desempleo de gran alcance después de la Primera Guerra Mundial.

    3 Los jefes militares rusos estaban seguros de salir victoriosos contra los alemanes.

    4 Había mucho descontento en el ejército ruso durante la Primera Guerra Mundial

38 ¿Cuál es generalmente una característica de una economía comunista?

    1 Se alientan las inversiones con la promesa de gran lucro.

    2 El papel del gobierno en la economía está restringido por la ley.

    3 Las agencias gubernamentales participan en la planificación de la producción.

    4 Los empresarios venden sus acciones al gobierno.

39 El gobierno de José Stalin en la Unión Soviética puede mejor describirse como un tiempo de

    1 reforma democrática y nacionalismo   3 libertad de religión y tolerancia

    2 humanismo y democracia   4 censura y terror

40 ¿Cuál era la fuente principal de conflicto en las repúblicas meridionales y centrales de la Unión Soviética en los años 1970?

    1 la influencia de ideas chinas

    2 el descontento de las minorías étnicas

    3 los esfuerzos de establecer un sistema económico capitalista

    4 el deseo de rusificación de parte de esas repúblicas

41 La examinación de Yugoslavia, la República Popular China y la Unión Soviética del presente parece indicar que el marxismo

    1 logró su propósito de sociedad sin clases

    2 se abandonó formalmente en los tres países

    3 a menudo queda reformado para cumplir con las necesidades particulares del gobierno

    4 se practica estrictamente de acuerdo a las ideas de Carlos Marx

42 El Comité de Salvación Pública en Francia y el Khmer Rouge en Camboya se parecen en que
1 eran leales a las monarquías de sus países respectivos
2 usaron el terror para adelantar sus propósitos revolucionarios
3 eran intelectuales que fomentaban reformas moderadas en sus países
4 trataron de establecer instituciones democráticas en sus países

43 ¿Cuál es la declaración que mejor describe la sociedad bajo la influencia del cristianismo medieval y el islam tradicional?
1 La religión encerraba todos los aspectos de la vida desde el nacimiento hasta la muerte.
2 La religión daba a la gente la libertad de escoger sus prácticas.
3 La religión tenía un papel importante sólo en la vida del clero.
4 Ambas religiones influían en la sociedad al recalcar la igualdad de todas las religiones.

Basa tu respuesta a las preguntas 44 y 45 en la gráfica cronológica y en tu conocimiento de los estudios sociales.

44 El surgimiento de los gobiernos fascistas agresivos en Europa tuvo lugar en el período representado por la letra
1 A   3 C
2 B   4 D

45 La mayoría de los países africanos y asiáticos logró su independencia en el período representado por la letra
1 A   3 C
2 B   4 D

46 El obispo Desmond Tutu de Sudáfrica recibió en 1985 el Premio Nóbel de Paz. ¿Cuál declaración mejor describe el significado de este suceso?
1 La comunidad mundial aprobaba las prácticas del apartheid del gobierno de Sudáfrica.
2 Se reafirmó la práctica europea de conservar la neutralidad en cuanto a los derechos humanos.
3 Se promovía la separación de la iglesia y del estado como concepto universal.
4 Los métodos no-violentos quedaron reconocidos como una forma de hacer cambios en Sudáfrica.

47 ¿Cuál es un problema importante ante muchas de las naciones en desarrollo más pobres en los años 1980?
1 La producción y distribución de comestibles es inadecuada.
2 Hay demasiados trabajadores técnicamente adiestrados.
3 Los ejércitos europeos dominan a esas naciones.
4 Se producen demasiados artículos de consumidor.

Basa tu respuesta a la pregunta 48 en la gráfica que sigue y en tu conocimiento de estudios sociales.

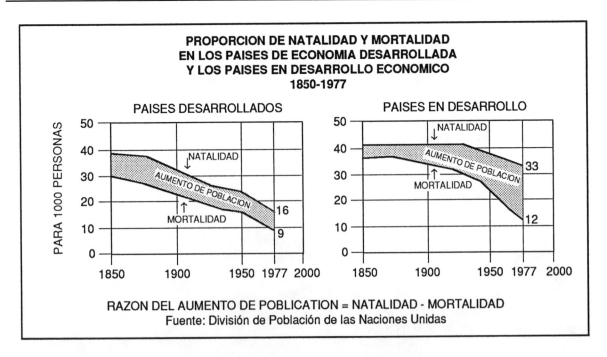

PROPORCION DE NATALIDAD Y MORTALIDAD
EN LOS PAISES DE ECONOMIA DESARROLLADA
Y LOS PAISES EN DESARROLLO ECONOMICO
1850-1977

RAZON DEL AUMENTO DE POBLICATION = NATALIDAD - MORTALIDAD
Fuente: División de Población de las Naciones Unidas

48 ¿Cuál declaración es mejor apoyada por los informes de la gráfica?

1 La población de los países desarrollados y los en desarrollo aumenta a la misma razón.

2 Para el año 2000, los países en desarrollo alcanzarán el punto cero del aumento de población.

3 El aumento de población desde 1900 en gran parte se debe a la baja en la mortalidad.

4 El aumento de la población desde 1900 se debe en gran parte al aumento de la natalidad.

Advertencia al estudiante:

Al desarrollar tus respuestas a la Parte II, debes asegurarte de:

(1) incluir evidencia e informes específicos de hechos cuandoquiera sea posible

(2) mantenerte dentro del tema; no irte por las tangentes

(3) evitar generalizaciones exageradas o declaraciones generales sin prueba suficiente; no exagerar el caso

(4) tener presentes estas definiciones generales:

(a) **discutir** significa "hacer observaciones sobre algo, usando hechos, razonamiento y argumentación; presentar con cierto detalle"

(b) **describir** significa "ilustrar algo con palabras o hablar del asunto"

(c) **mostrar** significa "señalar; presentar claramente una posición o idea al declararla y dar informes que la apoyen"

(d) **explicar** significa "hacer claro o comprensible; presentar las razones o causas de algo; mostrar el desarrollo lógico o las relaciones de algo"

PARTE II

RESPONDE A TRES PROBLEMAS DE ESTA PARTE

1 Desde 1945, muchas naciones y regiones pasaron por conflictos internos entre grupos que estaban en desacuerdo sobre varias cuestiones.

Naciones / regiones

Corea
el Líbano
Irlanda del Norte
las Filipinas
Polonia
Viet Nam

Escoge *una* nación o región de la lista dada.

a. Nombra un conflicto interno importante que haya tenido lugar en dicha nación o región.

b. Nombra *dos* grupos dentro de la nación o región que participaron en el conflicto interno y explica la posición tomada por *cada* grupo en el conflicto.

c. Describe la situación presente del conflicto o hasta qué punto se resolvió dicho conflicto.

2 En el siglo XX, los adelantos tecnológicos tuvieron efectos tanto positivos como negativos.

Adelantos tecnológicos

La tecnología del espacio
La energía nuclear
La revolución en las computadoras
El adelanto en la técnica de medicina
La revolución verde
El motor de combustión interna

Escoge *tres* adelantos tecnológicos de la lista dada.

En el caso de *cada uno* de los adelantos tecnológicos escogidos, discute un efecto positivo y uno negativo para la sociedad del siglo XX. En tu respuesta, incluye un ejemplo específico de cada adelanto tecnológico.

3 Muchos cambios tuvieron lugar en algunas naciones de Africa, Asia, el Oriente Medio y la América Latina desde la Segunda Guerra Mundial. Estos cambios influyeron en muchos aspectos de la vida de estas naciones.

Los cambios

El papel y la posición de la mujer
El aumento de la población
Los movimientos nacionalistas
La emergencia de gobiernos democráticos
El desarrollo de una clase media
El desarrollo industrial

Escoge *tres* de los cambios dados en la lista. Para *cada uno* escogido:

a. Describe un ejemplo de este cambio en una nación específica de Africa, Asia, el Oriente Medio o la América Latina.

b. Discute el efecto positivo *o* negativo del cambio sobre la nación. [Nombra una nación diferente para cada cambio que escogiste.]

4 El crimen del genocidio abarca a muchas culturas y muchas épocas.

Casos de genocidio

La matanza de armenios en el Imperio Otomano a principios de los años 1900
El hambre en Ucrania causado por medios artificiales en los años 1930
El Holocausto nazi contra los judíos y otros grupos en los años 1940
Las ejecuciones masivas en Camboya (Kampuchea) en los años 1970

Escoge *uno* de los sucesos de la lista dada.

a. Discute *un* factor que hizo posible que ocurriera el genocidio, y al discutir las prácticas específicas, muestra que el hecho era un caso de genocidio.

b. Describe *una* forma en la que una nación u organización internacional trató de prevenir el genocidio.

5 La política de los jefes nacionales a menudo fomentaba un sentido de nacionalismo en el pueblo.

Naciones

Francia
Alemania
Gran Bretaña
Italia
Rusia

a. Escoge *dos* de las naciones de la lista. En el caso de cada nación, nombra el jefe nacional y describe la acción específica o la política del jefe que fomentó el nacionalismo.

b. En el caso de los jefes nacionales nombrados en la parte a, explica un efecto que su acción o política tuvo sobre su nación.

6 Las diferentes filosofías y religiones tuvieron un papel importante en la formación de la historia o cultura de una nación o región.

Filosofía / religión

Animismo
Budismo
Confucianismo
Islam
Judaísmo
Sintoísmo

Escoge *tres* de las filosofías o religiones de la lista dada, y en el caso de *cada una* filosofía o religión escogida:

a. Explica *una* predicación o idea fundamental de la filosofía o religión

INDICE ALFABETICO